Hermann Lenz
Die Schlangen haben samstags frei

Erzählungen

Herausgegeben und
mit einem Nachwort versehen
von Rainer Moritz

Insel Verlag

Satz und Druck: Memminger MedienCentrum AG
Printed in Germany
Erste Auflage 2002

1 2 3 4 5 6 – 07 06 05 04 03 02

Inhalt

Jugendtage (1937) 9
Das stille Haus (1938) 24
Schwäbischer Lebenslauf (1943) 46
Die Abenteurerin (1952) 52
Zu spät (1952) 107
Hotel Memoria (1952) 111
Die Marmorbüste im Sumpf (1953) 119
Die Geschichte mit Valetti (1954) 123
Das Oleanderblatt (1955) 128
Der Käfer (1956) 137
Die Muse (1957) 140
Erinnerung an Europa (1958) 148
Am Fluß (1959) 150
Zum Eremiten (1959) 151
Castra Regina (1959) 153
Die alte Stadt an den drei Flüssen (1960) 157
Das Flugblatt oder ein Soldatentraum (1961) 163
Schönes Geld (1961) 176
Ein grüner Hut mit Rebhuhnfeder (1961) 181
Frau im Dornbusch (1962) 184
Die Schlangen haben samstags frei (1962) 189
Ein Fräulein aus der Luft (1962) 191
Chef und Schäfer (1962) 195
Auf der Fahrt nach Paris (1962) 201
Ein Dichter aus dem Rauch (1962) 204
Die Waldlaterne (1966) 206
Einer erinnert sich (1969) 212
Eine Tote (1969) 219
Sieben beim Vatertag (1974) 223
Relevanz (1974) 227
Metamorphose (1974) 228
Mein Nächster (1977) 229
Der Abend (1980) 232
Bella (1980) 237

Hilde (1980) 240
Die Nähe des Herrn von G. (1982) 244
Begegnung mit dem alten Faust (1984) 246
Das Glück im Stein (1988) 254
Vom Boden abheben (1992) 262
Ein Regensburger Minnesinger (1994) 272

Aus dem Nachlaß

Obere Ziegelei 277
Waldeinsamkeit 284
Die Frau im Wald 292

Textnachweise 295
Nachwort 299

Die Schlangen haben samstags frei

Jugendtage

Es regnete in München. Ich mietete ein Zimmer in der Nähe der Pinakothek. Es lag in einem Mietshaus, und im Erdgeschoß war ein Büro. Die Mädchen, die dort Schreibmaschine schrieben, kamen über Mittag zu meiner Wirtin herauf und tranken in ihrer Küche Kaffee; das Gelächter klang oft bis zu mir herüber. Meine Wirtin schneiderte. Eine Frau Landrätin ließ sich einmal ein Kleid machen, und als ich abends in die Küche kam, empfing mich lautes Kreischen. Die kleine runde Frau trat hinter die Tür, weil sie noch im Unterrock war. Manchmal kamen auch zwei Schwestern zu Besuch; von denen war die ältere mit einem Offizier verlobt. Sie sagte, daß ich zu ihrer Hochzeit kommen müsse, doch wurde der Termin immer verschoben. Die Emmy aber war die dunklere von beiden. Sie sagte zu meiner Wirtin, ich hätte schöne Augen. Und dann traf es sich, daß abends ihre Mutter kam und mich anschaute. Ich stand in Hausschuhen vor ihr.

Außer mir waren noch andere Untermieter da, und wenn ich Ruhe haben wollte, fing im Nebenzimmer der Schauspieler Friese laut zu deklamieren an. Ich ging hinüber, sagte, daß er still sein müsse, weil ich arbeiten wolle, doch er meinte, sein Beruf sei halt das Deklamieren. Ob ich eine Zigarette rauchen wolle? Und ich rauchte mit ihm eine Zigarette.

Abends hörte ich dann hinter der Wand Reden, Lachen und Grammophonmusik. Da unterhielt er sich mit einer Frau Trautschold, die auch hier wohnte und jeden Sonntag von einem Soldaten besucht wurde. Der habe aber nichts mit dieser Frau, versicherte Herr Friese und schenkte dem Soldaten eine Handvoll Zigarren. Vor meinem Zimmer ließen beide einen Böllerschuß los, und ich lachte mit den Herren.

Der Schauspieler mußte ausziehen, weil er die Miete nicht bezahlen konnte. Nach ihm zog ein Herr mit rotem Backenbart in Frieses Zimmer ein, begleitet von einer zierlichen Sängerin. Die stellte er als seine Frau vor, doch gab sie später zu, daß sie ihm nur den Haushalt führe. Der Herr im roten Backenbart schrieb als Beruf »Student« in den polizeilichen Anmeldezettel und setzte ein

Geburtsdatum ein, das ihn so jung machte, wie ich jung war. Nachts brannte er bis vier Uhr Licht, und wenn er fortging, schloß er seine Stube ab. Trat man aber bei ihm ein, so saß er am Schreibtisch und legte sich die Karten. Dies erzählte meine Wirtin, und es beunruhigte sie. Einmal, als ich bereits im Bett lag, hörte ich sie draußen schimpfen. »Ich hab doch immer anständige Leut gehabt!« rief sie aus, heulte und putzte sich die Nase; dann schlug sie ihre Zimmertür hinter sich zu. Am andern Morgen rief sie mich auf den Gang hinaus. Dort standen zwei Handkoffer und ein Schließkorb, an sich nichts Besonderes. Sie sagte, die würden immer dienstags abgeholt, und jede Woche sei das so. Die Koffer kämen schon am Donnerstag zurück, jedesmal aus einer anderen entlegenen Ortschaft; weshalb ich zu ihr sagte: »Melden Sie's der Polizei. Was glauben Sie, welche Belohnung Sie bekommen, wenn es Schmuggler sind.« Sie folgte meinem Rat, der nicht ganz ernst gemeint war. Und als die Koffer dann geöffnet wurden, war schmutzige Wäsche drin.

Wenig später kam Albert nach München. Auf seinem Schreibtisch stapelten sich Bücher. Wir plauderten am Fenster seiner Stube, die hoch über der Stadt gelegen war, und suchten uns die Vorlesungen aus, die wir belegen wollten. Ich beneidete Albert um seine makellosen Zähne, die ebenmäßiger als meine waren. Der kühle Abend wehte aus dem weiten blauen Himmel in sein Zimmer, und Sommerwolken standen über der grünen Kuppel der Theatinerkirche, die wie die Flügeldecke eines Käfers glänzte.

Wir gingen dann noch in die Oper, wo wir uns auch später manchmal trafen. In der Pause rauchten wir im Freien Zigaretten, gingen auf und ab, unterhielten uns und lachten. Der Nachtwind kam in lauen Stößen über den Platz her. Oder wir traten um die Mittagszeit aus der kühlen Universitätsvorhalle auf die Anlage hinaus, wo Linden rauschten und der Brunnen seinen Wasserhelmbusch schüttelte. Dahinter klingelten die Straßenbahnen. Wir gingen in die Kaulbachstraße, wohin ich umgezogen war und wo ich auch ruhiger wohnte. Dort zeigte ich ihm den Brief eines Redakteurs, an den ich Gedichte gesendet hatte, denn ich machte damals Gedichte. Und da schrieb mir also jener Herr, er habe es selbst auch nicht besser gemacht, als er angefangen habe, Gedichte zu machen; er schicke mir deshalb die meinigen mit aufrichtigem Dank zurück.

Das sei ja fabelhaft, sagte Albert. Und dann ging er fort und kam mit einer Flasche im Arm wieder. Wir feierten den Brief, obwohl er keine Zusage enthielt und meine Gedichte nach wie vor ungedruckt blieben. Aber ich glaube, daß Albert nur deshalb die Flasche brachte, damit mir all dies nicht klar wurde und es mich nicht quälte.

Ich fuhr nun öfters mit dem Rade nach Schäftlarn hinaus. Dort lag ich an der Isar, wo die Weiden blühten. Seidige Wolle fiel aus ihren Blättern, die mit roten Käfern besetzt waren. Manchmal donnerte es leise, drüben fuhr ein Auto über die Holzbrücke, oder eine Möwe kam, flog über das blauglitzernde Wasser, und die Uhr schlug von der Klosterkirche.

Im Juni mußte ich nach Wien zurückkehren, weil sich meine Krankheit wieder meldete. Die linke Halsdrüse war dick geschwollen. Ich packte meine Koffer, und Albert fuhr bis an die Grenze mit. Wir saßen im Speisewagen, die Landschaft lag vor den Fensterscheiben wie ein hellfarbiges Bild, und wir bestätigten einander, daß wir die weitaus elegantesten Leute im Wagen seien.

In Wien empfing mich meine Mutter. Sie war besorgt und läutete den Doktor an. Er kam und sagte, ich müsse operiert werden. Wenige Tage später ging ich mit meiner Mutter in das Allgemeine Krankenhaus. Dort verabschiedete sie sich von mir, weil sie spürte, daß ich allein sein wollte.

Der Arzt war im gelben Gummischurz; seine nackten Arme hatten Sommersprossen. Er trug Sandalen mit Korksohlen. Er fragte mich, was ich studiere. Dann zog ich das Hemd aus und legte mich auf den Operationstisch, wo mir ein Tuch aufs Gesicht gelegt wurde. Ich spürte Stiche, als die Spritzen zur lokalen Betäubung in den Hals eingeführt wurden, und wie das Fleisch unter dem Kinn erstarrte. Dann hörte ich Bestecke klappern. Der Assistenzarzt wurde herbeigerufen, und die Schwestern kamen. Man hielt mir eine Schale unters Kinn. Den ersten Schnitt spürte ich nicht, erst als die Instrumente tiefer in das Fleisch eindrangen, schmerzte es. Ich hörte sie leise knacken, als schneide man mit einer Schere. Später wurde ich verbunden, ich durfte aufstehen, und dann sagte der Arzt, es sei eine tuberkulöse Infektion.

Dies erschreckte mich, aber meine Mutter ließ sich nichts anmerken, als ich's ihr erzählte. Ich ging dann jede Woche einmal in das Krankenhaus. Im sonnigen Hof blühten Sommerblumen, und ihr Duft vermischte sich mit dem Geruch der desinfizierenden Mittel. Oben wartete ich, bis ich ins Sprechzimmer gerufen wurde. Manchmal drang Ätherduft heraus. Ich sah, wie Kranke vorbeigefahren wurden, manchmal schrien sie noch im künstlichen Schlaf, und manchmal hing ein schlaffer Arm am fahrbaren Bett herab; oder es ergab sich, daß ein Schrei oder Stöhnen aus den Sälen drang. Dann wurde mir der Verband aufgeschnitten und die Wunde mit dem antiseptischen Stift gebeizt.

Zu Hause lag ich oft auf dem Balkon. Ich roch einen Geruch wie von Verwesung aus dem eiterigen Ausfluß meiner Wunde. Er vermischte sich mit dem des sommerlichen Gartens, dem Duft des abgemähten Grases oder mit dem stärkenden Duft frischer Früchte, wenn die Mutter mir Erdbeeren brachte. Im August besserte sich meine Krankheit, und es wurde mir erlaubt zu reisen; aber dann kam ein Rückschlag. Ich blieb in Wien, an unserer Straße blätterten die Rosen auseinander, weil sie niemand schnitt, die Jalousien vor den Fenstern waren herabgelassen und verstaubten.

Ich las damals Gedichte eines Mannes names Blatter und wagte es, an ihn zu schreiben. In meinem Brief fragte ich, wo ein Privatdruck von ihm zu haben sei, zögerte aber lange, bis ich den Brief abschickte. Ich schrieb ihn mehrere Male um und suchte das Haus, wo Blatter wohnte. Ich war im Zweifel zwischen zweien, die ähnlich ausschauten und keine Nummern hatten, bis ich im vorderen Gärtchen Blumen sah. Daran erkannte ich sein Haus, nur dort konnte Blatter wohnen, weil ich in seinen Gedichtbüchern viele Verse auf Blumen gefunden hatte.

Ein paar Tage später schrieb er, ich solle zu ihm kommen, aber vorher wäre es wohl besser, wenn ich ihn anläuten würde, damit er auch zu Hause sei. Das tat ich, und er sagte, nachdem ich ihm am Telephon Auf Wiedersehen gesagt hatte: »Ich freue mich, Sie zu sehen.«

Ich war aufgeregt, weil sich dies alles rasch ergeben hatte, nun, da ich mit meinem Halsverband keinen besonders eleganten Eindruck machen konnte. Die Mutter aber sagte: »Er wird sich trotzdem freuen, Stephan.« Und sie wickelte mir meine weiße Binde straffer unterm Kinn zurecht, so daß sie wie eine Halskrause aussah, wenn man nicht genau hinschaute. Dann schlenderte ich vor das Haus und läutete. Ein rotbackiger Bub mit blondem Haarschopf führte mich ins Wohnzimmer hinein, das mir merkwürdig vorkam, weil am Fenster nicht weit vom Schreibtisch ein Webstuhl stand. Ein handgewobener Vorhang bedeckte einen Teil der Wand, die Möbel waren teils modern, teils stammten sie aus alten Zeiten, und am Bücherregal sah ich, daß es früher einmal Glastüren gehabt hatte.

Dann kam Herr Blatter, ein untersetzter Herr mit dunkeln Augen, einer scharfen Falte in der Stirn und einer Hornbrille. Ich hatte ihn mir milder vorgestellt. Er fragte nach meiner Krankheit, wollte wissen, wie die Operation gewesen war, und sagte, seine Frau habe so etwas auch mal durchmachen müssen. Doch dann erzählte er von den Romanen, die er, um Geld zu verdienen, für Zeitungen schrieb, und zeigte mir seine Bilder, die aus der Zeit stammten, als er Zeichenlehrer einer privaten Handelsschule in Innsbruck gewesen war. Ich sagte, sie erinnerten mich an van Gogh. Auch dies war nach seinem Sinn, und er erzählte, wenn der Gerichtsvollzieher zu ihm komme, schaue er nur auf die Rahmen; die Bilder aber sehe er nicht an. Ob dies öfters vorkomme, fragte ich, und er nickte, worauf er seine Pfeife in Brand setzte.

Später wich meine Befangenheit, nachdem ich Blatter mehrmals besucht hatte. Trotzdem spürte ich bei ihm etwas, was mich fremd berührte, wußte aber nicht, woran es lag. Wie Herr Blatter manchmal über das Gedichtemachen redete, als ob es für ihn halt ein Handwerk sei, das wollte mir nicht recht gefallen. Er sagte, daß er alles mit der Schreibmaschine schreibe und jetzt wieder einen Zeitungsauftrag für einen Roman habe, dem er nachkommen müsse, freilich nur des Geldes wegen.

Seine Frau war deutlich jünger als er. Sie wob Anzugstoffe und verkaufte sie. Sie war laut und fröhlich und gefiel mir. Ich trank bei ihnen Tee, Herr Blatter war im weißen Leinenanzug, und erst später sprachen wir von den Gedichten, die er machte. Es war abends, und er fragte, welche es nun seien, die mir gut gefallen hätten, worauf ich ihm ein paar seiner Verse sagte, die ich liebte, weil sie einfach waren und alles so ausdrückten, wie man es empfand. Ich spürte, daß er sich darüber freute. Er rauchte seine Pfeife, der Rauch strich an meinem Gesicht vorbei und verlor sich in der kühlen Luft. Seine beiden Buben saßen neben mir, der kleinere spielte mit einer Katze und lehnte sich an mich.

Ich wagte es im folgenden sogar, Herrn Blatter meine Gedichte zukommen zu lassen, nachdem er zu mir gesagt hatte: »Sie machen doch auch welche. Also lassen Sie mal ein paar sehen.« Ich schob sie in seinen Briefkasten, worauf er mich anderentags anrief, sich bedankte und mich einlud, wieder mal zu ihm zu kommen.

Ich ging zu ihm, und er empfing mich im Schlafzimmer, weil die Wohnstube frisch tapeziert und geweißelt wurde. Zwischen den Ehebetten stand sein Schreibtisch, und er sagte, ich könne mich guten Gewissens auf eines der beiden Betten setzen. So plauderten wir dann über meine Gedichte, er saß am Schreibtisch, und ich rauchte neben ihm eine Zigarette. Die Gedichte fand er »recht anständig« und bemerkte, wie es bei mir weitergehe, das könne er nicht sagen; mein Weg aber sei der richtige. Man müsse beim Versemachen ganz natürlich sein, sagte er, und ich stimmte ihm zu.

Im Dunkelwerden gingen wir dann durch den Belvederegarten und trafen meine Mutter. Ich stellte ihr Herrn Blatter vor. Die Lichter wurden angezündet, ich hatte das Gefühl, als verstünde sich meine Mutter mit Herrn Blatter. Wir trennten uns am Schwarzenbergplatz, wo der Hochstrahlbrunnen seine Wasser in die Abendluft emporstieß und vom Kursalon herüber die Musik einer Kapelle klang.

Es ging mir damals besser, meine Halswunde heilte langsam, so daß wir Anfang September reisen konnten; ich fuhr mit meiner Mutter an den Bodensee. Wir wählten Konstanz, eine Stadt, die ich sehr liebe; denn vom Insel-Hotel hat man einen beruhigenden Blick über den See. Sonntags sind die Dampfer mit farbigen Wimpeln geschmückt, und wenn der Wind von Osten weht und sie vorüberziehen, hört man ihre Schaufelräder rauschen und die fröhliche Musik vom Deck herübertönen.

Wir bekamen Zimmer nach dem See. Dies erinnerte die Mutter anfangs an das Frühjahr in Venedig, wo mein Vater sie verlassen hatte; aber es verlor sich bald, und sie lebte auf. Sie zog sich ja schon immer gern schön an, doch jetzt verwendete sie sogar manchmal Rotstift für die Lippen. – »Gefall ich dir?« fragte sie dann. Morgens erneuerte sie meinen Verband, der jetzt nur noch ein Streifen Leukoplast mit ein wenig weißer Gaze war. Dann machten wir uns für das Frühstück fertig; doch die Mutter hatte vorher immer noch etwas an ihrem Haar zu richten oder nachzusehen, ob sie auch ganz tadellos geschminkt war.

Dort sah ich dann einmal ein Fräulein im hellgrünen Kostüm am Fenster sitzen. Sie kehrte uns den Rücken zu und schrieb, sie schien sich um niemanden zu kümmern. Und als ich anderntags mit meiner Mutter unten am Strand bei den Badehütten auf den matten See hinaussah, lag sie nicht weit von uns im Badeanzug im Sand und hatte ihre Lider mit Silberpapier bedeckt, damit sie vor der Sonne geschützt waren.

Ich wurde mit ihr bekannt, nachdem wir uns öfter gesehen hatten; denn man lernte bald die Lebensgewohnheiten der wenigen Leute kennen, die jetzt noch im Hotel beisammen waren, und auf die ihren paßte ich besonders auf. So wußte ich, sie liege vormittags am Strand, rauche Zigaretten oder hole sich eine Tasse Kaffee. Ich ging nun ab und zu an ihr vorbei. Und einmal stieß mein Schuh an ihr Kaffeetablett, welches sie neben sich im Sande hatte; das Milchkännchen fiel um und spritzte seinen Inhalt auf das graue wollige Tuch ihres Bademantels. Sie sagte: »Ach, sind Sie mal ungeschickt!« Ich entschuldigte mich, worauf sie bemerkte: »Nun, so helfen Sie mir wenigstens und halten einen Augenblick die Zigarette.« Dann stand sie auf, schüttelte den Bademantel aus, während ich ihre Zigarette hielt, die aber hernach so stark abgebrannt war, daß sie sie nicht mehr weiterrauchen wollte. – »Werfen Sie sie weg«, sagte sie und streckte sich wieder im Sande aus.

Dann setzte ich mich neben sie. Sie fing an zu erzählen, auf gleichmütige Art und so, als sei sie sich selbst überdrüssig. Ihr Mund veränderte sich kaum beim Sprechen.

Sie war eine Schauspielerin aus München und hieß Lion; vielmehr man nannte sie Lion nach ihrem blonden Haar. Mit Kollegen sei sie aber nicht sehr oft zusammen, man rede ja dort immer nur dasselbe. Sie kenne deshalb ein paar Maler. Ja, mit denen sei es lustig, und einer habe jetzt ein Bild gemalt, einen Matrosen und ein Mädchen, die zusammen durch eine Gasse gehen; sie hielten sich umschlungen, aber trotzdem sei es so, als spürten sie nichts voneinander. Und das gefiel ihr.

Sie schaute, während sie erzählte, immer auf den See und hielt die Lider halb geschlossen; dazwischen reichte sie mir Zigaretten in einer roten Packung, denn sie rauchte immer, und an ihren Fingern war der gelbliche Anflug vom Rauch zu sehen; sie trug auch einen breiten silbernen Ring, der das untere Glied des Ringfingers bedeckte; wenn sie sich aufrichtete, hielt sie den Badeanzug vor der Brust zusammen, denn die Träger hatte sie über den Schultern aufgeknöpft. – »Ja«, sagte sie nach einer Pause, »ich liebe den frischen Geruch der Farben in den Ateliers und das graue Licht.« Dabei schloß sie die Augen. »Und auch die Menschen«, fügte sie hinzu.

Aus ihren Worten hörte ich etwas Schmerzhaftes heraus, als verwunde sie sich an den Dingen, die sie sagte. Und als ich wieder einmal mit ihr redete, kam meine Mutter vom Hotel herunter; sie ging an uns vorbei und setzte sich auf eine Bank am See. Dort schaute sie einem vorbeifahrenden Dampfer nach und wandte den Kopf in die Richtung, wo wir lagen. Und später, als der Gong zum Essen ins Hotel rief, kam sie auf uns zu. Ich bemerkte ihr schmerzliches Lächeln; dann wandte ich mich nach dem See. Ich spürte, wie sie in der Nähe stehenblieb, Lion schaute hinüber, und die Mutter grüßte sie.

Meine Mutter war freundlich zu mir in diesen Tagen; sie schonte mich, gewissermaßen. Nur als ich mich einmal im Speisesaal verspätet zu ihr setzte, sah sie auf die Seite, als ich kam, und tat wie überrascht, als ich einige Worte an sie richtete; sie sah mir in die Augen. Ich sagte dann: »Es ist eine Schauspielerin«, aber sie schien nicht gleich zu wissen, wen ich meinte. – »So, eine Schauspielerin«, sagte sie und schaute vor sich hin. Dann nahm sie ihre Gabel und fuhr mit dem Stiel den Umriß meiner Finger nach, als wolle sie ihn auf das Tischtuch zeichnen. – »Wenn du nur die Menschen kennenlernst, Stephan«, fügte sie fast tonlos hinzu und blickte wieder durch das Fenster auf den See.

Lion sah ich jetzt täglich. Es waren helle Tage, und die Klarheit des September breitete sich aus mit ihrer wie staubigen Luft. Noch immer konnte man im Badeanzug in der Sonne sitzen, und ich erinnere mich eines Nachmittags, an dem ich wieder mit Lion vor dem See plauderte. Sie streifte mit der Hand, in welcher ihre Zigarette hing, mein Knie; sie hatte lange spitze Nägel. Ich solle etwas von mir erzählen; sagte sie, aber ich antwortete: »Ich hab noch nichts erlebt.« Ich kam mir vor ihr allzu jung vor.

Sie entgegnete, das dürfe man nicht sagen, und fing an, auf einer kleinen Ziehharmonika ein Lied zu spielen. Es hatte eine seltsame Betonung, und sie summte: »Wenn der Wind weht . . . über *das* Meer.« Doch plötzlich hörte sie mittendrin auf und sagte, daß sie sehr gern reise; wenn man Autos anhalte, komme man recht weit. Und sie liebe das. »So ganz allein sein auf einer Landstraße, wenn es regnet, und man nicht weiß, wer einen jetzt mitnimmt.« So fuhr sie auch mal nach Italien, um einen Dichter zu besuchen, aber dann saß sie doch nur einen Nachmittag lang auf seiner Gartenmauer. »Hineingetraut hab ich mich nicht«, bemerkte sie und ließ die Hand mit ihrer Zigarette über das Knie hängen. Oder sie tanzte in Paris in einer Bar, wo nur Frauen hinkamen. »Sie können sich nicht vorstellen, was für Angebote ich erhielt; für hundert Francs, für hundertfünfzig. Und dazu von Frauen. Ja, es war schon schamlos.«

Ich erzählte dann von meiner Kindheit. Mir fiel ein, daß in dem Wald um unsere kleine Stadt in der Wachau das Zittergras im warmen Winde an den Hängen geblüht hatte und daß ich dort oft mit der Großmutter gegangen war; auch ihren Tod erwähnte ich. Da mußte ich dann das Begräbnis ganz genau beschreiben, den späten heißen Nachmittag im Friedhof und den Geruch der halb verwelkten Blumen. – »Um die Erinnerung beneide ich Sie«, fügte sie hinzu. Sie selbst hatte keine Beziehung zu ihren Eltern. Ihr Vater war in China, und von einem Bruder, der in Deutschland lebte, wußte sie nicht einmal die Adresse.

Ich sprach dann begeistert von China: »Dort möchte ich schon einmal hingehn«, sagte ich. »Die Lampions im luftigen Laubgitter hin- und herschwanken zu sehen ist doch hübsch?« Und sie antwortete darauf: »Wie? Meinen Sie bei einem Bordfest? Sonst sind ja keine Lampions in China. Bei meiner Überfahrt war mal ein dicker Herr als Amor aufgemacht, so mit Flügeln und rosa gepudert. Daran erinnere ich mich noch. Und dann natürlich auch an Ihre Lampions auf Deck.«

Sie lächelte und drückte ihre Zigarette in den Sand: »Oder sind Sie ein Dichter? Schau, er ist ein Dichter. Und für den gibt es selbstverständlich Lampions in China. Übrigens: Fast alle meine Bekannten machen Gedichte.«

Dann wollte sie, ich solle ihr wenigstens ein Gedicht aufsagen, aber ich hatte keine Lust dazu. Sie zuckte mit den Lippen. Dann schaute sie mich an, nahm wortlos ihre Sachen und hieß mich aufstehen, weil ich auf ihrem Bademantel saß. Sie sagte mir adieu und ging hinüber zu den Ankleidekabinen.

Später, als ich mich angezogen hatte und im Hotel nach meiner Mutter sehen wollte, traf ich Lion auf der Terrasse beim Kaffee. Ich nahm neben ihr Platz. Sie erzählte mir eine »Räubergeschichte«, wie sie sagte, ein Erlebnis, das sie nachts vor Paris gehabt hatte. Ein Lastauto hatte sie mitgenommen, und so saß sie vorne bei den Fahrern. Es waren wohl echte Verbrechertypen, das könne man schon sagen, mit wulstigen Lippen und niederen Stirnen. Plötzlich hält das Auto mitten auf der Straße, und nirgends ist ein Licht zu sehen. Die beiden steigen aus, sie denkt: jetzt fallen sie über dich her ... aber dann schauten sie nur vorne etwas am Motor nach und fuhren wieder weiter.

Sie lachte, als sie's erzählt hatte, und beobachtete mich mit unbewegtem Gesicht; denn es war nur künstlich gemacht, wenn sie sich lustig gab. Im Grunde hatte alles, was sie sagte, etwas Hilfloses an sich, ihre Geschichten liefen ins Leere, es kam ja nie das Außerordentliche vor im Leben: Einer steigt aus dem Auto aus, sie glaubt, er fällt über sie her, und dann macht er bloß etwas am Motor ... Und so, als wäre sie meinen Gedanken nachgegangen, sagte sie: »Ich finde es sehr schön, das Leben ... Wenn man bedenkt, daß man doch jederzeit Schluß machen kann ...«

Sie hatte wie mit einer Frage aufgehört. Dann erhob sie sich, und ich ging mit auf ihre Stube. Es herrschte grauer Himmel, schon begannen Tropfen da und dort zu fallen, und als wir in ihr Zimmer traten, machte sie zuerst die Fenster vor dem Regen zu. Dann setzte ich mich zu ihr auf das Bett, wo ihre Ziehharmonika lag neben ein paar französischen Zeitungen; sie räumte alles auf die Seite. Dann fragte sie, ob ich jetzt nicht ein Gedicht aufsagen wolle, und ich sagte dann auch, gleichsam willenlos, ein paar Verse, die den Herbst beschrieben, wie er mir als Kind erschienen war, nämlich fröhlich und mit frohen Farben. Sie lehnte sich zurück, während ich meine Verse leise sagte, und freute sich so, wie sich seither niemand mehr über etwas von mir gefreut hat. Sie liebte mein Gedicht, weil es naiv war; warf mir Zigaretten zu, sah mich an und fragte, ob ich irgend etwas haben wolle; ich nahm nur eine Zigarette. Ich spürte, wie sie jetzt verlangte, daß ich mich ganz hingab, doch davor schreckte ich zurück. Es war ja möglich, daß sie dann über mich lachte. Auch wenn sie meine Zärtlichkeit erwidert hätte, würde ich nie geglaubt haben, es sei echt.

Sie stand auf und öffnete das Fenster. Es regnete nicht mehr, aber ein kühler Hauch strömte ins Zimmer. Ich sah hinunter auf die Landungsbrücke. Ein Dampfer legte an, und die Rauchfahne verlor sich im grauen Himmel. Da sagte sie: »So habe ich mir immer vorgestellt, daß es aussieht, wenn jemand seinen Geist aufgibt.«

Wir lachten beide nicht. Sie begleitete mich ins Hotel zurück und ging sogar mit auf mein Zimmer. Dort fand sie einen Band Storm liegen, die Novelle *Auf der Universität,* welche ich damals immer bei mir hatte und in die sie sich vertiefte. Während ich mich umzog, saß sie in der Fensternische und blätterte im Buch. Durch einen Spiegel sah sie manchmal zu mir her, es traf mich ein ruhiger Blick, und dann gingen wir in das Foyer hinunter. Dort las sie weiter, vertiefte sich in diese altmodische Novelle und schaute nur ganz selten einmal auf. Sie entschuldigte sich, daß sie mich so sitzen lasse und nichts rede; doch ich wehrte ab.

Dann schlug sie das Buch zu und sagte: »Los, wir gehen jetzt Schach spielen.« Und als ich sie fragte, wie ihr das Buch gefallen habe, antwortete sie: »Als Kind habe ich Storm gerne gelesen, er hat so eine Hintertreppenromantik; doch jetzt muß ich sagen, daß ich ihn erstaunlich kitschig finde.«

Später spielten wir im Lesezimmer Schach, und sie sagte: »Sie entwickeln eine Aggressivität, die ich an Ihnen nicht gewohnt bin.« Ich gewann das erste Spiel. Meine Mutter schaute einmal durch die Tür und wünschte »Gute Nacht«. Ich nickte ihr kurz zu. Später ging ich mit Lion zur Bar. Der Mixer fragte, was wir noch unternehmen wollten, und ich entgegnete gereizt, ob ihn das vielleicht interessiere; doch Lion war sehr freundlich zu ihm. Ich begleitete sie nach Hause, es war ihr kalt, ich gab ihr meinen Regenmantel, und wir gingen Arm in Arm. Sie plauderte jetzt fröhlich. Wir unterhielten uns darüber, was es sei, das einen bei Nacht ängstlich mache, konnten es uns aber nicht erklären. Wir kamen vor das Haus, in dem sie wohnte. Ich gab ihr rasch die Hand, und sie ging nach der Tür. Ich hatte mich kaum umgewendet, als sie noch einmal heraustrat und mir meinen Regenmantel zurückbrachte; erst dann ging ich ins Hotel zurück.

Am anderen Morgen traf ich sie früh in der Halle. Sie nahm meine Hand, spielte damit und sagte zu mir du. – »Aber ach ... entschuldigen Sie ...«, sagte sie dann plötzlich und sah auf unsere Hände. Als sie ihre zurückzog, hielt ich sie nicht. Und abends, als die Tanzkapelle spielte, kam sie hergelaufen und erzählte, daß sie jetzt gut aufgelegt sei; sie habe, nur aus Übermut, den Bäcker herausgeläutet und eine Semmel verlangt; da sei der aber arg wütend geworden. Und sie zog mich zum Tanz fort, legte ihren Arm auf meine Schulter, und wir versuchten ein paar Walzerschritte; aber es ging nicht, sie hatte einen anderen Takt als ich, weshalb wir bald wieder ins Lesezimmer gingen, an einem kleinen Tisch Platz nahmen und Schach spielten.

In den Tagen, die nun folgten, war ich fast ausschließlich mit meiner Mutter zusammen; sie freute sich darüber. Wir gingen miteinander durch die matte Sonne der Spätsommertage. Hinter Weiden zitterte der See wie eine Silberlinie, meine Mutter hatte ihren Sonnenschirm dabei, weshalb das rosa Licht der gespannten Seide im Gehen auch mich streifte.

So betrachteten wir einmal von der Terrasse aus den See, als meine Mutter ihren Arm frei machte und auf einen Herrn am Strande zeigte, einen untersetzten Herrn im englischen Anzug, mit Pfeife und Sportsmütze. Es war Herr Blatter. In der Nähe warfen seine Buben flache Steine auf den See, daß sie über das Wasser hüpften. Er schaute ihnen rauchend zu und war so sehr versunken in den Anblick, daß er's nicht bemerkte, als wir zu ihm traten. Doch dann begrüßten wir uns fröhlich. Seine junge Frau kam über die Straße in den Garten und rief: »Ach, da sind Sie! Wir sind extra hierhergefahren, damit wir Sie treffen!« Sie hatte schon vor einer Stunde im Hotel nach uns gefragt, aber da waren wir noch auf dem Spaziergang.

Blatters waren zuvor auf der Reichenau gewesen und hatten in einem Gasthaus gewohnt, wo nachts die Schnaken summten und der Stallgeruch durch die Wände drang, wie Frau Blatter laut erzählte, weshalb meine Mutter lächelte; sie dachte wohl, so arg werde es wahrscheinlich nicht gewesen sein. Herr Blatter sagte: »Ach, ich sage Ihnen, es war sehr gemütlich ...«, stieß mich mit seiner Pfeife an, zwinkerte und plauderte von einem reizenden Stück Strand mit blühendem Schilf auf der Reichenau; in das hatte der Dichter sich verliebt, weshalb es schwierig war, ihn von dort wegzubringen. – »Sie wissen nicht, was ich durchgemacht habe!« rief seine Frau aus. Jetzt aber wohnten sie hier in einer hübschen Villa bei einem rotbackigen Major, wo kein Stallduft zu spüren war, dafür aber der warme Hauch des abgemähten Grases aus dem Garten in die Zimmer wehte.

Wir waren dann auch einmal dort. Ich badete mit den zwei Buben unten am Bootshaus, schwamm hinaus in den See, auf dem jetzt weiße Schmetterlinge lagen. Und mit dem Geruch von Fisch und Schilf wehten die ersten spröden Weidenblätter auf das Wasser. Wenn ich im Schwimmen innehielt und zurückschaute, sah ich meine Mutter bei dem Bootshaus stehen und mir winken. Ich schwamm zurück, nur mit spitzem Finger gab ich ihr meine tropfende Hand, aber sie griff fest danach und strich mir auch das nasse Haar aus der Stirn. Sie fragte: »Du denkst jetzt nimmer an Lion?« Und während sie nach meiner Wunde schaute und mir das Pflaster am Hals zurechtdrückte, sagte sie: »Ich meine, du schaust jetzt geheilt aus.«

Ich lächelte, aber sie schaute mich nicht an: sie ordnete nur das Pflaster; dann wurde sie nachdenklich. Und als wir nachmittags im Motorboot mit Blatters nach der Reichenau hinüberfuhren, sah sie öfters auf den See; oder sie pflückte auf der Insel Blumen, heftete sie sich mit einer Silbernadel an die Bluse und fragte mich, ob sie ihr stünden. Sie war auch mit den Kindern lustig und blies ihnen die fliegenden Samensternchen der Löwenzahnblüte ins Gesicht oder boxte mit den Buben in der Wirtschaft, wo wir dann zu Abend aßen. Nachher gingen wir noch an den Strand hinunter. Herr Blatter setzte sich ins Gras und rauchte. Einmal drehte er sich um und fragte, ob das nicht schön sei; und als ich den Platz lobte, triumphierte er damit vor seiner Frau. Sie zog dann hinter einem Busch ihr Kleid aus und setzte sich im rosa Unterrock in die scheidende Sonne, wobei ihr das schwarze Haar zigeunerähnlich in die Stirne hing. Meine Mutter lächelte, als sie es sah. Die Kinder patschten im Wasser herum, und auf dem Weg zur Schifflände, wo wir im hohen Schilf hintereinandergehen mußten, küßte, als ich mich einmal umwandte, Herr Blatter seine junge Frau.

Am andern Morgen traf ich im Insel-Hotel wieder mit Lion zusammen. Sie sagte, sie würde sich jetzt gerne in die Sonne legen, und wir gingen nach der Badehütte, wo wir auf der bretternen Plattform vor den Kabinen dann zwei Liegestühle für uns mieteten. Lion war nett zu mir, ich mußte ihr den Rücken mit Hautöl einreiben, und meine Mutter kam und fragte, ob sie sich zu uns setzen dürfe. Wir machten ihr Platz, und sie versuchte ein Gespräch; doch es ging mühsam, weshalb sie dann bald wieder aufstand und mit starrem Lächeln adieu sagte.

Als sie weggegangen war, zeigte sich Lion verändert. Sie meinte, wenn ich ihr etwas erzählte, ach, das habe sie schon mal gehört, ich müsse es mir angewöhnen, nichts zweimal zu sagen; das sei nur eine Sache der Konzentration. Und übrigens, sie habe auch einem Bekannten nach München geschrieben, der komme heute oder morgen. »Der Junge, der jetzt kommt«, sagte sie, »der ist einmal nach einem Faschingsfest durch die Isar geschwommen. Allerdings war er betrunken ... Wissen Sie: vom Sekt«, fügte sie hinzu, als wolle sie meinen Abscheu erregen. »Und, denken Sie: Der ist mein Freund!« sagte sie und stand auf. Dann holte sie sich im Hotel das Buch *Victoria* von Hamsun und las bis gegen Abend. Als sie damit fertig war, dehnte sie die Arme und ließ sich zurücksinken in den Liegestuhl. – »Ich find es ausgesprochen scheußlich hier«, sagte sie und stand auf. Sie ließ mich spüren, daß es auf mich ging, was sie sagte. Sie war jetzt meiner überdrüssig, und ich war ihr gleichgültig geworden, was soviel bedeutete, wie wenn sie mich gehaßt hätte. Aber nach dem Abendessen suchte ich sie trotzdem. Ich fand sie vor der Badehütte, wo sie sich auf das Geländer gesetzt hatte; sie schaute auf den dunkeln See. Ich ging zu ihr, obwohl ich wußte, daß ich ihr unangenehm war. Als ich zu ihr trat, ließ sie sich vom Geländer gleiten und ging zum Ufer. Dort beugte sie sich übers Wasser und betrachtete das bläuliche Licht eines Leuchtkäfers, der an einem Grashalm hing. Dann machte sie eine fast zornige Bewegung gegen mich und wollte etwas sagen, ließ aber ihren Kopf zurücksinken und fragte, ob ich jetzt nicht Schach spielen wolle. Und so gingen wir halt wieder in das Lesezimmer.

Wir saßen bereits eine Zeitlang dort, im Ecksofa vor dem Schachbrett, als plötzlich die Tür ging und der Kellner einen jungen Herrn im gelben Überzieher hereinführte und sagte: »Hier ist die Dame.« Lion stand auf, umarmte ihn. Er war ein hochgewachsener, breitschultriger und blonder Mann mit blitzenden Zähnen. Die Leute schauten sich um, weil sie so laut war. »Und daß du gerade jetzt kommst!« rief sie aus und stellte ihn mir flüchtig vor; sie nannte ihn René. Sie sagte, ach, ich nähme es ihr doch nicht übel, wenn sie jetzt fortgehe, wir würden die Partie ein andermal zu Ende spielen. Ich räumte die Figuren in die Schachtel, die Finger preßte ich dabei fest an die harten Kanten. Dann ging ich noch etwas spazieren. Ich legte mich in ein taunasses Kleefeld draußen vor der Stadt und schaute in den lichtbesäten Himmel. In meinem Zimmer hatte ich das grelle Deckenlicht noch lange eingeschaltet.

Ich war dann hie und da mit Lion und René zusammen, wenn es sich zufällig gab. Ich tat das auch der Leute wegen. Und dann liebte ich es, in mir alles zurückzudrängen und nach außen nicht zu zeigen; es genügte mir, ich hatte innen etwas durchgemacht. Ich war freundlich zu ihnen. Einmal kamen sie mir Arm in Arm entgegen, und Lion fragte: »Könnten wir nicht Geschwister sein?« Ich bejahte es. Oder sie aßen auf der Terrasse Trauben, winkten mich herbei und schenkten mir viele. Aber das war dann schon gegen Ende unseres Aufenthalts am Bodensee.

Ich schrieb an Albert eine Karte, daß wir hier in Konstanz seien, und er lud uns ein. Wir stiegen an einem milden Tag in den Zug, der nach Württemberg hineinfuhr. Und als wir in der alten Stadt ankamen, wehten meiner Mutter auf dem sonnigen Bahnhof Nachsommerfäden ins Gesicht. *(1937)*

Das stille Haus

Als wir noch Kinder waren, gab uns einmal die Großmutter im Hotelzimmer die Hand und sagte: »Ja, ich muß mich wieder operieren lassen; also seids schön brav, damit's die Mutter leicht hat ...« Und dann strich sie mir und meiner Schwester übers Haar, ich seh' sie noch in ihrem Morgenrock aus blauem Samt dastehen, mit den feinen Gesichtszügen und dem blassen Mund. Und ihre schmale gewichtlose Hand, die glaub' ich immer noch auf meiner Stirn zu spüren, die zartgliedrigen Finger, die sich etwas feucht und fieberig anfühlten.

Es war im Herbst, durchs Fenster strömte eine graue Nebelluft, und von der Straße klang das Wagenrasseln und das Klingeln einer Pferdebahn herauf. Es hörte sich verletzend an, denn damals waren wir noch gar nicht heimisch in der Stadt, wir lebten auf dem Lande, und erst später kamen wir nach Wien.

Die Schwester schmiegte sich an mich, wir waren beide still. Nach einer Weile sagte die Großmutter: »Aber nun geht schon ... man wird auch auf euch warten.« Und sie wandte sich rasch um und griff sich an das Herz. Dann gingen wir hinaus, die Schwester ließ mich gar nicht los, bis wir im Zimmer unserer Eltern waren. Dort sahen wir den Vater bei der Mutter stehen, er hatte sie an sich gedrückt, und ihre Schultern zitterten ein wenig. Dann machte sie sich los, kam auf uns zu, lächelte und strich sich über die hellgrauen Augen. Der Vater nahm uns bei der Hand, wir gingen mit ihm in die Halle, über viele dunkelrote Läufer, die den Schritt abdämpften. Und ich habe noch den feinen Speisenduft im Gedächtnis und wie sich der mit Parfüm mischte, und überhaupt die ganze Atmosphäre im Hotel. Die Mutter ließen wir oben allein, sie sollte dann nachkommen.

Wir aßen unter einer Zimmerlinde, deren Blätter über der Dampfheizung zitterten; ganz matt wurde man von der Wärme, obwohl der Ventilator eingeschaltet war und schläfrig in der Höhe summte. Dann kam die Mutter. »So, seid ihr da!« sagte sie lustig; sie hatte einen schwarzen Schal zum Seidenkleide umgetan. Sie setzte sich neben die Schwester, und als sie sah, wie müde wir ausschauten, befeuchtete sie uns die Schläfen mit ein wenig Kölnisch Wasser. Sie machte das auf ihre rasche Art und lächelte auch wieder. Dabei verschleierten sich ihre Augen, es war, als würde ihr in jede Freude immer etwas Traurigkeit hineingemischt.

Die Mutter war damals noch jung. Mit ihrem dunkelbrauen Haar, das sich an ihre Schläfen schmiegte, dem matten Elfenbeinton ihrer schmalen Wangen wirkte sie beinahe fremdländisch. Und besonders neben meinem Vater, in dessen Haar sich schon Grau mischte, sah sie sehr jung aus. Sie berührte, so erinnere ich mich, bei jenem Mittagessen öfters seine müden Hände, obwohl sie eigentlich der Zärtlichkeit mehr bedurft hätte; denn man wußte nicht, ob ihre Mutter die Operation, die ihr bevorstand, überstehen würde.

»Schau, ich glaub', 's geht gut!« sagte sie lebhaft, während sie der Schwester das Haar ordnete. Die Margit war auch damals schon ein reizendes Mäderl, mit ihren dunkeln Augen und den schwarzen Brauen, die sich mit dem Haar vermischten, das ihr in die Stirn gekämmt war. Und ihr schmaler roter Mund, der sagte oft lustige Dinge auf ein wenig ungeschickte Art, doch war das dann gerade das Reizende an ihr. Nur jetzt war sie auch still, weil wir von der Großmutter kamen.

Später wurde die Großmutter abgeholt und in das Allgemeine Krankenhaus gefahren. Und auch wir verließen Wien, bis auf die Mutter, die in dem Hotel zurückblieb. Wir fuhren mit dem Zug in unsre kleine Stadt in der Wachau, die Margit saß mir in dem Polsterabteil gegenüber, und der Vater nahm ihr ihren Hut ab, der sie schon zu einer rechten kleinen Dame machte.

Daheim zog uns das Mädchen dann die nassen Mäntel aus, denn auf dem Weg vom Bahnhof hatte es zu regnen angefangen. Wir tranken Tee, es wurde dämmrig, und im Gasofen zitterten die blauen Flämmlein. Vater erzählte uns von fremden Ländern, die er bereist hatte, und zog uns zu sich hin, wie er es manchmal tat, wenn er bedrückt war. Er hatte immer etwas Lavendelparfüm in seinem Anzug, und wenn er mich nachdenklich streichelte, streifte sein Kettenring, den er am Handgelenk trug, meine Augen. Es knisterte im heißen Kupferblech über den blauen Flämmlein, und wir glaubten wirklich die Musik des fernen Chinalandes zu vernehmen und die Lampions im luftigen Laubgitter als farbige Monde hin und her schwanken zu sehen ...

Ein paar Tage später kam die Mutter. Sie begrüßte uns im Flur und ging dann gleich hinein zum Vater. Dort blieb sie ziemlich lang, und als sie wieder heraustrat, bemerkte ich auf ihrer Stirn einen schmerzlichen Zug. Doch den verscheuchte sie. »Ach«, sagte sie, »ich hab' euch doch was mitbracht! Geh, die Mizzi soll den Koffer bringen!« Es wurde ausgepackt, mir hatte sie ein Malbuch mitgebracht und eine Schachtel mit Farbstiften, weil ich sehr gern zeichnete. Aber Margit erhielt ein richtiges Handtäschchen aus schwarzem Lackleder, da mußte ich natürlich sagen, daß sie halt sehr eitel sei. »Oh, bist du mir denn neidig?« fragte sie. – »Wenn ich's nimmer brauchen kann, kriegst du's!«

Ich fühlte mich der Schwester gegenüber etwas benachteiligt, auch war ich immer gern allein, und darum ging ich nach dem Essen auf die Bühne in eine Dachstube, wo ich stundenlang sitzen und träumen konnte. Es war ein warmer Nachmittag wie im Frühling, mit lauer Luft und einer weißen Regensonne, die zuweilen ihr Perlmutterlicht über die Stadt ausgoß. Ich lehnte im Fenster und schaute über die rotbraunen Dächer zu dem Rathausturm hinüber, dessen goldne Zeiger glitzerten. Die Luft umspielte mich, ich wurde in eine sonderbar traurige Stimmung versetzt, vom feuchten Holzgeruch der Kammer und dem grauen Himmel. Dann war es auch sehr ruhig, die kleine Stadt war gleichsam eingelullt vom Sonntagnachmittag. Ich dachte an die Abende im Sommer, wo ich hier den Schwalben zugesehen hatte, bei ihren Flügen durch den weiten Himmel. Und ich erinnerte mich, daß ich gern eine davon gewesen wäre, und derselbe Wunsch kam mir jetzt wieder in den Sinn: dann wäre ich weit fort in heißen Ländern, dachte ich, und vielleicht hätten meine Eltern nach mir Heimweh.

Da ging die Tür auf, und die Mutter trat herein.

»Ach so, da bist, ich such' dich schon die ganze Zeit!« Sie kam zu mir herüber, ich schmiegte mich an ihren Arm und hörte auf die kleine Stadt hinunter, wo vor einem Fensterbrett Milchkannen klapperten und, weiter weg, vom Wald her, eine Ziehharmonika wehmütig spielte.

»Hier ist's doch schöner als in Wien, nicht wahr?« fragte ich sie.

»Ach, ich weiß nicht . . .«

Dann fragte ich nach der Großmutter.

»Ach Gott, sie ist halt krank. Was kann man da schon sagen? Weißt, ich glaub' schon, daß sie wieder kommt.« Und, sehr erschrocken und als wolle sie den Satz aus meinem Gedächtnis auslöschen, fügte sie hinzu: »Man muß halt warten, bis es verheilt ist ... Bis alles wieder gut ist, muß man warten.«

Und dann sprach sie von einer Parade und vom Kaiser, den sie auch gesehen hatte, denn es war ja damals noch das alte Wien.

Mein Vater war ein eleganter Herr mit sorgfältig gestutztem Bart, wie es um 1880 Mode war. Ich sehe ihn noch vor mir, wie er sich die Zigarette aus der Dose nimmt, sie mit brünetten Fingern zurechtdrückt und dann entzündet; dabei neigt er sich vor, das angebrannte Ende glüht wie ein Rubin. Und feiner Duft verbreitet sich, etwas zu schwer für sein sehr anfälliges Herz, aber von starkem Reiz für mich. Denn nach dem Essen durfte ich mich immer an ihn schmiegen, und er blies mir seinen blauen Rauch über die Augen, daß die Schläfen pochten. Dann sah ich eine schattige Straße vor mir, die in das Grün sommerlich heißer Parklandschaften führte, in denen Damen unter zartfarbigen Schirmen herumgingen, in hellen und duftigen Kleidern ... Dann konnte mir mein Vater unerwartet mit der Hand über die Lider streifen, daß ich erwachte. Schaute ich auf, so traf mich ein seltsamer Blick aus seinen Augen, welche grau umschattet waren, aber fremd und kalt hinter den langen Wimpern glitzerten. Dann fragte er mich leise: »Was hast du gesehen?« Aber ich gab keine Antwort.

So ging der Herbst vorüber, und es wurde manchmal etwas lichter, zuweilen ließ die Stimmung nach, die uns bedrückte. Meistens war's die Dienerschaft, und davon im besonderen die Mizzi, die uns ab und zu aufheiterte. So brachte sie einmal die Suppe, ich kann mir ihr Gesichtchen unter der gestärkten Rüsche noch gut denken und wie wir am ovalen Eßtisch saßen, wo immer alles mit Sorgfalt gerichtet war. Sie kam herein, stellte die Schüssel ab. Und dann lachte sie einfach los: »Entschuldigen S' schon, Herr Konsul, aber ich muß mich setzen!« Und sie setzte sich aufs Sofa. Wir hatten nur Rokokomöbel, und es war wie eine Szene aus einer Komödie, die in alter Zeit spielt und worin die Kammerjungfer die lustige Person ist.

»Ja, was ist denn? Aber Mizzi, so erzählen S' schon!« Und

meine Mutter rückte ihren Stuhl näher zu ihr, und alle warteten wir sehr erstaunt, bis sie sich gefaßt hatte.

Dann kam's heraus, daß in der letzten Nacht bei einem Gerber in der Stadt das Ehebett durchgebrochen war und alle Nachbarn vom Gepolter und Geschrei aufgewacht waren. »Aufm Boden sinds also glegen, zudeckt von die Kissen!« rief die Mizzi. »Stellen S' sich bloß vor, Herr Konsul, das käm' bei uns vor!«

Ja, sonst war es nichts. Aber uns freute es, ich höre noch das feine silbrige Lachen von der Margit neben mir, und meine Mutter schenkte unsrer Mizzi ihren Serviettenring, den durfte sie zum Dank behalten. Auch mein Vater lächelte, dieser vornehme Mann, welcher sich stets zurückhielt.

Ich habe meinen Vater nie eine Gemütsbewegung verraten sehen. In der Zeit, da die Großmutter krank war, kam einmal die Mutter zu ihm, sie hielt ein schmales Papier vor die Lippen. Das gab sie ihm, ohne etwas zu sagen; ich saß auf der Stuhllehne, legte meinen Kopf an seine Schulter.

Er las das Telegramm, dann zuckte er zusammen. Tastete aber sofort seine Krawatte ab, deren knisternde Seide ihm an den Fingerspitzen haftenblieb.

Öfters war er von zu Hause fort, man lebte eigentlich nur wegen uns Kindern auf dem Land, das Konsulat war ja in Wien. Dann kamen Briefe, die die Mutter uns vorlas, in denen schrieb er, daß es der Großmutter bessergehe, und sie werde wohl bald wieder zu uns kommen können. Da waren wir dann fröhlich, und es wich für einen Augenblick die Traurigkeit, die wie ein starkes Parfüm immer bei uns spürbar war.

Tatsächlich gingen wir etwa nach einer Woche mit der Mizzi die Großmutter vom Bahnhof abholen. Sie kam mit unsrer Mutter. Die Margit hatte eigentlich fast Angst vor dieser alten Frau, die nur mühsam im grauen Reisekleid dem Zug entstieg, auf uns zukam und sie umarmte. Doch ich glaube, daß sie es gespürt hat, wie es der Margit dabei unheimlich war, denn ihre Augen waren so voll tiefgründiger Traurigkeit, als sie sich zu mir wandte. Mir gab sie deshalb nur die Hand. Aber mir hätte es nichts ausgemacht, ich war ja auch um ein Jahr älter als die Margit, und ich habe alte Menschen immer sehr geliebt.

Wieder richtete sich Großmutter bei uns ein, es kam der Winter mit viel dichtem dämmrigem Grau, das sich im späten Nachmittag über den winkeligen Gassen unsrer kleinen Stadt verbreitete. Dann ging ich mit der Mutter oft durchs weiche Rieseln der Schneeflokken, während da und dort die Lampen angezündet wurden. Wir kamen von der Apotheke, und ich fragte sie, was in dem Telegramm gestanden habe, vor dem der Vater so erschrocken sei.

»Ach«, sagte sie, »wozu frägst denn? – Die Großmutter wird schon noch einige Zeit bei uns bleiben . . .«

Das verstand ich nicht; aber ich fragte nichts mehr, der Schnee, der wie eine Pelzdecke herabsank, machte mich schweigsam. Und dann war auch unsre Villa, die verdeckt hinterm Vorgarten ruhte, bald erreicht. Die rot verhängte Lampe schimmerte durchs Gitter, in der Diele zündete die Mutter die mit Milchglas abgeschirmten Kugellampen an, und während sie in die Garderobe ging, drückte sie mich an sich. Und meine Lippen, die als Kind immer heiß waren – wir hatten sehr rote und heiße Lippen, ich und die Margit –, die preßte ich in ihren weichen, mit Schneetröpfchen besetzten Pelzmantel. Dazu umfing mich die wohlige Wärme, die im Winter immer bei uns herrschte.

Doch am schönsten war's, abends in Hausschuhen das Treppenhaus herabzukommen und sich an das kühle Holzgeländer anzuschmiegen. Dann spürte man das Dunkelwerden, den warmen Hauch der Dampfheizung, der aus der Kaminöffnung strömte, und die weichen Teppiche unter dem Schuh.

Der Winter war für uns sehr lustig, wir tollten in den wirbelnden Flocken herum, brachten heiße Wangen und zerzaustes Haar mit heim, so daß mir die Großmutter oft den Scheitel zurechtmachen mußte. Aber nach Weihnachten wurde die Margit ein wenig krank. Anfangs besuchte ich sie oft, ich durfte meine Eisenbahn vor ihrem weißlackierten Bett aufstellen, in dem sie ruhig bis an das Kinn vermummt drinlag. Und wenn der kleine Zug dann durch den Tunnel, über die Brücke und durch die Stationen rasselte, folgten ihm ihre dunkeln Augen.

Dann kam der Doktor, der sommers wie winters eine Schirmmütze aus gelbem Stroh trug, untersuchte sie und stellte Scharlach und Diphtherie fest, er verbot mir auch, zu ihr zu gehen, was mich sehr beängstigte und traurig machte.

Doch die nächste Zeit war für mich schön, nur daß mir die Margit sehr abging. Weil Ansteckungsgefahr bestand, durfte ich nicht zur Schule, das kam meiner Neigung zum Träumen sehr entgegen, denn jetzt machte ich fast täglich mit dem Vater ausgedehnte Spaziergänge; er durfte ja auch nicht unter die Leute. Schöne Tage sind mir im Gedächtnis, voll weher Frühlingsstimmung, wo in kahlen Büschen das Schneewasser träufelte. Wir gingen auf den knisternden Waldwegen, und wenn sich eine Lichtung vor uns auftat, sahen wir das Städtchen unten liegen, in die Hügel eingebettet. Fenster blitzten, weiter draußen lag der Bahnhof, und das Klappern der zusammenschlagenden Puffer, das Schnaufen der Maschine, die weißblauen Rauch ausstieß, klang in der weichen Luft deutlich herüber. Die Donau glänzte, die Ebene dehnte sich dunstig überblaut hinaus, und eine wehmütige Sehnsucht überkam mich, die sich diesem Lande hingeben wollte.

An einem Abend, als es mit der Margit schlimm stand, ging ich mit meinem Vater der Donau zu, die unter einem blassen Abendhimmel regungslos dalag; nur ab und zu blinkte die klare Flut. Mein Vater trug bereits den hellen Frühjahrsmantel; den Kragen hochgeschlagen, ging er immer einen Schritt voraus. Dann fragte er mich plötzlich: »Wie ist's denn dir zu Mut, wenn du krank bist?« und nahm mich zu sich hin.

»Manchmal habe ich mich so ins Fieber hinunterfallen lassen«, sagte ich, »und das war schön.«

»So . . . Dann bist du also gern krank?«

»Ja, in dem Augenblick, da man sich einfach fallenläßt.«

»Wie ist es da?« fragte mein Vater, und es schien, als glitzerten jetzt seine Augen wieder kalt und fremd. »Nicht wahr, dann möchte man nicht mehr aufwachen«, fügte er hinzu und lächelte.

Jetzt spürte ich die Abendluft wie einen weichen Finger an den Schläfen, es fröstelte mich, und ich hatte Angst vor meinem Vater. Doch er streichelte mein Haar, ich spürte, daß er wußte, was in mir vorging, und darum wurde ich bald ruhig. Es gelang ihm, mich zu trösten, denn irgend etwas war in mir, das mich zu solchen Unterhaltungen hinzog, zu diesen seltsamen Gesprächen, welche mich innerlich schwankend machten.

Später bekam die Margit eine Einspritzung, jetzt mußte sich's entscheiden, ob sie wieder gesund wurde. Es war eine schwierige Zeit für uns, aber die Großmutter brachte sehr viel in Ordnung, wenn meine Mutter die gefährliche Entmutigung ankommen wollte, in der ich sie einmal gesehen habe.

Es war eine aufregende Szene für mich. Ich schaute vor dem Essen vom Salon in unsern Garten, wo die Rosenstämmchen noch mit Ölpapier umwunden waren und die farbigen Papierlaternchen in der Frühlingssonne glühten. Ich freute mich an der hübschen Anlage, bis im Nebenzimmer, das ein leichter Vorhang aus chinesischer Seide vom Salon trennte, jemand leise vor sich hin sprach; ich horchte auf und erkannte die Stimme meiner Mutter. Und als ich dann heimlich hinüberschaute, sah ich, wie sie sich in einen Lehnstuhl vor dem Fenster hineinfallen ließ. Die Großmutter war bei ihr. Sie stand mit dem Rücken gegen mich, und meine Mutter sah ich im Profil.

»Schau«, sagte die Großmutter, »morgen ist es überstanden, morgen läßt das Fieber nach ... So schlimm ist es doch gar nicht, Monika. Und die Margit hat doch heut schon was gegessen.«

»Aber siehst denn nicht, wie alles von ihr wegrückt ... sie ist doch schon beinahe drüben ...« Und indem sie ihre Hände von den Lehnen fallen ließ: »Ach, laß doch das Mäderl sterben!«

Als meine Mutter dieses sagte, schauderte es mich so sehr, daß ich davonlief. Ich sprang hinauf ins Krankenzimmer, dort sah ich, wie sich die Margit in den Kissen bäumte und Worte herausstieß, die wie heißes Wasser waren. Der Raum war noch vom feuchten Duft einer Essenz erfüllt; und ich stand bei der Tür und konnte der Margit nicht helfen. Ich ging deshalb bald wieder fort, leise, damit niemand merkte, daß ich hiergewesen war. Und nachmittags schlenderte ich in meinen Wald hinauf, und diese Bewegung in freier Luft verhütete wohl auch, daß ich angesteckt wurde. Ich hatte mit meiner Großmutter ausgemacht, sie solle sich in der ovalen Dachluke unserer Villa aufstellen und zum Wald hinüberwinken. Das tat sie auch, ich winkte zu dem weißen Haus zurück und sah tatsächlich die Großmutter oben stehen.

Gegen den Sommer hin ging es der Margit besser, sie wurde manchmal von der Großmutter durch unser Haus geführt und lächelte mir zu. Und an einem Sonntag durfte sie dann endgültig aufstehen, wir gingen miteinander durch den frühlingswarmen Garten, wo jetzt alles blühte, wo der Schrei der Hähne wie versunken durch das dichte Grün herüberklang. Die Margit war sehr bleich, und in dem dunkelblauen Kleid sah sie zierlicher aus als sonst. Zugleich kam sie mir auch anders als früher vor, gleichsam vornehmer. Und dieser Eindruck wurde noch verstärkt durch den gelblichen Elfenbeinton ihrer Wangen, durch die dunkeln Augen und die Schatten unter ihren Wimpern. Ich hatte eine Scheu vor ihr wie vor etwas Gebrechlichem, und dann glaubte ich auch, daß sie jetzt viel deutlicher sehen könne, was in mir vorging, und das machte mich innerlich unsicher.

Wir gingen unter jungen Blättern, welche klebrig glänzten, das Haar wurde uns von dem warmen Winde aufgerührt. Dann blieb sie stehen und griff in das tiefe Grün hinauf; das kühlte sie anscheinend. Ich sah ihr bläulich geädertes Handgelenk, und während sie den Kopf an den gestreckten Arm anlehnte, sagte sie:

»Weißt du, ich komm' mir immer so sonderbar vor nach einer Krankheit, gleichsam gereinigter. So, als wär' mehr Helligkeit in mich hineingekommen ... Ist das bei dir auch so?«

»Ja, vielleicht. Aber ich find', das läßt dann später immer nach, Margit, wenn man wieder unter die Leut' kommt ...«

»Natürlich ... Weißt, es kommt mir vor, als ging' mein Blut jetzt leichter und die Adern seien feine durchsichtige Röhren. Und eigentlich möcht' ich nur wünschen, daß das immer in mir anhält.«

Ich schaute vor mich hin und schwieg. Ich hatte das auch schon empfunden, aber so klar wie die Margit konnte ich jetzt nicht darüber sprechen. Ich sagte nur: »Oder man müßte halt einfach so leben, als wär' man krank, um das Gefühl zu haben, auch so auf sich aufpassen und so ruhig sein und mit kaum jemand sprechen, nur mit sich ...«

Die Margit dachte nach, auf ihrer Stirn erschienen dünne Falten, wie hineingeritzt. Sie löste ihre Hand aus den zitternden Blättern, sagte aber nichts mehr. Und ich wollte auch nicht mehr davon anfangen, ich wollte mich nur müde machen lassen von der Luft und froh sein, daß die Margit wieder gesund war. Darum gingen wir schweigend weiter, bis uns vom Haus her das Gongzeichen zum Essen rief.

In den nächsten Wochen war ich beinah ausschließlich mit ihr zusammen. Wir hatten uns ein eigenartiges Spiel ausgedacht, das die ganze halbfertige und schwankende Zeit der vergehenden

Kindheit in Quintessenz enthielt. In den zwei Kammern auf unserm Dachboden richteten wir uns mit alten Möbeln wie zwei Herren ein, die sich von der Welt abgesondert hatten, weil sie wußten, daß nichts damit war. Wir lebten wie Gelehrte, schichteten Papier und modrige Bücher auf, indes der Regen auf die Simse und die Ziegel tröpfelte. Margit hatte sich zu diesem Spiel einen männlichen Namen zugelegt, sie war mein Freund Poldy. Und an diesen Poldy schrieb ich nun herzliche Briefe, es war ein ganzes eingebildetes Leben, was wir da führten. Besonders ein Herr Kinzelbach kam darin vor, von dem wir immer wieder sprachen und den wir als unsern gemeinschaftlichen Freund bezeichneten. Wir setzten Tage fest, an denen wir ihn in seiner Wiener Wohnung besuchen gingen, denn es war ja immer Wien, was uns als das Geheimnisvolle vor der Seele stand.

Und so ging ich denn manchmal hinüber, klopfte an die Tür, trat ein. Dann stand sie sehr beschäftigt von der alten Schreibkommode auf. »Ach, mein Freund Stephan!« rief sie. Ich schüttelte ihr auf männliche Art die Hand und sagte bieder: »Servus, Poldy, ich stör' doch nicht?« Dann stellte sich heraus, daß er soeben an mich schreiben wollte, doch wenn ich jetzt da wäre, erübrigte sich's ja. »Aber wir gehen doch zum Kinzelbach?« fragte ich. – Jawohl, er sei gleich fertig. Und dann nahm die Margit eine alte lederne Jagdtasche vom Großvater um, ich trug einen Rucksack, so machten wir uns auf zum Kinzelbach. Schlenderten im sorglosen Wanderschritt über die morschen Dielen, und bei der Treppe, die zum oberen Teil des Dachbodens führte, war dann Wien. Dort sagten wir zum Kinzelbach grüß Gott, freuten uns an der schönen Aussicht, die man von seiner eleganten Stadtwohnung aus hatte, und schauten durch ein Fenster auf die Dächer, und der Duft des alten Holzes war um uns, zusammen mit dem winzigen Regengetick.

Dieser Duft zaubert mir am stärksten die schmerzliche Atmosphäre meiner Kindheit ins Gedächtnis. Weil zu Hause jeder Schmerz zu Traurigkeit oder Wehmut abgedämpft wurde, kam in unsere Wesensart etwas sehr Sensitives und Erregbares hinein und eine Neigung zu phantastischen Plänen, die unser Blut heiß machten. Ich weiß noch, wie wir abends oft im schwülen Holzgeruch unseres Dachbodens saßen und Sehnsucht empfanden nach den fremden Ländern, wo üppige Farben über die Meerfluten spielten.

Dann stützte die Margit das Kinn auf ihre zarten Knie, und ihre dunkeln Augen glänzten wie im Fieber.

Mittags kam der Duft des Waldes in unsern Garten geweht, wenn wir im Schutz des ausgespannten Leinendaches Kaffee tranken und meine Schwester in dem großen Liegestuhl aus weichem Rohr ein wenig schlummerte. Wir wurden schläfrig, meine Mutter hatte eine Handarbeit vor sich, da hörte ich immer den leise zirpenden Ton des Zelluloidschiffchens, wenn der Faden durchgezogen wurde. Sie lächelte mir zu, ich war in meinem Leinenanzug, und die Sonne schien mir auf die Hände. Der Duft des Kaffees mischte sich mit dem der blühenden Hecken am Zaun, und meine Mutter plauderte von Wien.

»Weißt, Stephan«, flüsterte sie, um die Margit nicht zu wecken, »jetzt mußt dir ein Parkgitter denken und dahinter einen weiten Park. Manchmal hört man einen Brunnen träufeln, Gärtner schieben einen Sprengwagen über den Kies, draußen rollt ein Landauer vorüber. Und vielleicht hörst du jemand lachen und siehst weiße Sommerkleider hinterm grünen Gitter einer Hecke. Das ist dann Wien – gefällt dir's?«

Das sagte sie mit großer Zärtlichkeit, aber es machte mich nicht fröhlich. Denn ich spürte, daß sie damit doch nur ihre Traurigkeit verdecken wollte, ihre Angst, daß die Großmutter sterben könnte, die vor kurzer Zeit nach Wien gefahren war; ihr Leiden hatte sich verschlimmert. Und auch Vater kam nur noch über Sonntag zu uns, und wenn er abends in den Zug stieg, winkten wir noch eine Weile; dann gingen wir durch die Allee nach Hause. Die Kerzen der Kastanienbäume waren schon zerfallen, und ihre rosa Blüten stauten sich wie leichter Schutt in den Rinnsteinen.

Indem sie so von Wien erzählte, wollte mir die Mutter auch den Abschied von der kleinen Stadt leichtmachen. Ende Oktober sollten wir dorthin umziehen, mit Rücksicht auf den Vater. Und dann wollte auch die Großmutter nach Wien. Sie stammte ja aus dieser Stadt, auf dem Währinger Friedhof sind die Gräber, die, unter zierlichen Urnen und von schmalen Girlanden umrahmt, den Namen unserer Vorfahren tragen.

Zum Abschied von der schönen Heimat ging die Mutter oft mit uns im Wald spazieren. Wir saßen in dem Duft des warmen Mooses, sie hatte sich an eine grau verwitterte Mauer gelehnt. Und wenn eine Eidechse vorbeischlüpfte und losgelöste Steine ihr über die Finger rieselten, zuckte sie zusammen. Dann drückte sie die Hand in saftig quellende Steinpflanzen, stand plötzlich auf und klopfte sich mit ihrem Stock den Staub vom Kleid; sie streifte noch mal über ihre Finger, die zerfallender Schutt berührt hatte. Aber bald plauderte sie wieder oder zeigte uns im Fernglas den Raubvogel, der mit zitternden Flügeln am Himmel stand und lauerte.

Unser Umzug im Oktober wurde lustig. Ich sprang mit der Margit durch alle Zimmer, die uns nicht mehr vertraut waren, in denen die Tapeten so verblichen und verbraucht ausschauten, daß wir keine Empfindung mehr dabei hatten. Es war auch trüb und regnerisch, der Garten war zerzaust vom Wind. Und als ich ins Wohnzimmer trat, wo von der Decke nur der lange Klingelzug herabhing, fielen mich Verlassenheit und Wehmut an. Hier hatte ich oft mit dem Vater den Gasflämmchen zugesehen, aber jetzt war nichts mehr, was mich freute. Ich tippte an den Klingelzug und schaute eine Weile zu, wie er im kahlen Zimmer pendelte. Dann ging ich fort, und noch im Hinausgehen sah ich, wie er sich bewegte.

Es war ein grauer Tag. Auf der stillen Straße standen die drei Möbelwagen; ich ging daran vorbei. Im Weiterschlendern freute ich mich an der traurigen Stimmung, die mich umfing. Dann schaute ich auf unser Haus zurück, wie ich immer gern tat, weil ich die schmale Straße liebte. Da stand es weiß und zierlich in dem Astgeflecht der kahlen Bäume wie eine Ruine, doch mochte das an den offenen Fenstern liegen, denn die blickten jetzt wie dunkle Augen zu mir her.

Später aß ich mit der Margit in der kalten Luft eine Wurst und einen Wecken. Wir setzten uns dazu auf ein gebrechliches Tischchen mitten unter die herumstehenden Möbel. Im hohen Torbogen des Wagens stand der Packmeister, der den Umzug wie ein Feldherr in Rohrstiefeln und mit weitausgreifenden Gebärden leitete. Und später gingen wir mit unseren Eltern ins Gasthaus zum Mittagessen. Das war etwas Besonderes, nie hatten wir in all den Jahren das Gasthaus der kleinen Stadt besucht, und ich verspürte schon das Fremde, das über mich kam und das ein seltsames Gefühl war, halb Angst und halb festtägliche Erwartung.

Nachmittags brachte uns der Zug nach Wien. Es wickelte sich

alles ruhig ab, denn meine Eltern hatten in dem stillen Hause so für sich gelebt, daß sie kaum jemand adieu sagen mußten. Nur der Doktor mit der gelben Strohmütze kam an die Bahn, der die Margit von ihrer schweren Krankheit geheilt hatte.

Die Mutter hielt die Margit an, daß sie sich beim Doktor bedankte, und sie beugte sich auch über das Abteilfenster hinaus, gab ihm die Hand. Sie war sehr lustig, weil es in ein anderes Leben hineinging, ich hätte viel lieber das alte festgehalten.

Es war schon dämmerig, als wir in Wien ankamen. Auf dem Bahnhofsplatz war alles Leben wie vom grauen Nebel abgedämpft, die Droschkenpferde standen stumm in ihre Decken eingehüllt, und in der Ferne ging ein Wachmann unter seiner Pelerine auf und ab. In einer hohen Häuserfront brannte ein grünes Licht.

Wir wurden von Bekannten im Landauer abgeholt. Die Margit stieg vor mir hinein, in ihrem grauen Mantel, der sich an ihre Gestalt anschmiegte. Dann ging es fort, vorn an dem Wagen brannten noch zwei Kerzenlichter in den Lampen, und der Kutscher trug an seiner Mütze die schwarzgelbe Kokarde des Kaiserreichs.

Es war ein alter Sektionsrat vom Finanzministerium, bei dem wir in den nächsten Tagen wohnten. Die Frau brachte uns altmodische Spielsachen, Puppen, deren Kleider einen feinen Moderduft ausströmten, Bilderbücher, die sich kalt anfühlten, weil man sie vom Boden geholt hatte. Oder der alte Herr kam zu uns in den Garten und ging mit uns durch die rotglühende Pergola hinunter, wo die Trauben blau und schwer in raschelnde Blätter gebettet waren. An ihrem Ende lag ein Pavillon, von dem man auf die Stadt hinaussah. Dort tranken wir an einem milden Spätoktobertag den Tee, der Vater war auch wieder unter uns, und meine Mutter streifte sich manchmal die silberigen Spinnenfasern von den Wimpern, die der laue Wind mitbrachte.

Man sprach in dieser Zeit wenig von der Großmutter und bemühte sich, uns Kindern alles heiter zu gestalten. Abends setzte sich die Mutter an den Flügel, wie sie schon seit langem nicht mehr getan hatte, spielte ein paar zarte Impressionen von Chopin und schaute durch die tiefgehenden Fenster in den Garten. Dann hörten die Margit und ich zusammen mit dem alten Herrn in einer Ecke zu. In der Vase, die daneben auf einer Kommode stand, zitterten graue Silberblättchen zu den Tönen.

Als unsere Wohnung eingerichtet war, fuhren wir in die Stadt zurück. Die Koffer wurden auf dem Wagen hinten aufgeschnallt, daß es wie im vergangenen Jahrhundert aussah, wenn ein hoher Herr fortreisen wollte. Und dann kletterten wir in die Lederpolster, die alten Leutchen standen unter dem zierlichen Säulenvorbau vor der Tür; der Sektionsrat ließ sein Monokel in den Fingern pendeln, wir winkten, und dann ging es fort.

Wir fuhren rasch hinein, es war ein herber sonniger Herbsttag. Die Mutter bekam rote Wangen unterm schrägen schwarzen Schleier, und draußen zitterte die Stadt wie eine funkelnde Stahlklinge.

Unser Haus in der Salesianergasse war ein ehemaliges Palais und lag nicht weit vom Konsulat; von meinem Zimmer konnte ich hinübersehen, da wehte die fremdländische Fahne mit ihrem Wappen, das ich von den amtlichen Briefen auf Vaters Schreibtisch kannte. Und genau darüber erhob sich, von mattem blauem Dunst umhüllt, die Kuppel der Karlskirche und das hingedehnte Band des Wiener Waldes.

Meine Stube wurde mir hübsch eingerichtet, die Mutter schenkte mir eine zierliche Schreibkommode, die in eine Fensternische gestellt wurde. An ihr habe ich seither alles geschrieben, Schulaufgaben, als Student Liebesgedichte und jetzt wieder so etwas wie ein Liebesgedicht an meine Kindheit. Aber damals, als wir neu in Wien einzogen, war es mir anfangs sehr ungewohnt. Denn ich hätte gern wie früher vor dem Einschlafen mit der Margit geplaudert; aber sie hatte jetzt auch ein eigenes Zimmer.

Kurz darauf gab meine Mutter eine Einladung, an der ausländische Gäste teilnahmen und Leute aus dem Konsulat. Wir Kinder wurden selbstverständlich ferngehalten. Wir saßen bei der Mizzi in der Diele, wo das Parfüm aufgestapelter Pelzmäntel spürbar war, und nur wenn jemand herauskam, konnten wir für einen Augenblick die Tafel glänzen sehen und das Gläserklingen und die Stimmen hören. Zwar zog sie uns dann immer rasch zurück, damit wir ja nicht störten; aber ich sah trotzdem den Vater neben einer Dame heraustreten, ihr in den Mantel helfen und mit ihr fortgehen.

Ich fragte die Mizzi: »Wer war das?«, doch sie wußte gar nicht, wen ich meinte. »Ach, die Mutter, denk' ich«, antwortete sie mir.

»Und jetzt ist's überhaupt schon neun! Los, geht ins Bett, gleich frägt man mich nach euch!« Und wir wurden fortgeschickt und mußten schlafen.

Ich schlummerte auch ein, als Kind geht das ja leicht, da quält einen im Grund nicht viel. Aber kurz nachher wachte ich wieder auf, da hatte meine Mutter Licht gemacht und stand im Zimmer. Dann kam sie auf mich zu, küßte mich brennend auf den Mund und war auf eine beinah wilde Art zärtlich zu mir, die mich erschreckte.

Auch in der nächsten Woche war die Mutter sehr zärtlich zu uns, als müsse sie damit ein heimliches Weh übertäuben. Sie versteckte irgend etwas und war auch zu andern Leuten, die uns hie und da besuchen kamen, freundlicher, ja fast anschmiegend. Und als einmal der Sektionsrat mit seiner Frau zum Tee da war und es sich im Gespräch um jemand handelte, der etwas oberflächlich war, sagte sie: »Ach«, und sie machte eine müde Kopfbewegung, »ich hab' alle Leute gern, die zu mir nett sind . . .« Dann streifte sie rasch ihre Zigarettenasche ab und sprach von etwas anderem.

Wir besuchten auch mit ihr die Weihnachtsmesse, da wachten längst versunkene Erinnerungen in ihr auf, sie wurde so vergnügt, daß alle Leute uns nachschauten; sie machte uns richtig verliebt ins winterliche Wien. Und nur einmal sagte sie etwas vom Vater. »Schau, Margit«, rief sie, als wir an einem Stand mit Backwerk vorbeikamen, »da hat der Vater mir mal was Süßes gekauft. Aber das ist lange her . . .« Und nach einer Pause: »Gelt, Margit, so von jedermann darfst du dir niemals etwas schenken lassen, nur von jemand, den du kennst . . . Natürlich du auch nicht, Stephan.«

Wir wählten uns dann etwas aus. Weil nur Lebkuchenherzen und türkischer Honig zu bekommen waren, nahmen wir je ein Lebkuchenherz. Darüber mußte dann die Mutter krampfhaft lachen.

Es war überhaupt eine Weile seltsam bei uns. Der Vater hatte in dem Konsulat zu tun, und die Großmutter konnten wir nur ab und zu besuchen. Später brachte sie der Krankenwagen, sie wurde auf einer Tragbahre durch den Schnee ins Haus gebracht; und als man sie in ihr Zimmer gebettet hatte, gingen die Margit und ich zu ihr hinein. Da erkannte sie uns zuerst nicht, aber dann strich sie uns über das Haar.

Sie war ein halbes Jahr bei uns. Im Frühling stand sie einmal auf und ging am Arme meiner Mutter durch unseren Vorgarten; aber da war sie doch schon eine müde alte Frau. Und dann kam eine Zeit, wo man uns von ihr fernhielt und wo wir nur manchmal vor dem Zubettgehen ihr zuwinken durften. Tagsüber schlief sie meistens; und einmal sagte uns die Mutter: »Sie wird bald langsam in die Ewigkeit hinüberschlummern.«

Ich habe danach meine Großmutter nur noch auf dem Friedhof gesehen, denn in der Nacht darauf starb sie. Sie wurde unter vielen dunkelroten Rosen in dem Tempel des Währinger Friedhofs aufgebahrt, und heute liegt sie unter einem Grabstein, der mit schmalen Girlanden und einem Wappen wie die anderen geschmückt ist, die aus alten Zeiten stammen und den Namen unserer Vorfahren tragen.

Im Sommer wollten wir das Spiel wiederaufnehmen, das uns früher erfreut hatte. Aber es ging nicht mehr, es war, als wollten wir etwas Gestorbenes aufwecken. Denn das Sitzen unterm Dach und das Briefschreiben und unser gemeinsamer Freund Kinzelbach, die waren im Wachaustädtchen entstanden und mit unserem Umzug in uns abgestorben; wir waren auch zu groß dazu geworden. Und nur ein Rest der entschwindenden Kindheit ließ uns eine kurze Weile noch daran festhalten.

Jetzt kamen mir oft andere Gedanken. Ich überlegte, warum wir nicht mehr zusammen schlafen durften, ich und die Margit, spürte aber doch schon, daß es mir im Grunde recht war, denn ich hatte eine Scheu vor ihr wie damals nach ihrer Krankheit. Nur kam sie mir jetzt viel gesünder, viel lebendiger und heißer vor, während in mir noch alles ungeklärt war. Früher waren wir öfters zusammen im Garten herumgetollt und hatten uns gefangen. Aber als wir's hier in Wien wieder versuchten und ich die Margit umfaßt hielt, schreckte sie zurück.

Ich war sehr viel allein in meinem Zimmer. Nachmittagelang saß ich am Fenster, wenn die Bäume eines Parks aufrauschten und die Luft über den Dächern zitterte. Gegenüber rührte sich die Konsulatsfahne im Wind über dem Steinportal; die hohen Fenster waren an der Sonnenseite dicht verschlossen.

Ich hatte eine unbestimmte schläfrige Sehnsucht in mir, die

mich wohltuend quälte. Und einmal fuhr ein eleganter Wagen drüben vor, der Kutscher sprang vom Bock und läutete. Es war für eine Weile still, dann ging die Tür auf, und mein Vater trat heraus mit einer Dame, sie stiegen in den Wagen ein und fuhren fort.

Das störte sonderbar unausgegorene Gefühle in mir auf, brennende Zärtlichkeit für meine Mutter, Neid und Haß gegen den Vater. Denn meinen Vater haßte ich in diesem Augenblick, nur war alles seltsam vermischt, ich hatte auch zugleich Achtung vor ihm.

Ein paar Tage später brachte die Margit eine Aufnahme ihrer Schulklasse mit heim, die zeigte sie mir nachmittags im Garten. Sie rückte auf der weißlackierten Bank dicht zu mir her, legte den Arm um meine Schultern, so daß ich ihre Adern durch den Hemdstoff pochen spürte. Es war sehr heiß, ich sah an ihrer Wange vorbei auf das Bild, und dann bemerkte ich im Kleidausschnitt die kleinen weißsamtigen Erhebungen ihrer Brüste; wo die Wimpernhaare an den Lidern hervorwuchsen, war ein feuchter Glanz. Der Duft des warmen Laubes legte sich wie eine Decke über uns; dann sagte sie mir langsam die Namen all der Mädchen auf dem Lichtbild.

Sie machte es der Reihe nach und fing links oben an. Aber ich fragte sie dann bald nach einem Mäderl in der dritten Reihe, das mir auffiel. Denn in der Art, wie es dastand, wie es den Kopf beim Lächeln zurücklehnte, darin lag ein zarter Reiz.

»Gelt, die g'fällt dir?« fragte die Margit und schmiegte sich an mich. »Schau, der ist verliebt!« flüsterte sie und funkelte mich mit den dunkeln Augen an, unterm in die Stirn gekämmten Haar, das ihre Brauen fast berührte. Denn diese Frisur hat die Margit immer getragen, und sie stand ihr reizend zu Gesicht; dazu das helle Musselinkleid, das um die Schultern ein wenig gebauscht war und sich eng an ihre sonngebräunten Arme schmiegte.

»Schau, der ist verliebt!« wiederholte sie und hatte etwas wie Bewunderung im Tonfall, so, als dürfte sie jetzt etwas aus der Nähe anschaun, wonach sie sich immer gesehnt hatte.

»Erzähl mir von dem Mäderl«, sagte ich und schaute vor mich hin. Aber sie blickte mir nur in die Augen, kam immer näher mit ihrem feinen Gesicht und küßte mich dann plötzlich; und zwar auf den Mund. Es war aber so ganz natürlich und erstaunte mich gar nicht.

Sie sprach dann leise wie zu jemand, den man schonen mußte; sie erzählte von dem Mäderl: Hedwig von Uriel hieß sie, ihr Vater war Major gewesen, und so wohnte sie seit seinem Tode mit ihrer Mutter zusammen; übrigens nicht weit von uns, gleich bei der Deutschen Botschaft. In der Klasse war die anscheinend die lustigste, denn sie erzählte oft Geschichten, die sie abends an der Tür zum Salon erlauscht hatte, wenn junge Offiziere zu Besuch da waren. Natürlich interessierte das die Mädchen, die Geschichten waren wohl auch ein wenig pikant, und die Margit erzählte mir ein paar. Ich verstand sie schon. Doch die Empfindungen, die ich der Heddy gegenüber hatte – sie wurde in der Klasse die Heddy genannt –, schienen mir viel wichtiger; viel wichtiger übrigens auch als das, ob ich sie jemals kennenlernen würde.

Man rief uns dann zum Tee, ich ging mit der Margit ins Haus zurück. Sie hatte dabei immer noch den Arm um mich geschlungen, der süße grüne Duft des Sommers rieselte über die Wiese, im Grün der Bäume, die herüberrauschten, stand das Haus. Über die Terrassenbrüstung hingen Teppiche, die von der Mizzi abgebürstet wurden. Wir traten in den Flur, wo es schön kühl und schattig war und wo ein Buddha golden von einem geschnitzten Schrank herunterglänzte; die Mutter saß bereits im Speisezimmer, in das der Garten hereinrauschte. Und als sie sah, wie wir benommen und erschlafft vom Sommer waren, tat sie uns wieder ein wenig Kölnisch Wasser auf die Schläfen. Und ich glaube, sie hat auch gespürt, daß wir jetzt ein Geheimnis vor ihr hatten. Aber sie lächelte ruhig, ließ sich in den hohen Lehnstuhl sinken, der am Fenster stand, und zündete sich eine Zigarette an. Von draußen strich der leichte Wind herein, er bewegte ihre Haare und den Rauch der Zigarette.

»Ich freu' mich, daß ihr wenigstens noch zu mir kommt ...«, sagte sie langsam. Und nach einer Pause, während der sie in das schwankende Grün schaute: »Aber entschuldigt, ich wollt' euch ja den Tee eingießen!«

Sie schenkte uns rasch ein und war überhaupt so zuvorkommend zu uns, als wären wir plötzlich erwachsen. Ihr Brillantring an der rechten Hand glitzerte in dem weißen Licht, das über unsern kleinen Tisch hereinfiel und ihr weißes Seidenkleid aufleuchten ließ; denn die Mutter trug im Sommer immer weiße Seide, und der herbe Duft von Kölnisch Wasser war um sie.

Ich saß neben der Margit in dem Ecksofa, wie immer zur Teestunde. Ich schaute auf die Hände meiner Mutter, sie drehte ihre Zigarette in den Fingern, drückte dran herum und rauchte mit zuckenden Lippen.

»Gelt«, sagte sie langsam, »wenn ihr was habt, kommt nur zu mir ... in allem. Der Vater hat ja viel zu tun.«

Dann ließ sie sich den Wind über die Stirne streichen und schaute von uns weg. Von der Straße hörte man, wie ein Landauer in der Nähe vorfuhr. Jetzt mußte jemand einsteigen. Und nun entfernte er sich, und man hörte noch die Pferdehufe klappern, durch die Linden, deren Blüten abgefallen waren; und ich sah, daß sich schon welke Blätter in ihr glänzendes Grün mischten; ein paar lösten sich los und fielen auf den Weg.

Die Mutter mußte das auch sehen, denn sie schaute auch hinaus und hörte auf den Wagen. Sie legte ihre Hand aufs Fensterbrett und dehnte ihre Finger in dem zarten Licht. Dann drückte sie die Zigarette in einer Glasschale aus und sagte:

»Ach, ihr seid ja auch weit weg von mir.«

Wir konnten der Mutter nichts sagen, weil wir doch noch Kinder waren und von etwas bedrängt wurden, das uns einsam machte. Denn meine Gedanken, die sich mit der Hedwig von Uriel beschäftigten, die mußte ich beschützen, die gehörten mir.

Ich habe dann der Hedwig einen Brief geschrieben, den ihr meine Schwester in der Geographiestunde in den Atlas schob. Sie hatte ihr aber bereits vorher von mir erzählt. Und sie mußte mich auch früher schon gesehen haben, denn als ihr die Margit sagte, wie ich aussah und wie ich gekleidet war, wußte sie es bereits. Das freute mich.

Mein Brief war nicht sehr lang, nur eine halbe Seite, und begann mit »Liebe Heddy«. Dann bat ich sie, am andern Tag in die Anlage vor dem Palais Schwarzenberg zu kommen. Aber am Abend vorher ging ich dann doch noch geschwind zu ihrem Haus hinüber; es war leicht zu finden, weil mir's die Margit genau beschrieben hatte. Als ich hinkam, wurden hinterm Gitter eben die Rolläden heruntergelassen, und der Wind wühlte die Fliederbüsche am Tor auseinander. Ich stand auf dem Trottoir, Liebespaare kamen mir entgegen, und von weit her aus einer Wirtschaft hörte man Walzermusik, eine weiche und traurige Melodie. Der Abendhimmel schimmerte hellgrün, es kam die müde Stunde über Wien, in der es immer scheint, als wäre der Abendhimmel ein weites Gewand, das sich herabsenkt. Ich überlegte mir, ob ich nicht in den Park hineingehn sollte, ließ es dann aber sein. Es wäre für mich auch peinlich geworden, denn nach einer Weile kam die Hedwig auf dem Rad. Sie hatte eine Einkaufstasche vorn an der Lenkstange hängen und schob sich, ohne abzusteigen, durch das angelehnte Tor. Ich spürte dabei eine Freude, die mir weh tat, ein Taumel, voll von bitterer und süßer Wehmut, strömte durch mich hin. Ich wollte es der Heddy schön machen. Ich dachte mir aus, wie wir bald zusammen durch Wien gehen würden, auf dem Belvedere wußte ich an Sommertagen eine windgeschützte Stelle, dort würden wir zusammen sitzen, an die Mauer angelehnt. Oder sie ging auch einmal mit aufs Land. Aber sie war ja arm, und ihre Mutter war darauf angewiesen, Zimmer zu vermieten ... Ja, ich mußte es der Heddy schon schön machen.

Am andern Tag brachte mir Margit einen Brief von ihr, in dem sie schrieb, es täte ihr sehr leid, aber sie könne halt nicht kommen, sie müsse ihrer Mutter helfen. Das war mir eigentlich ganz recht. Denn so durfte ich doch noch einige Zeit für mich herumgehn und mir ausdenken, wie die Heddy später zu mir sein würde; es eilte mir gar nicht damit, daß ich ihre Hand berühren durfte.

Dann sah ich sie einmal im Prater, da begegnete sie uns mit ihrer Mutter. Wir kamen aus der Reitstunde, es war ein schöner Sonntagvormittag, und auf den kiesbestreuten Wegen war das elegante Leben; die vielen hell gekleideten Damen mit ihren rosa Schirmen und der tiefe warme Sommerduft betäubten mich. Da griff mir die Margit plötzlich an den Arm und sagte laut: »Schau, da kommt die Heddy!« Und zur Mutter: »Das ist jetzt die Heddy aus der Schul, von der ich dir schon oft erzählt hab'.« Sie gab mir dabei immer Zeichen mit den Augen, ich sollte doch hingehn und Grüß Gott sagen. Aber als ich rot wurde, ließ sie davon ab; und später drängte sie sich an mich heran und sagte, ich sollte es ihr doch nicht übelnehmen, die Mutter habe sicher nichts gemerkt.

Sie gingen ziemlich weit an uns vorbei und sprachen miteinander. Ich sah die stille Frau im grauen Schleier, wie sie lächelte, wenn die Heddy im Übermut was sagte; sie waren beide hell gekleidet.

Es entwickelte sich dann noch etwas weiter, aber kennenlernen tat ich die Heddy nicht mehr. Ich schickte ihr noch eine Zeichnung, die ich für sie gemacht hatte und die eine römische Plastik darstellte, einen Kopf, der auf Vaters Schreibtisch stand. Es machte mich nämlich die Angst unsicher, es könne zwischen mir und der Heddy einmal ausgehen; es schwankte etwas über mir, vor dem ich zitterte. Und dann ereignete es sich.

Es war ein stiller grauer Tag, ich kam vom Gymnasium heim und spürte in der Diele schon den Duft der Suppe, die ins Eßzimmer getragen worden war; ich beeilte mich deshalb. Denn auf dem Heimweg hatte ich herumgeträumt, war am Haus der Heddy vorbeigeschlendert, hatte in Gedanken allerhand mit ihr geplaudert.

Die Gardinen im Eßzimmer waren zugezogen, als ich eintrat; so lag das Licht wie ein hellgrüner Schleier auf den Möbeln. Man saß schon um den Tisch, ich mußte mich entschuldigen, weil ich zu spät kam; dann setzte ich mich neben die Margit.

Mir fiel anfangs nichts auf, nur daß die Mutter etwas bleich war; ihre schwarzen perlenförmigen Ohrringe glitzerten neben den blassen Wangen, und dann schaute sie mich öfters an. Doch im übrigen war alles ganz wie sonst, gesprochen wurde sowieso nicht viel bei Tisch.

Als alles abgeräumt war, ließ man mich mit dem Vater allein. Er nahm sich eine Zigarette, wobei die weißen Hemdmanschetten auf die Handgelenke fielen, und bot mir einen Stuhl an, so, als sei ich ein Besuch. Darauf nahm er vom Kaminsims einige Papierblätter und legte mir sie mit einer fast befangenen Gebärde auf die Knie. Dann setzte er sich wieder, rauchte.

Es waren Brief und Zeichnung für die Heddy, was er mir gegeben hatte. Er fragte mich:

»Was wolltest du denn mit ihr tun am Schwarzenbergplatz?«

Ich wußte nichts zu sagen. Seine Augen glitzerten zwischen den grauen Lidern; jetzt schaut er dein Inneres an, dachte ich und erschrak. Er stand dann auf und streichelte mich, aber ich spürte, daß er das nur tat, damit ich alles sagte. »Schau«, sprach er leise vor sich hin, »du brauchst doch nicht zu jemand anders zu gehn, du hast doch eine Schwester.«

»Du gehst ja auch zu andern Frauen!« antwortete ich ihm.

Dann war eine Pause. Ich glaube, das hat auf den Vater wie ein

Hieb gewirkt, obwohl er nur die Zigarette weiterrauchte und sehr langsam sagte: »Also doch kein Kind mehr ... Armer Bub, hast denn so viel von mir? – Es ist nicht gut, nein ... ist nicht gut.« Er schaute auf, blickte mir in die Augen, und die Traurigkeit, die jetzt in ihnen war, ging auf mich über.

Meine Mutter traf ich dann im Gang, sie sagte nur: »Ich hab' ja immer schon gespürt, daß ihr mir nicht gehört.« Und sie schickte mich zu Margit.

Die umarmte mich oben in ihrem Zimmer, strich mir übers Haar und sagte: »Du darfst es nicht ernst nehmen.«

Ich fragte sie, wie die Eltern davon erfahren hätten, und sie erzählte mir's: Am Morgen, sie saß noch beim Kaffee, da kam die Frau von Uriel. Ich sei schon in der Schul gewesen, ich solle froh sein. Denn sie hätte dann verlangt, daß alles sofort unterdrückt würde. Ich dürfe niemals mit der Heddy reden, und sie werde auch noch ins Gymnasium gehn und mit den Lehrern sprechen. Doch davon habe sie die Mutter abgehalten.

Ich schaute in den Garten, der sich unter einer grauen Himmelsschicht bewegte. Dann sagte ich:

»Ich finde, daß es in der kleinen Stadt viel schöner war als hier.«

»Vielleicht. Aber weißt, ich glaube, daß einem das später immer so vorkommt ...«

Dann umarmte mich die Margit noch mal, und wir gingen zu der Mutter. *(1938)*

Schwäbischer Lebenslauf

Eine Photographie zeigt ihn auf einem Stühlchen sitzend, wie er, den Anflug eines leichten Schmunzelns im Gesicht, herausschaut. Seine Art, zu sitzen, ist behaglich, aber, obwohl er dick ist, von einer gewissen Zierlichkeit. Die Füße, in schwarzen Stiefeletten, sind leicht aufgesetzt, und die eine Hand mit der kleinen Warze ruht auf der gedrechselten Stuhllehne. Es sieht ein wenig genießerisch aus. Die »Mücke«, dies winzige Bartrestchen am Kinn, ist sorgfältig ausrasiert. Die kleine Stupsnase paßt zu den Äuglein, die belustigt dreinschauen, als würden sie das Komische im Leben immer sehr leicht herausfinden. Grau ist er auch schon und hat eine Glatze. Im schwarzen Rock, mit der gestickten schwarzen Weste, dem flachen Kragen mit der Deckkrawatte, die seinem Aussehen etwas Biedermeierliches gibt, versinnbildlicht er die Ruhe des Kleinbürgertums, den soliden Wohlstand und im Seelischen etwas Gutmütiges und Feines, das für uns Kinder aufgewühlter Zeiten mit der Atmosphäre der Jahrhundertwende immer inniger verschmilzt.

In seiner Haltung erkennt man etwas Städtisches. Das ist einer von den gemütlichen Herren, denkt man, die vormittags in den Anlagen der Stadt spazierengehen, einen schwarzen Stock mit einer Silberkrücke bei sich haben, aus kleinen Weinstuben der Altstadt kommen – dem »Engele-Buck« oder der »Warmen Wand« – und im Adreßbuch als »Privatiers« stehen . . .

Er war ein gelernter Feinmechaniker. Eine Scheibenbüchse hat er sich gedreht, sorgfältig war sie gearbeitet, und mit ihr hat er auf den Schützenfesten der Landeshauptstadt viele große Preise gewonnen. In der Familie gibt's eine Kredenzschublade, wo die Bestecke, die silbernen, schweren und das große Jagdbesteck, aufbewahrt sind, von dem jedes Messer einen Griff aus Hirschgeweih hat. Ein großes Teeservice aus Ludwigsburger Porzellan soll er verloren haben, und zwar in seiner Sturm-und-Drang-Zeit; da ist er einmal nachts im Rausch drüber hineingefallen. Aber von dem Augenblick an sagte er sich: »Halt, Julius, so darf's net weitergehen, sonst wirst ein Lump!« Und er mäßigte sich und brachte wieder regelmäßig seine üppig verzierten Silbertaler heim, die ein breites schwarzgrünes Band zum Um-den-Hals-Hängen hatten; vorne stand drauf: »Für das beste Blättchen-Feld!«, eine Schützenscheibe war zu sehen, dahinter ein Bild der Landeshauptstadt, wie sie in Rebhügeln lag; und auf der Rückseite der Kopf des Königs im Spitzbart und das Profil der Königin mit Diadem und Perlenkette.

Das war seine Leidenschaft, das Scheibenschießen. Er kam immer zum Schluß auf den Schießstand, wenn schon alle abgeschossen hatten und bereits die Preise unter sich verteilen wollten. Erschien er, so wurde es sehr still, und jeder sagte: »Ach, jetzt kommt der Krumm, der schießt uns wieder alles weg!« Und tatsächlich war's dann auch meistens so. Er gewann die schönen Sachen, schoß sie sich heraus und ging wieder, denn den lauten Jubel um den Schützenkönig mochte er nicht leiden. Aber einmal, da gewann er den Königspokal und mußte sich in einer Chaise mit Musik in das Vorstädtchen hinausfahren lassen, das damals noch ganz ländlich war, mit Misthaufen und Weinreben um die Häuser, das heute aber voll Fabrikarbeiter ist. Da saß er dann in einer Kutsche, neben sich das offene Etui für den großen Pokal, daß man das rote Seidenfutter und das silbergetriebene Gefäß darin sehen konnte. Die Großmutter, seine Frau also, ist aus dem Haus gelaufen und hat die Hände überm Kopf zusammengeschlagen vor Erstaunen; und die kleine Elise, die ist mit den anderen Kindern herbeigerannt, hat sich dem Vater aber nicht gezeigt, weil sie sich geniert hat. Sie war zu bescheiden, was überhaupt ein Erbfehler dieser Familie war.

Das Ereignis mit dem Königspokal fiel schon in die spätere Zeit seines Lebens, als er bereits das »Weinwirtschäftle« hatte, den »Goldenen Hasen«. Da ist noch viel vorhergegangen, die Überfahrt ins Land Amerika zum Beispiel, mit seinen beiden Brüdern, dem kleinen Buckligen mit dem Greisengesicht, der drüben versunken und verschwunden ist, und dem kecken Otto, der ein Nudelgeschäft anfing, mit dem Wagen im alten Philadelphia umherfuhr und ausrief: »Kaufet auch Nüdelein!« Damit hat er Erfolg gehabt und ist sehr reich geworden. Dem Großvater aber ging das Geldverdienen nicht leicht von der Hand, er war zu wenig erfolgsgierig. Und wahrscheinlich hat ihm das laute Wesen auch gefehlt, das man schon damals gebraucht hat, um sich durchzusetzen; er hat nichts aus sich machen können. Drum ist er wieder heimgefahren und hat später manchmal davon erzählt. »Das feinste Instrument auf der Sternwarte in Washington, das hab' ich gemacht«, pflegte er zu sagen und dabei mit seinen Augen zu zwinkern, abends wenn er hemdsärmelig in seinem Eckplatz im »Hasen« saß; er plauderte mit den Gästen, die meistens ältere Herren waren, indes die Butzenscheibenfenster offenstanden und der Levkojenduft hereinkam.

Nach seiner Rückkehr aus Amerika wurde der Großvater Bataillonsbüchsenmacher, war also Militärbeamter. Er hatte seine Werkstatt in der Kaserne, und an Kaisers Geburtstag oder aus sonst einem festlichen Anlaß war es Pflicht für ihn, Uniform anzulegen. Aber das war ihm sehr lästig, er wollte sich im bunten Rock nicht auf der Straße zeigen, und so ist es gekommen, daß ihm das Dienstmädchen seine taubenblaue Hose und den goldbeknöpften Rock auf dem Arm durch ein Hintertürchen in die Werkstatt bringen mußte. Darüber wunderten sich viele Leute. Schon nach kurzer Zeit stieß er sich bei der Arbeit mit einer spitzen Feile in den linken Mittelfinger eine Verletzung, die sich anfangs gut anließ und keine Beschwerden machte. Aber dann wurde eine Blutvergiftung daraus, er mußte sich ins Spital legen, und seine Hand wurde ihm hoch hinauf gebunden in der engen Stube, wo er lag. Das hat die Großmutter dann später oft erzählt, denn sie ist sehr erschrocken, als sie es zum ersten Male gesehen hat.

Nachher, als es geheilt war, hat er vom Militärdienst Abschied genommen, denn der Leibesschaden, der zurückblieb, war zu groß, so daß er seinen Platz als Büchsenmacher nimmer voll hätte ausfüllen können. Drum fing er jetzt das »Weinwirtschäftle« zum »Goldenen Hasen« an. Der Großmutter ist die neue Arbeit anfangs schwergefallen, denn als Büchsenmachersgattin hatte sie es schön gehabt. Aber dann schickte sie sich drein und kümmerte sich um das Teigwarengeschäft, das man noch nebenher anfing. Ganz modern richtete es Julius ein, kaufte eine Schneidemaschine für die Nudelkuchen und ließ alles elektrisch laufen, wahrscheinlich in Erinnerung an seinen Bruder Otto in Amerika. Aber arbeiten tat er in der »Fabrik« nicht sehr viel, er war ja jetzt auch Wirt und mußte sich um seine Gäste kümmern. Wenn die Großmutter einmal etwas sagen wollte, schlug er zur Bekräftigung seine Hemdsärmel über beide Ellbogen zurück und rief: »Da schau her, ich hab' Weiberärm, die sind nicht zum Schaffen g'macht!« Worauf sie nichts antworten wollte, denn so war ihr Julius halt. Als einmal junge Leute zu ihm in die Wirtschaft kamen und Wein bestellten, fragte er: »Habt ihr auch eure Hosen unten zugebunden?«, worauf sie nimmer kamen. Elise, seinem Töchterle, war das natürlich gar nicht recht, und die Großmutter hielt es ihm auch vor. »Du«, sagte sie, »man muß doch schauen, daß das ›Mäusle‹ unter die Leut' kommt«, denn beide nannten Elise das »Mäusle«. Aber da meinte er bloß barsch: »Ach was, ich brauch' doch meine War' nicht auf den Markt zu tragen!«

Über so einen Eigensinn mußte man den Kopf schütteln und still seiner Wege gehen, was die Großmutter oft hat tun müssen. Er war so frei und sagte es den Leuten, wenn er sie in seiner Wirtschaft nicht gern sah; denn: »man muß sich seine Kundschaft heranziehen«, war eines seiner Worte. Und er erreichte damit auch etwas, und die, die er nicht wollte, blieben draußen. Oft kam ein Männlein mit scharfen Gesichtszügen, das ein bißchen bucklig war und lange weiße Haare hatte, die ihm auf die Schulter herabfielen. Es war der Bauerndichter, der viele Verse auf Blumen gemacht hatte, aber von den meisten im Dorf arg verspottet wurde, weil er es als Bauer nicht weit brachte. Mit ihm saß der Großvater gern zusammen; dann holten sie Bücher herbei, ein goldgepreßtes Bändchen vor allem, das aussah wie ein Grabstein aus Marmor. Oder man las in den »Immortellen«. Dazu stießen sie mit kleinen dicken Gläsern an, und das Männlein lächelte fein und strich sich eine Haarsträhne mit knöchernem Finger aus der Stirn, während das Töchterle vom Buffet aus scheu herüberguckte, weil das doch ein Dichter war. Oder sie standen auf und gingen in das »Baumstückle« hinaus, einen Obstgarten, der zwischen Rebhügeln lag und Julius gehörte. Dort saß das Männlein dann auf einem Mäuerchen, sein Haar war grau und weiß wie das Moos auf den heißen Steinen, auf die es die runzligen Hände gelegt hatte; es sah aus wie ein Zwerg, gewichtlos und verwittert, indes ihm Julius eine große gelbe Flaschenbirne brachte.

So war Julius immer lustig, besonders mit seinem Töchterle. Ihr ließ er oft in der Stadt hübsche Sachen machen, zum Beispiel ein

Mäntelchen, das er im teuersten Modengeschäft auf der Königsstraße kaufte und von dem Elise später oft erzählte; es muß blaue Samtaufschläge an den Ärmeln gehabt haben und einen Kragen aus demselben Stoff. Aber das Teuerste war die schwarze Pelzjacke, die Elise, als sie um die Zwanzig herum alt war, geschenkt bekam und die sie noch trug, als sie weiße Haare hatte. Da hat sie dann immer sorgfältig alle Regentröpfchen mit einem Taschentuch von den seidenglänzenden Pelzhaaren abgewischt, wenn sie aus der Stadt kam und es auf dem Weg von der Straßenbahnhaltestelle bis ins Haus geregnet hatte.

Aber er verwöhnte Elise mit diesen Geschenken nicht; sie wurde nicht »verzogen«. Einmal, als unten auf der Festwiese am Fluß, auf dem »Wasen«, wieder das Volksfest war und Elise halt auch einmal allein mit ihrer Freundin hingehen wollte, nickte Julius an einem Samstagabend schmunzelnd und sagte: »Ja, Mäusle, morgen am Sonntag kannst hingehen; aber bis zum Mittagessen mußt wieder daheim sein!« Da war sie dann sehr froh, stand am andern Tag früh auf, frisierte sich und sprang zu Emilie, ihrer Freundin, hinüber, die schon fertig war. Aber als sie schließlich von der großen Brücke aus hinunter auf die Zeltstadt schauten, lag dort noch alles still da. Vor einem grünen Wagen kämmte sich ein Fräulein im Morgenrock und summte dazu, und aus dem Bierzelt wurde Wasser hinausgeschüttet, in dem dicke Gläser geschwemmt worden waren. Nirgends hörte man die fröhlichen Karussellorgeln mit »Mein Herz das ist ein Bienenhaus«, sondern es knarrte bloß hier und da eine Tür ganz schläfrig. Ja, fiel es dann Elise ein, das Volksfest fing ja erst um elf Uhr an. Sie war enttäuscht. Drum konnte sie bloß ein- oder zweimal Karussell fahren, dann mußte sie wieder ans Heimgehen denken.

So erzog Julius sein Töchterle unmerklich und mit feinen Mitteln. Später, als er sie dann in die französische Schweiz ins Pensionat schickte, sagte er zu ihr: »Ich schick dich nicht dorthin, daß du ein rechter Fratz wirst, sondern damit du was lernst; denn was du gelernt hast, das kann man dir nicht nehmen, Mäusle.« Aber so eine Ermahnung ist für sie unnötig gewesen, denn Elise war sehr bescheiden, bloß daß sie halt auch wie der Vater eine Sehnsucht nach dem Feinen und dem Eleganten im Leben hatte; aber das brauchte sie nicht hochmütig zu machen.

So hatte Julius sein Haus gut bestellt. Wenn wir in sein Leben hineinschauen, spüren wir einen feinen Schmerz, weil wir nicht mehr so ruhig und so sicher leben können. Er sorgte dafür, daß er Geld ersparte, und schnitt sich früh den Stecken, an dem er im Alter gehen wollte, wie eines seiner Worte war.

Julius hatte die Zerstörung seiner sicheren, wohlanständigen Welt vorausgesehen. Er ist krank geworden, zuckerkrank war er die letzten Jahre seines Lebens, und in seiner Sterbestunde, als Elise mit der Mutter um sein Bett stand, schaute er seinem Töchterle traurig in die Augen, als wollte er sagen: »Armes Kind, was wirst du noch alles durchmachen müssen . . .« *(1943)*

Die Abenteurerin

Zu Anfang des Krieges lebte Judith als Gattin des Pelzhändlers Nissar in Wien. Erschien sie in den Geschäftsräumen ihres Mannes, die in einem alten, vornehmen und düsteren Haus gelegen waren, so schlenderte sie an den Verkaufstischen vorbei und bewegte sich träge in den Hüften, eine Zigarette in den Fingern. An den Wänden standen die Glaskästen mit Pelzen aufgereiht und waren hell erleuchtet.

In diesem Verkaufshaus Tuchlauben Nummer siebzehn mußte immer Licht brennen, und nur an den ganz hellen Sommertagen floß auch hier ein milder Schein herein, so daß man die Lampen auslöschen konnte ... »So ... sehr schön«, sagte Frau Nissar dann, »wenigstens spürt man heut auch hier, daß es die Sonne gibt«, und schaute die Verkäuferinnen mit ihren schwarzen Augen durchdringend an. Die Mädchen wichen ihr fast immer ängstlich aus, weil sie glaubten, die Frau könne in sie hineinschauen und verachte sie. Oder Judith hob die Schultern und sagte: »Hier kann doch ein normaler Mensch nicht atmen! Laßt frische Luft herein!«, obwohl die Luft in den Verkaufsräumen des Handelshauses Nissar durch sausende Ventilatoren frisch erhalten wurde; allerdings war der Geruch von Kampfer spürbar, womit das kostbare Pelzwerk eingepudert war: ein langhaariger Blaufuchs, die Skunkse und die Leopardenfelle, die Judith ab und zu flüchtig mit den Fingern prüfte und dabei ihren schweren Mund geringschätzig verzog. Leoparden und Tiger waren schön, aber es gab sie selten. Meist hingen die Stalltiere der Natur herum, Persianer aus zusammengenähten Fellen von Lämmern, die man Muttertieren aus dem Leib geschnitten hatte ... Pervers, aber gewissermaßen interessant, dachte Judith, lächelte und mißachtete die schmeichelnde Luft hier, weil sie dies alles zur Genüge ausgekostet hatte.

Wenn sie Käufern begegnete, alten vornehmen Herren, die für die Dame einen Pelz suchten, in dem die Vorführdamen viel besser aussahen als die Damen mit dem Geld ihrer Männer oder Freunde, dann zog sie sich rasch zurück. Als Inhaberin eines Pelzgeschäftes wollte sie nicht gelten. Außerdem langweilte sie das alles: dieses

Geschwätz und dieses eitle Getue, wenn sich eine dieser Damen das Cape oder den Abendpelz umlegen ließ und vor den Spiegeln paradierte.

Sie konnte an den vielen Menschen, die sie kannte, sowieso nicht mehr viel entdecken, was sie angezogen hätte, und je länger sie in ihrer Villa am Galitzinberg lebte, ertappte sie sich bei gewissen Stimmungen des Unmuts, ja der Langeweile, biß sich auf die Unterlippe, während vor ihren Fenstern die Jalousien schräg nach außen gestellt waren und schwüler Sommer in Büschen und Bäumen wühlte, und folgte mit brennenden Augen den Wellen des Windes bis hinaus in sanfte Wälderhügel, die vom Licht einer berauschend silbernen Ferne aufgesogen wurden. Sie wußte, daß ihr Leben eine entscheidende Wendung nehmen müsse, wenn sie nicht hier versinken wollte. Und sie gedachte ihres vornehmen, gelassenen Mannes mit einer Mischung von Mitleid und Haß. Freilich, er hatte sie in der Hand, weil er reich war und ihr jeden Wunsch erfüllen konnte. Und sie brauchte seinen Reichtum, denn sie war arm gewesen und stammte aus einer öden böhmischen Kleinstadt an der ungarischen Grenze, wo sie mit ihrer Mutter gelebt hatte; ihren Vater kannte sie nicht.

Wenn sie sich im Spiegel betrachtete und sah, daß ihr Gesicht zu rund geworden war, dann hatte sie von sich selbst genug. Aber dieses Doppelkinn verdankte sie ihrem Mann, dem Vornehmen, Bleichen mit den traurigen Augen ... Und Gedanken flogen durch ihren Kopf, lächerliche und gewöhnliche Gedanken. Wer konnte von ihr schon guten Geschmack verlangen? Sie wollte ja auch keinen haben ... War es ein Zeichen von Dummheit, wenn sie sich vielen Leuten überlegen fühlte, nur weil sie größer gewachsen war und sie von oben her betrachten konnte? Wie wichtigtuerisch schienen sie ihr besorgt um nichtige Dinge. Aber war sie soviel anders? Was war denn ihr Leben: die leeren Tage, die sie beim Friseur, der Schneiderin, in Gesellschaften, im Theater und Kino verbrachte oder mit Büchern, mit Zeitschriften? Es war fad und abgebraucht, es war kein Leben, und oft staunte sie, daß sie es überhaupt so empfand. Und sie forschte in sich, ob sie nicht eine Vorstellung vom echten Leben habe. Vielleicht kam es überhaupt nicht auf das diesseitige Leben an. Man sollte sich am Ende hier gar nicht zufrieden fühlen, sondern mußte auf etwas Neues warten, das erst später begann, nach dem Tode vielleicht. Oder auch, wenn man endlich einen großen, imponierenden Mann gefunden hatte, der einem gefiel . . .

Sie war Diseuse gewesen, Sängerin in zweitrangigen Kabaretts, die in mittleren Städten wie Linz, Gastein, Salzburg gastierten. Und Salzburg liebte sie; aber für Wien war sie niemals engagiert worden . . . Doch, einer hatte sie in diese sehnsüchtig begehrte Stadt gebracht für ein Gastspiel, das ein ganzes Leben dauern konnte, falls man nicht den Mut aufbrachte, eines Tages kontraktbrüchig zu werden . . . Leopold Nissar hatte dieser Mann geheißen. In den glanzvollen Festspielwochen des Jahres 1939 hatte sie mit Nissar einen Abend in Salzburg verbracht. Nissar war in einem Augenblick aufgetaucht, da sie ihr gehetztes und erniedrigendes Leben satt gehabt hatte und mürbe geworden war von den Püffen und Unverschämtheiten, die sie einstecken mußte. Dieser vornehme Mann hatte ihr gefallen . . . Sie wußte nicht, daß sie ein Mensch war, der herumgestoßen werden mußte und im faulen und üppigen Frieden eines Bürgerhauses träge werden mußte . . . Aber auch in ihr hatte eine versteckte Sehnsucht nach dem Dauernden, Beständigen gelebt, sie war anlehnungsbedürftig wie jede andere, ein wenig extravagante Dame, die eben auch nur geheiratet werden wollte.

Nun war es soweit; alles erschien ihr jetzt abgelebt, alles, was sie erlebte, berührte sie kaum noch, und sie fragte sich oft, wozu alles gut sei . . . Freilich, Nissar war von ihrem unruhigen Wesen angezogen worden, und ihr tat sein gemessenes, vornehmes Wesen wohl, etwas Trauriges schwamm darin. Und gelockt hatte sie vor allem anderen das elegante Heim in Wien, das er ihr bieten konnte, der Luxus und seine Unterwürfigkeit, obwohl sie neben ihm ein Gefühl der Langeweile nie ganz los geworden war und seine überlegene Art sie geärgert oder beunruhigt hatte . . . Nun gut, ich werde mir schon die Freiheiten herausnehmen, die ich brauche, hatte sie gedacht und in die Heirat eingewilligt; außerdem war alles ganz und gar gleichgültig. Man würde weitersehen, die Zukunft klärte manches Trübe und Unsichere, und letzten Endes war Herr Nissar dazu da, sie, die Starke, auf Händen zu tragen, falls seine Hände nicht zu schwach dazu sein sollten; das würde sich schon noch herausstellen.

Und bis heute hatte sich's erwiesen, daß er in einer bestimmten Richtung nicht dazu imstande war und daß ihr etwas fehlte, das sie von ihm nicht haben konnte. Sie wußte nicht genau, worin es bestand, und vielleicht sollte sie es eben auch nicht haben, sondern ruhig ein bißchen sehnsüchtig sein ... Denn in einem gewissen Sinne machte ja die Sehnsucht alles verlockend schön, weil man sich von jedem Tag etwas Neues erwartete. Es gab bestimmt noch viele Länder, die unentdeckt waren und in einem selbst verborgen lagen, und vielleicht sollte sie eines Tages doch noch dahin reisen ...

Als sie nach Wien gekommen und ins Haus ihres Mannes eingezogen war, hatte sie insgeheim gehofft, sich einen Kreis außergewöhnlicher Menschen schaffen zu können, wo sie allein herrschte und Nissar nichts zu sagen hatte. Das war ihr aber nicht geglückt, weil sich nun gerade solche Leute nicht mehr an sie herantrauten, und ihr kam's vor, als sei der Reichtum ihres Mannes daran schuld.

»Du bist von uns abgefallen, uns untreu geworden, Judith – was soll man da tun?« hatte ihr ein russischer Tänzer vorgeworfen, mit dem sie einmal längere Zeit aufgetreten war; er hatte sie nach ihrer Heirat besucht, sich staunend in der Villa umgeschaut und befangen gelächelt ... Und kurz nach seinem Besuch hatte sie einen Flirt mit einem Baron namens Kübeck, einem weißhaarigen Männchen, das sie bequem unter die Schulter hätte packen und zu Bett bringen können, wie man ein Kind zu Bett bringt; er schrieb glühende Liebesbriefe, und sie las mit ihm die Bücher eines Dichters, in denen etwas Schweifendes, Gestaltloses, Unruhiges lebendig war und worin ein Mann namens Falkenberg oben in den nordischen Ländern, die ihr fremd waren und nach denen sie keine Sehnsucht empfand, immerzu von einem Hof oder einem großen Wasserwerk zum anderen ging und die Frauen verführte.

Die große Welt war ihr gleichgültig geworden, nachdem sie nur automatenhafte Menschen darin getroffen hatte. Neu waren ihr nur die Leute im Gefolge des jetzigen Machthabers, die ihr als überspannte, lüsterne Affen erschienen, aber große Männer spielten. Es war kurz nach Beginn des Krieges mit Rußland. In der Halle des »Imperial« saßen sie und erklärten, alles müsse anders werden, Österreich sei »zu gemütlich«. Wie öde, niedrig und gewöhnlich kamen sie ihr vor. Auch die kranken Bürokraten, die sich um den Chef der Staatspolizei scharten. Einmal hatte sie mit angesehen, wie ein livrierter Hoteldiener dem mächtigen Würdenträger einen prunkvoll mit Edelsteinen besetzten Reliquienschrein, als Geschenk der Stadt Wien, überbracht hatte. Der Beschenkte hatte das Juwel betrachtet: »Was soll ich mit dem Ding da? Ich werde es in ein Schreibzeug umarbeiten lassen ...« So stand nun wahrscheinlich ein Reliquienschrein aus der Zeit Ottos des Großen auf dem Schreibtisch eines Narren.

Sie stand noch immer vor dem Spiegel. Ein Geräusch hinter ihr ließ sie aufschrecken, doch als sie sich umschaute, konnte sie nichts entdecken und war enttäuscht; schade, dachte sie und wünschte sich, daß einmal ein fremder Mann durch eine Tapetentür in ihr Zimmer eindringen möge; am liebsten wäre ihr's gewesen, ihr Vater wäre zu ihr gekommen. Aber so etwas ereignete sich selbstverständlich nie. Und wenn sie zurückschaute, empfand sie nur eine Mischung von Reue und Bedauern. War sie resigniert, war sie schon angesteckt von ihrem resignierten Mann und seiner Trauer? Davor mußte sie sich bewahren. Und sie wußte, daß in ihr noch immer eine unzerstörbare Kraft war. Wie eine weiße Kugel sah sie sie in ihrem Innern schweben. Sie konnte sie sehen, wenn sie, wie eben jetzt, da der Sommerwind mit trockenem, heißem Finger hereinstrich vor ihrem Spiegel stand und nachdachte; denn Spiegel waren sehr wichtige Gegenstände, weil das Bild, das sie ihr zeigten, sie mit einer starken Kraft hielt.

Sie erinnerte sich an ihr erstes Gespräch mit Nissar in Salzburg. »Meine Großmutter ist zweiundneunzig Jahre alt geworden und hatte auf ihrem Totenbett noch alle Zähne ...«, hatte sie stolz erzählt, nachdem er ihr seine eigene müde und späte Familie geschildert hatte. Seine Mutter hatte einen makabren Kult mit dem eigenen Tod getrieben und immer von ihrem Grab gesprochen; ein Kästchen in ihrem Zimmer, wo die kostbarsten Möbel wie in einem Antiquitätenladen durcheinanderstanden, war mit der Nachbildung eines rubinverzierten Totenschädels geschmückt gewesen, über dem eine französische Flagge an die Wand geheftet war, denn die Mutter war Französin gewesen. Ein steinalter Onkel Nissars lebte in einer völlig leeren Villa in Baden bei Wien; wenn er darin herumging, hallten seine Schritte in den hohen Räumen wider, weil er, nachdem sich sein Sohn erschossen hatte, nur noch ein Dachzimmer mit Dienstbotenmöbeln und einem Messingbett bewohnte. Der Sohn war gegangen, will ihm sein Vater verboten hatte, zu studieren und sich der Literatur zu widmen; also aus Schwäche, weil sich der arme Kerl außerstande gefühlt hatte, seine Träume anders zu verwirklichen, seine Begierden anders zu stillen. War es nicht beschämend und hätte er sich nicht davor bewahren können, indem er gegen den Willen des Vaters getan hätte, was er sich so brennend wünschte? Durfte man, wie sie nun selber auch, immer in trüber Unentschlossenheit schwankend herumstehen? Eigentlich hätte man trotz allen Bedrohungen und Fährnissen einmal einen Schritt ins Freie wagen und den Verlockungen einer unbestimmten Sehnsucht nachgeben sollen. Aber wer brachte den Mut dazu auf, wenn man insgeheim fürchtete, jeder neue Weg könne auch nur in eine nebelhafte Ferne führen?

Nun knarrte hinter ihr die Tür, und das ältliche Dienstmädchen erschien; es brachte einen Brief von Nissar, der eine Einladung des Statthalters von Wien enthielt; heute abend fand ein Empfang im »Imperial« statt, bei dem die Würdenträger anwesend sein würden. Das durfte sie sich selbstverständlich nicht entgehen lassen ... Nissar hatte ein paar liebe Worte auf die Rückseite geschrieben, die sie rührten. Und sie nahm sich vor, ihm heute abend eine zärtliche Gattin zu sein, anschmiegend und liebebedürftig, um die man ihn beneiden mußte; so etwas wünschte er sich doch, oder nicht? Ach ja, sie kannte ihn ... Und während sie sich vor ihrem geöffneten Schrank das Kleid auswählte, das für einen solchen Abend in Frage kam, fiel's ihr ein, daß dieser Empfang wohl zu Ehren einer großen militärischen Unternehmung im Gebiet der Wolchow-Sümpfe abgehalten wurde, wo die Armee des sowjetischen Generals Wlassow ihrer endgültigen Vernichtung entgegenging; morgen sollte der letzte, entscheidende Schlag geführt werden, und im »Imperial« würde die Versammlung in glitzernden Hotelsälen anstoßen auf ein gutes Gelingen ...

Dies alles war zwar widerwärtig, aber doch gewissermaßen interessant, weil es den Blick schärfte, der hinter die Dinge drang. Man sah hinein in das Treiben der Leidenschaften, von denen die Entschlüsse aller Menschen entscheidend bestimmt wurden, nicht von Überlegungen, die die Vernunft anstellte. Es war schmerzlich, dies einsehen zu müssen, aber man konnte nichts dagegen tun. Alles verhielt sich eben so, daß man sowohl das eine – also das Gute – oder das andere – also das Böse – tun und lassen konnte; aber wer sagte einem, was das Gute und was das Böse war? Und vielleicht hätte man sich überhaupt nicht anmaßen sollen, zwischen dem und jenem eine Entscheidung zu treffen, weil beide gleichwertig waren und weil's auf etwas ganz anderes ankam, das jenseits aller irdischen Wirklichkeit lebte. Es mußte einem gleichgültig sein und man mußte alles einem oberen Richter überlassen, der im eigenen Innern lebte; denn nur auf diese Weise kam man zum Ziel, von dem man allerdings nicht wußte, wo es liegen sollte.

Abends herrschte bei dem Empfang der übliche starre, gleißnerische Prunk. Als sie aber unter den andern herumstand, war plötzlich ihr junger Freund, der Tänzer und Varietékünstler Maxim Ozitoff, vor ihr aufgetaucht; gleich hörte sie ihn wieder, wie er sie damals als einziger Besucher aus der alten Zeit eine »Abtrünnige« genannt hatte, die ihrem alten Lebenskreis untreu geworden sei. »Maxim, was tust du hier, ausgerechnet unter diesen Larven! Aber was soll die Uniform? Sie sieht wie ein Kostüm aus ...« Und Judith lachte. Er trug einen Waffenrock mit schmalen Silberlitzen. »Ach, rede nicht davon«, sagte er und wurde rot. Er hatte immer noch seine alte, reizende Art, verlegen zu werden. Und leise erzählte er ihr, wobei er sich immer wieder umsah, daß er als Dolmetscher für einen deutschen Armeestab bestimmt sei, aber nicht daran denke, dorthin zu gehn. »Ich soll russische Offiziere verhören, verstehst du, Judith?« Und plötzlich, ganz nah an ihrem Ohr: »Komm mit, begleite mich an die Front!« ... Er lachte.

»Was willst du? Was hast du dir gedacht?«

»Du wirst alles sehen, Ich kenne Rußland.« Er sagte es in singendem Ton mit fremdem Akzent.

Nun fiel ihr ein, daß Maxim Russe war. Sein Handgelenk war kräftig, sein Profil wie auf alten Münzen mit einem kühnen Mund; wurde auch ihm eine dünne Lorbeerranke von einer hellen Hand um die Stirn gewunden? Was hatte sie für Einbildungen!

Er nahm sie am Ellbogen und führte sie aus dem Saal. In der Halle hängte er ihr das Pelzcape um.

»In deinen Wagen!« – »Ich habe keinen Schlüssel ... Mein Mann ...« Er lächelte und führte sie ins Freie, probierte am Wagen ein paar Schlüssel und öffnete ihn; er setzte sich ans Steuer und fuhr los. Sie lachte und ließ sich entführen. Wohin? Plötzlich war sie wach. »Wie komme ich an die Front?« fragte sie nur.

»Du wirst sehen.«

Maxim hielt vor einem Café in der Vorstadt Favoriten. Sie traten ein, weiche Schlagermusik vermischte sich mit Zigarettenrauch, und Maxim sprach mit einem unförmig dicken Kellner, der Teller abtrocknete. Er nickte, und man drängte sich hinter die Theke, bückte sich vor einer niedern Tür und betrat ein sauberes Stübchen, wo ein junger Mensch mit einem bleichen, sensitiv zuckenden Gesicht über einen Tisch gebeugt saß, eine dicke Brille vor den Augen. Er sah wie ein Student aus. In einer Ecke stand eine Hektographiermaschine. Man grüßte sich stumm. Vor dem Studenten lagen Militärpässe. »Soldbücher für Wehrmachtshelferinnen«, sagte Maxim. Und der Student nahm eines, blickte auf Judith, machte Eintragungen. »Der ist für Sie« , deutete er mehr, als daß er es aussprach, und reichte ihr das Heft. Sie las einen fremden Namen und Bezeichnungen, die ihr neu waren. Hatte sich ihr Leben schon verändert? Konnte sie es zulassen? War das Abenteuer so nahe? Der junge Mensch zeigte ihr, wie er die Stempel aus alten Soldbüchern mit der Haut von gekochten Eiern übertrug. Sein Gesicht blieb unbewegt, während Judiths Halsadern zum Zerspringen klopften. Sie ließ alles mit sich geschehen. Schließlich ward sie in ein enges Kabinett mit photographischer Einrichtung geführt, und der Student machte Aufnahmen von ihr; es war alles rasch fertig. Dann erschien eine alte, gutmütige Frau und probierte ihr eine blaugraue Uniform an; eine russische Steppjacke, ein Lammfellmantel und hohe Filzstiefel kamen dazu. Alles wurde zusammengeschnürt und das Paket durch den Hof hinaus ins Auto getragen. Dabei deutete Maxim auf die Steppjacke, die aus dem Kleiderbündel herausschaute: dort sei eine Giftampulle für den äußersten Fall eingenäht, sagte er. »Falls dir dein Leben mal zuwider wird – verstehst du mich?«

Der Motor sprang an, und nun war es Judith zumut, als habe sie ihr altes Leben abgelegt. Dies gab ihr eine herrliche Empfindung, denn endlich fühlte sie sich frei. Es war, als könne sie nun für immer in einem endlosen Meer schwimmen und seine Wellen trügen sie für ewig. Sie lächelte neben dem Steuerrad, an dem Maxim saß. Von Wien, der Stadt, die immer noch im vollen Schmucke ihrer

Lichter glänzte, ging eine Berauschung auf sie über, die sie bisher noch niemals gefühlt hatte.

Man fuhr zum Galitzinberg heim. Die Villa war leer. Judith probierte für Maxim ihre Uniform an; dann schlüpfte sie zum Spaß auch in die fleckige russische Steppjacke und legte den Lammfellmantel um; die Filzstiefel waren plump, aber man ging wie in Hausschuhen drin. Es wurde ihr zu heiß, sie zog sich aus und umarmte Maxim. Sie lachte.

Sie mußte früh aufstehen. Maxim war längst fort, und als sie erwachte, war's noch Nacht, aber man fühlte schon den frischen, taugekühlten, reinen Sommermorgen hinter den Hügeln warten; es war, als spanne irgendwo ein Wagenlenker seine Muskeln und hebe die Stirn empor. Sie schlüpfte in die Uniform. Dann glitt sie in den Garten; ihr Bündel in der Hand, lief sie über die Terrassentreppen, wo viele Gebüsche ihre grünen Augen und feuchtblättrigen Münder rührten. Die Luft war farblos dünn. Unten trat sie durch ein Pförtchen auf die Straße, die in weitem Bogen Wien entgegenführte; es roch nach Erde, Staub und junger Feuchte; vorne bei einem Steinhaufen wartete Maxim mit seinem Motorrad und winkte.

In diesem Augenblick des Abschieds – wußte sie doch, daß sie alles nun für immer hinter sich zu lassen hatte – dachte sie an ihre Mutter. Sie sprach mit Maxim über sie, aber er hörte ihr kaum zu. »Aufsitzen, Judith«, sagte er, »es eilt!« Sie schwang sich hinter ihm hinauf. Und als man dann der Stadt entgegenbrauste, der kalte Wind ihr um die Stirne schlug und bis unter die Uniform eindrang, durchflogen sie die Bilder ihrer Jugend wie zerrissene und wehmütige Kleiderfetzen ... Blumenbinderin war die Mutter gewesen; sie hatte künstliche Blumen gemacht und sich und das Kind damit ernährt. Blumen, die nicht welkten, als Schmuck für Ballkleider, Hochzeitskleider oder Grabkränze, die sie besonders liebevoll anfertigte. Ihre Sanftmut, ihre gelassene Milde bei dieser Arbeit, wenn sie mit einem Federmesser jedes Blumenblatt nach seiner Form aus dem Papier erstehen ließ; wie sie die echten Blumen in dem kleinen Garten hinter dem Haus pflegte und die künstlichen genau nach den echten machte, so daß man falsche und natürliche kaum noch unterscheiden konnte. Die Mischung von Leimgeruch und Blumenduft im Zimmer und Judiths ewiger, bohrender Wunsch: Wann werd ich aus alledem endlich herauskommen? Dies flog jetzt wieder her, und sie war unmutig wie damals, es kam ihr doch so vor, als wolle sie die Mutter wie Leopold Nissar, ihr Mann, mit samtenen Schnüren fesseln. Sie hörte die versteckten Seufzer ihrer Mutter wieder, wenn sie fragte: »Sag mir endlich, wo der Vater ist!«, sah sich aufstampfen in dem dumpfen Zimmer und einer Katze ins Ohr kneifen. Wenn die Großmutter nicht gewesen wäre, die starke Frau, die mit zweiundneunzig ein Herzschlag auf einem Gang zum Krämer hinweggerafft und die ihr zugeflüstert hatte: »Dein Vater war ein großer Mann, ein Offizier ... Er heißt Ljubin!« – sie hätte nicht gewußt, wie sie die brennende Sehnsucht nach ihm hätte betäuben sollen.

Es hatte sie damals berauscht, dies zu erfahren. Jetzt saß sie hinter Maxim auf dem Motorrad, und der alte begeisternde Zauber erfüllte sie noch mal. Sie erinnerte sich, daß sie als Kind ihren Vater oft auf einem weißen Pferd durch ihre Träume hatte reiten sehen, und als bald darauf ein Zirkus in das Städtchen kam und der Kunstreitersohn auf dem heißen Kirchplatz, wo sie an der Mauer mit anderen Kindern Murmel spielte, dicht neben sie zu stehen kam, die doch bloß barfuß war und schmutzige Füße hatte, während er einen goldbetreßten roten Dolman um die Schultern trug – da riß sie's von der Seite ihrer Mutter weg; sie wußte: ich gehe mit dem Zirkus! Abends noch die letzte Vorstellung, wo ihr junger Freund, mit ausgebreiteten Armen auf einem weißen Pony stehend, durchs Zelt schwebte und ihr eine Handvoll farbiger Murmeln heraufwarf ... Und der Traum des ersten Morgens, da man auf einem elenden Karren mit gebündelten Kostümfetzen saß und davonfuhr in ein neues, herrliches und peinigendes Leben ... Sie wußte nichts von ihrem Vater außer diesem Namen: Ljubin-d'Arnaud ... Und Glück hatte sie auch, und sie wurde die Diseuse Judith; viel war es nicht, was sie erreichte, doch ihr genügte es. Wenn man ihr in den kleinen Kabaretts, wo sie auftreten mußte, vormittags das Frühstück umsonst hinstellte, durchflog sie die Zeitungen; es roch nach Wein und abgelebtem Abend, nach ödem Zigarettenrauch, und die Putzfrauen kehrten aus. Sie saß in einer Nische, und ihre Finger zitterten, wenn sie die Tagesblätter aufschlug und die Gesellschaftsnachrichten suchte: wer in den Hotels abgestiegen war, wer einen Ball gegeben hatte. Tauchte nirgends der Name ihres Vaters auf? Oh, sie suchte vergeblich, es war wie eine Wanderung durch öde Landstriche ... Aber dann zuckte es einmal vor ihren Augen, und sie las: »Oberst Ljubin-d'Arnaud ist ernannt worden zum Attaché in Split.« Wo lag Split? Sie erfuhr es abends von einem alten Maler, der sich seine grauen Haare immer noch blond färbte. In Dalmatien also – aber sie kam niemals nach Dalmatien. War sie darüber traurig? Nein! Daß man nicht hinkam, das vertiefte nur die Sehnsucht, und die Türme von Split flimmerten nur desto heller vor den Augen wie ein Zelluloidbildchen, wenn man's anhauchte. Schließlich die Nachricht von der Reise des österreichischen Attachés Ljubin-d'Arnaud durchs Mittelmeer und sein Besuch in Kairo ... Und Judith sah das Licht der Wüste und roch den Duft, wenn Regen auf ausgeglühte Erde fiel und seltne Blüten hervordrängten.

Einmal saß dann in Salzburg, während sie auf dem Podium sang, ein grauhaariger Mann mit scharfen Gesichtszügen und schwarzen Augenbrauen unten zwischen den Gästen, ein junges Mädchen neben sich; das Kind sah aus wie achtzehn, war aber sicher jünger, weil Kinder aus vornehmem Haus immer weiter entwickelt waren als Kinder gewöhnlicher Leute. Der Mann trug ein Monokel. Später war er verschwunden. Als sie um Mitternacht unter die Leute trat – wie man es laut Vertrag tun mußte, denn der Direktor des Kabaretts wußte, daß es die Gäste animierte, wenn sich die Künstlerinnen zu ihnen setzten – und an der Theke mit einem Margarinefabrikanten plauderte, der aufdringlich wurde, erfuhr sie, dieser Mann mit dem Monokel sei ein Diplomat gewesen, der von einer Ägyptenreise zurückgekehrt sei.

An diesem Abend ging sie durch alle Hotels und traf Nissar, ihren Mann. Zu denken, daß also ihr Vater sie gewissermaßen mit ihrem Mann zusammengebracht hatte, ohne es zu wollen, das gab ihr heut auf dem Motorrad ein unsicheres Gefühl, und es kam ihr fast vor, als hätte sie sich doch nicht von ihm trennen sollen. Oder war's so, daß sie eben keinem Manne lange angehören durfte, weil sie nur mit dem einen: ihrem Vater, tief verbunden war? Fühlte sie sich schwach werden? Aber man stand vor einem aufgestoßnen Tor und fühlte eine Weite vor der Stirne, nach der man lange schon lüstern gewesen war. Ein neuer großer Raum war aufgetan, der am

Ende der letzte war, den man durchfliegen mußte, und an dessen äußerstem Meer ihr begehrter Vater sie erwartete ... Der Wind umwehte sie auf dem Motorrad, und man tauchte in die Stadt ein, die noch grau war und deren Häuser vorbeiflogen, als bestünden sie aus Nebel, lauter leere Schatten, die sich auflösten. Ein Wort aus einem Psalm tauchte in ihr auf: »Und flöge ich an das äußerste Meer, so wird mich doch deine Hand daselbst halten und dein starker Arm mich beschützen ...« Wer war der Mann, der sie beschützte?

Als sie von dem Motorrad stieg und ihr Haar zurückstrich, das ihr unter der blauen Schiffchenmütze hervorquoll, wußte sie, daß sie Maxim bald loswerden mußte; es hatte keinen Sinn, sich an ihn zu klammern, das Wichtigste war, den Vater zu finden. Alle andern konnten nur Helfer sein, Stationen auf einem Weg, der in die Weite führte und den neue, unbekannte Menschen wie Standbilder einsäumten. Sie lächelte und sah, daß Maxim kleiner als sie war, wie alle Leute, die ihr bisher begegnet waren; in seinen Augen zuckte etwas Unberechenbares. Haßte er sie schon? Es wäre ihr fast angenehm gewesen, wenn er sie gehaßt hätte, weil sie schon wieder eine Ernüchterung fühlte und keine Lust mehr hatte, mit ihm zu gehen. War sie eine Abenteurerin? Abenteurer waren Menschen, die den Mut hatten, so zu leben, wie sie von innen heraus leben mußten und einen Traum verwirklichen wollten ... War sie so stark, daß sie dies fertig brachte? Natürlich nicht. Es stand ihr auch bereits nicht mehr der Sinn danach, weil sie nur ein Weib war, das bequem leben wollte. Und lebten Abenteurerinnen vielleicht bequem? Außerdem glaubte sie zu spüren, daß sie etwas Bezwingendes, dem sie nicht ausweichen durfte, in der Stadt zurückhielt.

»Bist du ein Spion, Maxim, und arbeitest du für die Russen?« fragte sie und lächelte ihn an. »Oh, es ist mir nicht unsympathisch, aber zu gefährlich. Bedenke: ich, ein schwaches Weib ...« Sie zog die Augenbrauen hoch und schaute ihn von oben herab an. Zugleich spürte sie es wie eine kühle Berührung im Nacken, drehte sich um und sah im fahlen Morgen, während bereits ein goldener Lichtstreifen die Dächer der Häuserreihen erhellte, einen großen grauhaarigen Mann in Generalsuniform übers Trottoir gehen und in ein offenes Militärauto, einen sogenannten Kübelwagen, steigen; er setzte sich neben den Fahrer und streifte Judith mit einem Blick, der in sie einzudringen und zugleich hinter ihr im Fernen zu schweifen schien. Dann fuhr das Auto an.

»Ich mag nicht mit dir gehen, Maxim. Hast du gehört?«

Sie sah seine Augen von einem Flackern erhellt, dachte, daß sich's dabei auch um den Widerschein des Morgenlichtes handeln könne, und fragte: »Haßt du mich jetzt, Maxim? Aber ich will frei bleiben ... Wenn ich mit dir ginge, wär' ich auch nur eure Gefangene. Ich aber gehöre zu niemandem ...«

»Du bist nur feige, Judith.«

»Mag sein. Im Augenblick macht es mir eben Spaß, mal feig zu sein. Vielleicht bereue ich es später, wer weiß es? Adieu, Maxim.«

Sie drehte sich um und ging allein weiter. Etwas hatte sie von sich abgeschüttelt, das gefährlich wie eine Versuchung war, auf die man sich natürlich nicht einlassen durfte, auch wenn sie einen noch so lockte. Oder hatte sie Lust, ihr Leben zu zerstören und sich Unbequemlichkeiten auszusetzen, die sie in früheren Jahren zur Genüge ausgekostet hatte? Lächerlich ... Sie merkte, daß sie rascher ging und daß ihre Halsadern klopften. Schon kamen ihr die ersten grauen Menschen auf dem Trottoir entgegen, Leute, die zur Arbeit gingen und untertauchen mußten in der Öde eines sauren Tagewerks. Und sie dachte mit einer tief sehnsüchtigen Empfindung an ihre Villa draußen am Galitzinberg zurück, erinnerte sich ihres vornehmen Mannes, der sie gewähren ließ, weil er ihr vertraute und nie den geringsten Zweifel an der Lauterkeit ihres Charakters hegte. Gab es etwas, das bewunderungswürdiger gewesen wäre? Eine Turmuhr schlug, und als sie aufschaute, sah sie ein vergoldetes Ziffernblatt vor dem dunstigen Blau des Frühhimmels schweben; es war halb fünf. Ob Nissar jetzt noch schlief? Und wann war er vom gestrigen Empfang im »Imperial« nach Hause gekommen? Oh, sie würde ihm wie in den ersten Monaten ihrer Ehe, da sie glücklich darüber gewesen war, endlich eine Heimstatt gefunden zu haben, das Frühstück bereiten, sich als zärtliche, zufriedene Gattin erweisen und diese blaue Uniform, die sie trug, zusammen mit dem Kleiderbündel voll russischer Dinge ins Feuer werfen. War es nicht lächerlich, wie sie heute aussah? Sie blieb vor einem beschlagenen Schaufenster stehen und betrachtete ihr verschwimmendes Bild im matten Glas der Scheibe.

Sie sah aus, als sei sie kostümiert, mit diesem schwarzen, auf die Schultern herabfallenden Haar, den roten Fingernägeln; da mußte man ihr ja von weitem ansehen, daß sie verrückt war. Bestimmt hätte sie die Heerespolizei niemals in den Zug hineingelassen, sondern festgenommen. Und der Skandal und das Gelächter, das dies alles im Gefolge gehabt hätte! Nun ja, interessant hätte diese Geschichte selbstverständlich werden können, und eigentlich war es beinahe schade, daß man nicht drauf eingegangen war. Man war in der Ehe in vieler Hinsicht zu einer Art lautlosen Sterbens verurteilt, weil man nimmer so leben durfte, wie man sich's erträumte; man war auch nimmer frei, sondern für ewige Zeiten an ein und denselben Mann gekettet, was ihr nun des öfteren ein etwas unbehagliches Gefühl vermittelte. Außerdem wurde man die Empfindung nicht los, daß man bereits an einer bestimmten Grenze oder einem Wendepunkt angelangt sei, wo man nimmer jung und noch nicht alt war, am Scheitelpunkt des Lebens gewissermaßen, oben auf dem Gipfel, wo die Mittagssonne sehr heiß brannte und einen ab und zu das peinliche Gefühl beschlich, man habe früher viel versäumt. Nun bäumte man sich auf, man wollte unbedingt etwas nachholen und einen Traum verwirklichen, obwohl man wußte, dies könne Unbequemlichkeit nach sich ziehen; denn Judith war eine Frau, die Luxus und bequemes Leben liebte, sich aber Mut zu etwas Außergewöhnlichem zusprechen wollte, von dem sie glaubte, ihr unbekannter Vater verlange es von ihr . . .

Sie befürchtete, es könne ihr aus dieser Sache mit Maxim, die aus ihrem früheren Leben oder aus ihr selber hervorgestiegen war, etwas Unangenehmes erwachsen. Wenn beispielsweise Leute, die von dieser Sache wußten, wieder auftauchten, um sie zu erpressen – wie war es dann? Ungestraft ließ man sich niemals mit verborgenen Wünschen und Sehnsüchten ein, die im eigenen Herzen begraben lagen.

Als sie nach Hause kam, fühlte sie sich zerschlagen und erschöpft. Das Morgenlicht drang hell in ihre Zimmer, die sie über die Balkontreppe erreichte; vom Garten konnte man bequem hereinkommen, und wenn diesen Weg ein Einbrecher oder sonst jemand wußte . . . Nun ja, man würde auch schon mit ihm fertig werden. Gab es vielleicht einen anderen Menschen, der in einem selber lebte, ohne daß man etwas davon ahnte, und der sich ein solches Abenteuer wünschte?

Sie zog sich aus, wickelte die Uniform in ihr russisches Kleiderbündel und stopfte alles tief unten in einen Schrank hinein. Dann warf sie sich aufs Bett und fiel sogleich in dumpfen Schlaf. Als sie erwachte, war es hoher Mittag. Die Sonne brannte in ihr Zimmer, und es war so schrecklich hell, daß ihr das Licht vom Garten grün und golden vor den Augen flimmerte, als brenne sich's tief in ihr Hirn hinein. Sie duschte sich im Badezimmer und war schon wieder klar und straff. Und als sie in den Spiegel schaute, kam's ihr vor, als wäre sie jünger geworden und das Fett unter der Wangenhaut sichtlich geschmolzen. Nun ja, wenn man herumgestoßen, gejagt und gepeinigt wurde, strafften sich Sehnen und Muskeln wieder, und Aufregung war immer noch die beste Abmagerungskur; wirksamer als die vier Zitronen, die sie am Vormittag immer aß, um dann am Nachmittag jäh vom Hunger überfallen zu werden, den sie gierig stillen mußte. Aber dieses verrückte Leben würde jetzt aufhören. Übrigens war sie gut gebräunt, das hätte jedermann zugeben müssen, der sie jetzt oder später hätte sehen können, wenn sie im Liegestuhl im Garten lag. Sonst aber war immer noch alles beim alten.

Schließlich klingelte sie nach dem Dienstmädchen, ließ sich erzählen, daß der gnädige Herr gegen halb zwei nach Hause gekommen sei und sich wie jeden Tag um elf Uhr ins Geschäft begeben habe. Judith hörte sich's ruhig an und spielte die Schläfrige, Gelangweilte und Träge vor dem Mädchen, runzelte die Brauen und schaute zur Seite, wie sie es jeden Morgen tat; niemand durfte merken, daß sie nun eine andere geworden war, die ihren Mann zu verlieren fürchtete, weil sie sich in der vergangenen Nacht mit etwas eingelassen hatte, das ... Aber was sagte jetzt das Mädchen?

»In der Früh', ich war noch im Bett, hat's angeläutet.«

»Wer?« Sie war sofort hellwach und saß aufrecht im Stuhl.

»Ich kenne den Herrn nicht, verzeihen Sie ... Ein Herr ... Schmidhüber ...«

»Schmidhüber ... Ist mir nicht bekannt. Was sagte er?«

»Daß er Sie kennengelernt hätte, gestern abend. Und ob Sie schon nach Haus gekommen seien? Ich hab' gesagt, ich wüßt es nicht, aber wahrscheinlich seien Sie mit Ihrem Mann ...«

Judith nahm sich eine Zigarette. Als sie sich ein Streichholz anreißen wollte, brach es entzwei, und sie merkte nicht, daß ihre Finger zitterten. Das Mädchen bemühte sich um sie, gab ihr Feuer und fragte: »Was ist Ihnen?« Sie fühlte Kälte auf den Wangen, wußte, daß sie bleich geworden war und daß dieser Schmidhüber der Student mit dem empfindlich zuckenden Gesicht und den dikken Brillengläsern sein mußte, der ihr in der vergangenen Nacht das falsche Soldbuch ausgestellt. Sie sah noch die vorsichtige Bewegung seiner Finger, die mit einer Pinzette die Haut eines Eis vom Papier lösten, um die Stempel draufzudrücken; seine Hände waren dünn und sahen im Licht einer hellen Schreibtischlampe fast durchscheinend aus. Aber nun fing man also bereits an, ihr nachzustellen ... Man ließ sie bestimmt nimmer aus dem Netz entwischen, in das sie aus Laune oder Überdruß und Unzufriedenheit hineingetappt war. Aber es geschah ihr recht, wenn sie nun einmal von irgendeiner Seite beunruhigt und aufgescheucht wurde aus ihrer Langeweile; außerdem kam's ihrer Figur zugut, sie wurde schlanker, magerer, beweglicher, ganz abgesehen davon, daß man auch die eigene Aufregung genießen konnte. Es war nichts anderes als eine gute Vibrationsmassage ... Und Judith schlenderte, noch immer mit nüchternem Magen, unterm weißen Leinendach auf der Gartenterrasse hin und her, lächelte, preßte ab und zu ihre weiche, gepolsterte Hand an die feuchte Sandsteinmauer des Hauses, die mit Moosflechten überzogen war, als sei Seide darüber ausgespannt, und bot dabei das Bild einer Frau, die ein sorgloses Leben lebte und verlockend schön war.

Sie aß dann ein paar Brote, trank dazu Kaffee und fuhr mit dem Wagen in die Stadt. In der Nähe der Oper mußte sie anhalten. Neben ihr hielt ein geschlossener schwarzer Wagen. Die Hände in roten Lederhandschuhen am Steuerrad, schaute sie geradeaus die weite Straße hinunter, wo die hohen Häuser unter einem reinen Himmel in verblaßten Farben leuchteten. Sonderbar war ihr, daß sie aus dem Wagen hinter der dunklen Scheibe, die einen Spalt geöffnet war, ganz deutlich eine Unterhaltung hörte. Obwohl man nur zu flüstern schien, verstand sie doch jedes Wort. Und plötzlich begriff sie, daß man von ihr sprach und ihrem Mann. »Gestern abend ... mit den Russen ... wie es einem doch manchmal passieren kann, daß man jemand nicht gleich erkennt ... als ich mit meiner Tochter Dinah in Salzburg war, da ist sie noch Diseuse gewesen . . .«

»Also, Nissar, der ist zuverlässig. Glaubst du, man kann auch auf sie rechnen?« – »Sicherlich. Sie hat zwar eine empfindsame Mutter und wird deshalb ab und zu Angst bekommen; du weißt schon: die Erbmasse . . . Aber das tut nichts zur Sache.« Es war eine angenehme Männerstimme, die das sagte. »Und von Vaterseite – ist sie da auch belastet?« fragte der andere. »Nein . . . Aber eine neue Frage: Glaubst du, daß Nissar die Pläne . . . für das Unternehmen ›Greifzange‹ . . . So so, es geht . . . und ist geglückt? Ich bin beruhigt.«

Nun brummte neben ihr der Motor lauter, sie sah in den Wagen und bemerkte hinter der dunkeln Scheibe ein goldenes, geflochtenes Schulterstück, einen roten Uniformkragen und darüber ein verschwimmendes, bleiches Gesicht. Ihre Hand zuckte, sie trat auf den Gashebel und ließ den Wagen davonschießen; es gab ihr einen Ruck und warf sie in die Polster zurück. Dann versuchte sie, dem schwarzen Auto nachzukommen, doch wurde sie von neuem aufgehalten, weil sich ein Wagen der städtischen Müllabfuhr dazwischenschob; dicht vor ihrem Kühler drehte sich die blanke Schraube, die den Müll ins Innere hineinschaufelt, aber jetzt war kein Abfalleimer da, den man ausleerte. Hinter den Bäumen des Karlsplatzes leuchtete die Kuppel von Sankt Karl in grüner Patina, und weiße Säulenminarette ragten davor wie mumifizierte Finger auf.

Kurz danach betrat sie die Geschäftsräume ihres Mannes und fragte nach ihm. Ein Mädchen sagte, man habe ihn kommen sehen, er habe einen Nerzpelz für den böhmischen Statthalter in Auftrag gegeben; niemand habe bemerkt, daß er fortgegangen sei. Judith nickte, hörte sich alles vor dem Verkaufstisch an und sah hinter dem Mädchen viele Pelze in erleuchteten Glaskästen hängen; dann ging sie eine Weile auf dem Teppich hin und her, schaute auf ihre Schuhspitzen und dachte sich aus, wie wohltuend es für sie gewesen wäre, hätte sie sich jetzt mit Nissar unterhalten können. Zum Beispiel würde sie ihn gefragt haben, ob er einen Mann namens Ljubin-d'Arnaud kenne . . . und einen Russen Maxim Ozitoff, der früher Tänzer gewesen sei . . . Sie schüttelte den Kopf und lächelte vor sich hin, denn alles kam ihr schrecklich unglaubwürdig, ja geradezu kolportagehaft vor. Daß ihr Mann in eine Spionageaffäre verwickelt sein könnte und einem Kreis von Verschwörern, oder wie man's nennen wollte, angehörte, erschien ihr beinahe phantastisch; außerdem hätte sie ihm so etwas natürlich niemals zugetraut. Es paßte nicht in das Bild, das sie sich von ihm gemacht hatte; sie hatte ihn für einen gleichgültigen und gesichtslosen Vornehmen gehalten. War er ein ganz anderer?

»Ja schön, ich gehe«, sagte Judith zur Verkäuferin und schaute vom Boden auf. »Sagen Sie meinem Mann, ich hätte bedauert, ihn nicht angetroffen zu haben. Vergessen Sie's auch nicht?« Sie lächelte und wurde rot. Die Verkäuferin wunderte sich jetzt bestimmt darüber, daß sie so freundliche Worte für ihren Mann fand und verwirrt war, denn bisher hatte sie hier im Geschäft nur so nebenbei und oft spöttisch mit ihm geredet; er hatte es entweder als Laune hingenommen oder gedacht, Judith müsse so reden, es mache ihr eben Spaß, sich über andere lustig zu machen, auch wenn dies zufällig der eigene Mann sein sollte. Aber da ging sie auch schon durch die schwingende Tür, deren messingumrahmte, gläserne Flügel hinter ihr lange nicht zur Ruhe kommen wollten.

Sie aß dann allein auf der Kursalon-Terrasse, dem Kolowrat-Ring gegenüber. Der Himmel war etwas bedeckt, und die Bäume des Stadtparks hatten eine stumpfe Farbe. In den Baumkronen wühlte der Wind, die Luft war auch schon etwas drückend, staubig, und einmal wurde einem Herrn, der am Nebentisch Zeitung las, für einen Moment sein Blatt weggerissen, so daß Judith sein Gesicht sehen konnte, das bisher verdeckt gewesen war; er trug einen weichen Hut, und sein Gesicht darunter machte einen unangenehm verlebten Eindruck; zwei dunkle Augen fielen Judith auf, die unruhig zuckten, dann hatte er auch bereits wieder seine Zeitung davor ausgespannt. Judith wurde es sehr unbehaglich. Sie konnte von hier aus zwar ihr Auto im Auge behalten, wenn aber plötzlich ein anderer damit fortgefahren wäre – hätte sie ihn aufhalten können? Natürlich nicht. Weit und breit war kein Polizeiauto, und bis man durchs Telefon angerufen hätte, war der andere längst über alle Berge. Oder wie wäre es, wenn man selbst einmal über alle Berge davongefahren wäre? Aber dazu gehörte Mut, den man niemals aufbrachte ... Drüben am Kolowrat-Ring klingelten die Trambahnen und schoben sich hinter den Bäumen vorüber, als wären es langgestreckte Eidechsen aus Metall; ihre Fensterscheiben waren dunkel, weil sich der dunkle Himmel darin spiegelte.

Später, als sie in ihrem Auto auf den Ring hinausfuhr, begegnete ihr ein Sprechfunkwagen der Heeresstreife; Offiziere mit silbernen Schnüren saßen darin und erlaubten sich den Spaß, einmal neben ihr und dann hinter ihr herzufahren; die Offiziere grinsten ihr zu. Dabei lief der Lautsprecher neben dem Steuerrad übermäßig laut, und Judith hörte eine verschlüsselte Nachricht mit allerlei Zahlen und fing die Worte »Greifzange« und »Der Chef« auf, die ihr bekannt vorkamen, als hätte sie sie schon einmal gehört. Einer der Offiziere, ein übermütiger, sonnengebräunter Bursche, der einen Arm in der Schlinge trug, deutete auf den Lautsprecher und rief das Wort »Geheimsender« herüber. Aber dann verlor sie die lustigen Leute, als sie in eine Seitenstraße einbog. Ihr Kopf war dumpf, sie fühlte sich matt und öde, und alles glitt so gleichgültig an ihr vorüber und hatte nichts Verlockendes, bis ihr einfiel, daß sie sich heute ihre neuen Benzinmarken holen mußte; Nissar hätte freilich Gelegenheit genug gehabt, auch auf anderem Wege Benzin herbeizuschaffen, ließ sich aber nicht auf solche Dinge ein. Sie selbst allerdings hätten derart krumme Wege gerade gelockt.

Sie bog in die Herrengasse ein und ließ ihren Wagen auf dem Josephsplatz stehen, wo der düstere Seitentrakt der Hofburg mit hohen Fensterscheiben emporstieg; die Fenster spiegelten den Himmel wider, und der Himmel glitt darin vorüber. Ein schwerer steinerner Bogen überspannte die Herrengasse, und gegenüber, in der alten Stallburg, war das Amt gelegen, wo sie ihre Marken holen mußte. Vor den Wänden im ersten Stock, die überall mit bedrucktem Papier beklebt waren, trat plötzlich Maxim neben sie. Sie zuckte zusammen und fragte sofort: »Du bist nicht fortgefahren?«

»Weshalb sollte ich denn wegfahren? Wäre es dir lieber?« Er machte einen Schritt auf sie zu. Sie sah ihn heute mit ganz andern Augen an, und er kam ihr verändert vor, viel untersetzter, unansehnlicher, als er von früher her in ihrer Erinnerung lebte; außerdem war sie müde, hatte kein rechtes Ohr für seine Worte und konnte sich's nicht erklären, wie ein Mensch eben jetzt, da alles doch recht öd aussah und keinerlei Reiz hatte, so beunruhigt wie dieser Ozitoff sein konnte; er wollte sie mit den Augen festhalten und zum Zuhören zwingen, doch war es sicher gar nicht wichtig, was er zu vermelden hatte. Und Judith lehnte sich an einen Pfeiler, legte ein Bein übers andere und gähnte. Dabei hörte sie wie von weit her die Nachricht, der gefangene General Wlassow sei heute abend im »Imperial« anwesend – ob sie nicht mit Nissar hinkommen wolle?

»Der Russe aus den Sümpfen? Haben sie ihn jetzt? Du, Maxim, ich sag' dir: diese Russen ziehen mich schon lange an ... Und du meinst also, daß ich ihn mir anschaun sollte?«

»Nun ja, mit solch einem Mann wie dem deinigen ...« Er lächelte, schaute vor sich nieder und schüttelte dann den Kopf, als hätte er irgend etwas sagen wollen, sich aber doch im letzten Augenblick anders besonnen. »Ach so, du denkst, ich sei eine unbefriedigte Frau?« Sie lachte. »Gut, Maxim, ich komm' vielleicht, so etwas soll man sich natürlich nicht entgehen lassen. Weißt du sonst noch Neuigkeiten?«

Er deutete an, daß er noch manches wisse, nur wolle er es ihr nicht sagen, und sie erwiderte: »Ach ja, ihr traut mir wahrscheinlich nicht recht.« Es war ihr fast gleichgültig, und wenn sie nicht so müd gewesen wäre, hätte sie bestimmt versucht, in ihn zu dringen, aber heute hatte sie keine Lust dazu. Sie ging also wieder – ohne ihre Benzinmarken abzuholen – und mußte die kurze Strecke bis hinüber zu ihrem Auto durch einen Regenschauer laufen; der Regen tat ihr wohl, weil er lau und sanft war und für flüchtige Augenblicke etwas Trübes in ihr auszulöschen schien, das ihr nicht richtig bewußt wurde. Jedenfalls fühlte sie, als sie dann zu der Villa hinausfuhr, keine Angst mehr vor etwas Undurchsichtigem, das immer noch in ihr oder in diesen engen Gassen hier zu schlummern schien und das man nicht aufwecken durfte.

Nissar überbrachte ihr schließlich beim Abendessen dieselbe Neuigkeit, die ihr schon Maxim erzählt hatte; sie tat erstaunt, als höre sie alles zum erstenmal, erfuhr auch die näheren Umstände, unter denen Wlassow gefangengenommen, und daß er in einer Scheune mit seiner Sekretärin aufgegriffen worden war. »Sekretärin ...«, sagte sie und schmunzelte, »man könnte wahrscheinlich auch etwas anderes sagen ...«, eine Bemerkung, die Nissar mißfiel. Dann beeilte sie sich mit Umziehen, wurde richtig zitternd nervös und gierig auf diese neue Begegnung mit diesem Angehörigen eines gefürchteten und rätselhaften Volkes und drängte schließlich Nissar, damit man zeitig zurechtkam.

Wlassow war ein großer und hagerer Mann mit einer glitzernden Hornbrille, der eher schüchtern schien; er redete leise und singend und sprach sehr gut deutsch; merkwürdigerweise hatte Judith manchmal den Verdacht, es sei vielleicht gar nicht der Richtige. Seine Gefangennahme war in den Tagesblättern bis heute noch nicht gemeldet worden. Fürchtete man vielleicht, er könne von irgendwelchen Leuten beseitigt werden, weil er anscheinend für die Deutschen kämpfen wollte? Er schaute oft auf die Tischplatte, als suche er etwas ... Und Judith konnte nicht verstehen, weshalb er gegen Stalin kämpfen wolle, dem er schließlich seine Karriere verdankte; Stalin hatte Wlassow aus seiner dumpfen bäuerlichen Herkunft wie aus dem Schlamm herausgerissen. Judith liebte die russische Art, leise und schmeichelnd zu reden; es war, als fühle man unter einem sanften Fell einen scharf geschliffenen Dolch. Weshalb gefiel ihr das? Sie hätte es nicht sagen können. Immer saßen zwei schweigsame Männer neben diesem Russen, die jedes seiner Worte prüften, und Judith versuchte, ihm einmal wenigstens ein Wort zu entlocken, das etwas von ihm selbst verraten hätte, doch wollte ihr dies nicht gelingen; die Männer neben Wlassow lächelten, wenn sie sich auf diese Weise vergebens anstrengte. Das Hotel war üppig und hell wie immer, und an den Saalwänden standen viele Leute in Gruppen beieinander. Frauen waren auch zugegen. Judith kam es vor, als drehe man sich immer wieder nach ihr um, und viele grinsten manchmal richtig unverschämt, doch konnten sie ihr ja gestohlen bleiben. Auch dieser Wlassow war ein Narr, und Judith dachte, nach dem Kriege werde man ihn hängen. Seine eigenen Landsleute werden dies tun, ihm aber zuvor noch zu essen geben, soviel er will ... Jawohl, ich liebe diese Russen, aber sie können eben alles tun: heute zu essen geben und morgen das Gegenteil ... Herrliches Volk ... Auch ich kann vielerlei und fast immer das Widersprechende, tu gerne das, was man niemals von mir erwartet hätte.

So träumte Judith, und ihre Gedanken berauschten sie. Sie ging dabei unter den Leuten hin und her und hatte das Gefühl, als müsse sie heute abend jemand finden, der wichtig für ihr zukünftiges Leben wäre. Sie war sehr aufgeregt. Einmal schwindelte ihr, sie lehnte sich an eine Säule und hörte hinter einer angelehnten Tür zwei unbekannte Männer miteinander reden. Und während sie so dastand, in den Fingern eine lange Zigarettenspitze, ihr glitzerndes Brokatcape fest um die Schultern gezogen, sagte eine Stimme, »der Erste« sei heute nach Peterhof gekommen, er sei versetzt worden als Divisionskommandeur an den Nordabschnitt der russischen Front. »Peinlich«, antwortete ein anderer – war das nicht die Stimme ihres Mannes? – »was machen wir? Was wird aus unserer ›Greifzange‹? Fällt sie ins Wasser?« Er lachte. »Wieso«, antwortete eine zweite Stimme, »traust du mir nicht zu, daß ich die Zügel in die Hand bekomme?« Der zweite lachte auch. »Ja, Lothar hat gesagt, ich soll für ihn einspringen. Mach dir im übrigen keine Sorgen, denn meine Frau weiß nicht, wer ich bin. Hast du neue Nachrichten? Wann kommen sie hierher? Man hat gesagt, sie würden heute kommen, um Wlassow anzuschauen, aber keiner zeigt sich.«

Im Saal standen nun viele auf, und es war, als breite sich Unruhe aus; da und dort verabschiedeten sich ein paar, und die ganze Gesellschaft fing an, sich aufzulösen. Judith drängte sich zwischen den Leuten hindurch, suchte ihren Mann und hatte immer die Worte der aufgeschnappten Unterhaltung wie Pfeile im Hirn, die nicht zur Ruhe kommen wollten. Wer war »der Erste«, der scheinbar Lothar mit Vornamen hieß? Und ihr Mann würde an die Stelle dieses Lothar treten, der plötzlich als Divisionskommandeur nach Peterhof versetzt worden war, hoch droben am Finnischen Meer? Wie war das Finnische Meer im Sommer? Blau und mit weißen Möwen, die sich in Scharen auf Steinblöcken niederließen ... Judith wurde von der lächerlichen Vorstellung bedrängt, ihr Kopf rage als Steinblock aus blauen Wellen hervor, und wenn sie ihre Augen aufhob, rauschte es über ihr von Möwenflügeln ... Sie zitterte, drängte sich hinter einer Gruppe schwatzender Offiziere mit dicken silbernen Adjutantenschnüren, die sich plötzlich nach ihr umdrehten und sie zu kennen schienen, auf den Gang hinaus, wo sich ein hünenhafter, schwarz uniformierter Kerl vor einem hohen Spiegel seine Mütze aufsetzte und mit der einen Hand von der Totenkopfkokarde über Mützenschild und Stirn zur Nasenspitze fuhr, um nachzuprüfen, ob die Mütze richtig säße, es sah aus, als bekreuzige er sich. Dieser Mensch hatte schwere rote Hände, und Judith dachte, er könne ihr mit einem Griff den Hals zusammendrücken. Dann ging eine Tür auf, Nissar kam mit Maxim heraus, und Judith hörte im Hin und Her des allgemeinen Aufbruchs, wie Maxim sagte: »Grüßen Sie Ihre Frau, die ich kenne und liebe ...« Nissar war ernst und bleich. Wlassow ging zwischen seinen deutschen Begleitern vorüber, die er scheinbar fragte, was er jetzt tun müsse; er trug eine verwaschene Khakibluse ohne Rangabzeichen, und in seinem Gesicht lag etwas Resigniertes oder Gütiges.

Als sie dann bald darauf mit Nissar durchs Treppenhaus hinunterging, dessen Gewölbe auf schweren Pfeilern ruhte, fragte sie, wer dieser »Lothar« sei, von dem heute abend ab und zu gesprochen worden sei. »Ein General, der an die Ostfront versetzt worden ist, bisher im Wehrkreis Wien«, kam es zurück, und Nissar fügte eine spaßhafte Bemerkung hinzu, die seiner Verwunderung darüber Ausdruck gab, daß sich Judith auf einmal für Militärs interessiere.

Als man zum Parkplatz kam, standen mehrere Offiziere vor Nissars Wagen herum, die aufgeregt durcheinandersprachen, lachten und rauchten. Nissar legte einem von ihnen die Hand auf die Schulter, und sogleich hieß es: »Ach, da ist er ja!« Aber dann sah man Judith, verstummte und verabschiedete sich höflich, ein paar sogar mit Handkuß, obwohl man im Freien stand.

Man fuhr dann in die Nacht hinein. Die Häuser waren verdunkelt, aber die Straßenbeleuchtung brannte, und Judith fiel es auf, daß da und dort in den ausgestorbenen Straßen einzelne Männer auftauchten, von denen einmal einer dicht vor Nissars Wagen vorbeihuschte; Nissar mußte bremsen, der Mann machte ein Zeichen mit der Hand, und Nissar bog sofort in eine enge Gasse ein; erreichte schließlich auf Umwegen Ottakring, nachdem der Exerzierplatz »Schmelz« vorbeigeglitten und eine Kolonne Soldaten aufgetaucht war, die Gasmasken trugen und im Scheinwerferlicht des Autos wie aufrecht marschierende Insekten aussahen. Dann die sanften Hügel in der Nachtluft, der Wind des Sommers, der lebendig war wie ein ewig rauschender Flügel, und die Pracht der ausgestreuten Sterne ... Judith legte im Fahren ihre Hand auf die Nissars, die das Steuerrad hielt, und ihr Mann schaute flüchtig zu ihr her, als wäre er erstaunt; aber sie wollte ihn nur fühlen lassen, daß sie ganz auf seiner Seite stehe.

So war nun also ihr Mann Leopold Nissar an die Stelle dieses mysteriösen Generals Lothar getreten und hatte die Leitung der Verschwörergruppe übernommen, deren Fäden im Café Kostenbader draußen im Vorort Favoriten zusammenliefen ... Und später, im Einschlafen, wurde Judith alles klar, der Name des Cafés fiel ihr ein, wo ihr der Student Schmidhüber ein falsches Soldbuch als »Luftwaffenhelferin« ausgestellt und man ihr eine Uniform verpaßt hatte; auch russische Kleider waren ihr ausgehändigt worden, die tief unten in ihrem Kleiderkasten ruhten ... Und es war ihr im ersten Anhauch des Schlafes seltsam zumut, als sie sich diesen Kleiderkasten vorstellte, worin oben ihre eleganten Paillettenkleider, die Pelzmäntel und die Hüte mit violetten Federaigretten aufbewahrt waren. Violett stand ihr übrigens am besten, diese verschwimmende Farbe aus dunklem Rot und schwerem Blau, die ihren geöffneten Kleiderschrank umfloß und die sie, auf dem Bett liegend, vor ihren zitternden Lidern fühlte, die der Nachtwind kühlte; denn Judith schlief stets bei offenen Fenstern. Das Mondlicht hatte draußen seinen Duft über alle Baumkronen ausgegossen, und sie glitt in seine umsponnenen Arme hinein.

Am Morgen fühlte sie sogleich etwas Befremdendes, Unangenehmes, beinahe Feindliches; die Luft war unentschieden lau, es faßte sie auch einmal ein kurzes Schwindelgefühl an, und nach der kalten Morgendusche wollte eine versteckte Hitze nicht von ihrem Leib verschwinden. Der Wind hauchte träg vom Garten her, und obwohl es noch früh war, spürte man bereits die Tageshitze; dann war es ihr – und über diese Sinnestäuschung bemühte sie sich zu lachen –, als schauten sie aus ihrem Kleiderkasten unter den aufgereihten Hüten lauter Frauengesichter an, die alle ihr selbst glichen; einmal sah sie sich als junges Mädchen im Schmelz reizender Züge, dann so, wie sie jetzt war: etwas gedunsen, bleich, und schließlich richtig zerfallen, alt geworden ... Aber sie würde sicher nicht alt werden.

Beim Herumgehen auf der Gartenterrasse stellte sie fest, daß vor ihrem rechten Auge immer wieder ein rosafarben zuckendes Häutchen wie eine sogenannte »Menschenhaut« vorbeihuschte, ein Zelluloidfetzchen, das man als Kind gerne angehaucht oder durch das man hindurchgeschaut hatte; außerdem ging sie wie auf Gummi. Sie setzte sich in einen Korbsessel, schaute ihre nackten Beine an und strich an den Waden entlang, weil sie eine Stelle entdeckte, wo sie sicherlich bald Krampfadern bekäme; aber vielleicht ließ es sich durch Massagen zurückdämmen ... Erschrak, stieß einen Seufzer aus, ließ sich in den Korbsessel zurückfallen und sagte zu Maxim, der über die Gartentreppe heraufgekommen war: »Ach, du bist verrückt. Beim nächsten Mal bekomm' ich einen Herzschlag. Aber das wär dir wahrscheinlich bloß recht.«

»O nein. Wir brauchen dich nämlich noch lange, Judith.«

»Wir? Was heißt wir? Du, bilde dir nicht ein, du könntest mich in deine Dienste spannen.«

»Gerade das. Wenn du nicht willst, melden wir dich der politischen Polizei – ist dir das lieber?« Sie wollte sagen, da habe sicher Nissar auch noch ein Wort mitzureden, aber Maxim hob die Hand, als wisse er schon, was sie denke: »Mit ihm ist alles abgesprochen, er weiß Bescheid.« Und mit einem flüchtig aufzuckenden und durchdringenden Blick, wobei er lächelte: »Es gilt der alte Gemeinplatz, wer A sagt muß auch B sagen, meine Liebe. Und wir brauchen dich. Vielleicht rettest du damit Nissar vor dem Galgen.«

»Wann habe ich A gesagt?« fragte sie.

»Als du mit mir ins Café Kostenbader gegangen bist. Oder glaubst du, so etwas tut man ungestraft, und man kann's nachher abschütteln wie eine Gans das Wasser? Fehlgeschossen, meine Liebe.« Und Maxim lachte.

»Sag mir wenigstens, worum sich's handelt. Auf die Folter spannen brauchst du mich nicht, das kann ich von dir verlangen.«

»Zu verlangen hast du gar nichts. Zu verlangen haben allein wir.«

» Weißt du, daß ich dich hasse?«

»Ganz gegenseitig. Also, hör mal zu ...« Und er erklärte Judith die Grundzüge des Unternehmens »Greifzange«, das darauf hinauslief, die hohen Funktionäre hier in Wien zu fassen, gefangenzunehmen und an die Wand zu stellen. »Sie kommen noch in diesem Monat hier zusammen, wahrscheinlich, weil sie glauben, sie seien in Wien am sichersten; die Stadt wird ja nicht bombardiert. ›Die Alliierten tun es uns net an‹, sagen die Wiener ... Zu einer

Sitzung treffen sie inkognito in der Stadt ein und wohnen überall verstreut. Du mußt herausbringen, wo sie unterkriechen wollen und wann sie kommen. Ein paar Adressen wissen wir bereits. Du wirst bei deiner Arbeit unterstützt, und wo du dich in unserem Auftrag auch immer aufhältst – du bist nie allein, auch wenn du niemand von uns siehst . . . Hast du verstanden, Judith?«

Er breitete ein paar maschinengeschriebene Blätter vor ihr aus, gab ihr eine Zigarette und setzte sich neben sie. Judith überlas die Blätter und wunderte sich darüber, wie genau die Leute Bescheid wußten, so daß die Sache, wenn man sie mit kalten Sinnen überlegte, eigentlich kaum mißglücken konnte. »Das Ganze ist sehr reizvoll«, sagte Judith, und Maxim meinte: »Ich wußte, daß es dich begeistert. Du bist die Richtige für uns.« Und in der Tat, es ging etwas nahezu Berauschendes davon aus, nun einmal ungewöhnliche Dinge zu wagen. »Der Hinkende« hieß es im Manuskript, »wohnt am Judenplatz 7 bei der ehemaligen Schauspielerin Florence Skywa; geschiedene Frau des Häusermaklers Skywa, dreiundvierzigjährig; Präsidentin der Gesellschaft zum Studium der Sowjetunion. Hausgehilfin Zita Wind, befreundet mit Schmidhüber, vgl. angehefteten Bericht.« Judith drehte das Blatt um und fragte: »Schmidhüber hat mir das Soldbuch gemacht, nicht wahr?«, und Maxim bestätigte es ihr: »Ein Photolithograph, wir sind froh, daß wir ihn haben. Im Café Kostenbader.« Ein Plan des Hauses Judenplatz 7 folgte, das ein weitläufiges Treppenhaus hatte; der »Hinkende« würde in der ersten Etage im dritten Zimmer wohnen, kurz bevor die Estrade mit den großen Bronzekandelabern in Form von Nymphenstatuen eine Biegung machte; das Treppenhaus war nachts unbeleuchtet, weil die Verdunkelung der Scheiben unmöglich war, bot also ein gutes Versteck. Der Hausmeister hieß Kuby und war mit Schmidhüber befreundet. Im übrigen stand die Skywasche Wohnung seit Kriegsbeginn leer, weil die Inhaberin in Salzburg weilte, aus Furcht vor Bombardements. Der Chef der Staatspolizei wohnt im Hofburgtrakt nach dem Josephsplatz zu und würde sein Domizil nur durch einen unterirdischen Gang verlassen, der im Keller der Stallburg endigte; die Stallburg hatte mehrere Ausgänge, doch bestand die größte Wahrscheinlichkeit, daß das Tor Ecke Bräuner Straße benützt würde. Gegenüber hatte im Haus Stallburggasse 3 ein Schneider namens Anton

Kudas seine Werkstatt und würde bequem die Straße überblicken können; bei ihm verbarg sich die Jüdin Winnie Rosen, neunzehnjährig, die bereit war, »das Nötige« zu tun. Judith fragte nicht, was dies heißen solle.

Das waren nun alle Papiere. »Weiter habt ihr nichts?« erkundigte sich Judith. – »Das übrige ist deine Arbeit«, erklärte Maxim, ließ sie die Adressen – Skywa, Judenplatz 7; Kudas, Stallburggasse 3 – in ihr zerfetztes Adressenbüchlein hineinschreiben und schärfte ihr ein, sie solle sich mit diesen Leuten möglichst bald verständigen. Wichtig sei vor allen Dingen, zu erfahren, wo »der Popanz« wohne. Und Judith fragte, ob er an ihrem guten Willen zweifle? Sie nahm ihre ganze Verführungskraft zusammen, denn sie wollte Maxim endlich loswerden ... Natürlich werd' ich gar nichts unternehmen, ich wär' ja blöd, sagte sie dabei zu sich selbst, ich dürft' euch ja nur die Kastanien aus dem Feuer holen ... als Maxim auch bereits aufstand und sie anschaute. »Tu deinen dämonischen Blick weg, er geht mir auf die Nerven«, sagte Judith und hörte im ersten Augenblick nicht, was er ihr zuflüsterte; aber dann wiederholte er seine wohlgesetzten Worte, und sie erfuhr, daß General Lothar Ljubin-d'Arnaud der Leiter des Unternehmens »Greifzange« sei. »Dein Vater also – erinnerst du dich noch an deinen Vater, Judith?« fragte Maxim und freute sich sichtlich an ihrem heftigen Erröten, am Zittern ihrer Finger, die die Zigarette auf der Steinbalustrade ausdrückten, und an ihren hastig hervorgestammelten Worten: »Bringst du mich zu ihm? Hilf mir, damit ich ihn noch einmal sehen darf!« Aber da war er schon verschwunden.

Ein kluges Manöver, dachte Judith, als sie wieder allein war. Ihr habt ja alles ausgezeichnet eingefädelt ... Es war natürlich die sicherste Art, sie in die Hand zu bekommen, wenn man sie an ihren Vater erinnerte. Aber trotzdem war sie heute müde und würde keinen Schritt für diese Leute tun. Was nützte die »Greifzange« überhaupt? Judith war alles völlig gleichgültig, was mit Politik zusammenhing, und letzten Endes taten ihr die Machthaber ja auch nicht weh; daß sie sie als Menschen verachtete, das war etwa ganz anderes und hatte nichts mit irgendwelchen Verschwörerplänen zu tun; allerdings, wenn man charaktervoll gewesen wäre, hätte man allein aus diesem Grund zu Dolch und Gift gegriffen, aber sie wollte eben gar nicht charaktervoll sein; es war ihr im tiefsten Grunde doch alles gleichgültig. Oder war sie feig und hatte Angst? Freilich lebte in ihr nur die Angst des Spießbürgers, der einmal aus Lüsternheit und Neugier an etwas Gefährlichem zu nippen gewagt hatte, dann aber erschrocken zurückgewichen war. Beschämend und belächelnswert ... Bei jeder anderen Frau hätte sie darüber gespottet, kannte sie doch viele Weiber, die herumtändelten mit Männern, ein bißchen Feuer fingen und, wenn es ernst zu werden drohte, zurückwichen. Sie hatte so etwas immer verachtet und gesagt: »Ach, Sie flüchten sich an die Brust Ihres Ehemannes? Sehr lobenswert und moralisch! Ein Seitensprung, nicht wahr? Und Sie sind jetzt wieder ›nüchtern‹ geworden? Aber trotzdem ist es schwer, Mut zu sich selbst zu haben ...« Sie verzog den Mund, stand plötzlich von ihrem Korbsessel auf. Dabei zerriß sie sich den Rock an einem zerbrochenen Stäbchen im Rohrgeflecht, das spitzig herausragte, so daß ein großes dreieckiges Loch im Stoff klaffte.

Sie zog sich um, hängte das Kleid in den Schrank und prüfte die herabhängenden Fetzen. In Unterkleidern trat sie vor den Spiegel, betrachtete sich und schaute schließlich zu, wie ihr zwei Tränen aus den Augen rannen. Tränen des Zorns über sich selbst? Vielleicht ... Jedenfalls hieß ihr Vater Ljubin-d'Arnaud und war ein bewunderungswürdiger mutiger Mann, der sie mit Recht verachtete! Aber war denn nicht alles schrecklich in seiner Verworrenheit? Etwas Entsetzliches stand hinter ihr, und sie konnte ihm nicht mehr entfliehen ... Eine Liebesgeschichte war es nicht, was sie quälte – oder am Ende doch? Natürlich, eine Liebesgeschichte, denn die Liebe zu ihrem Vater drang ihr bis ins Mark ... Geschmackloser Vergleich, der übrigens nicht einmal stimmte. Denn es verhielt sich so, daß in ihr sein Gesicht emporgehoben wurde, das bisher tief geschlummert hatte. Nun war der Boden aufgewühlt. Und allem konnte man entfliehen, nur sich selber nicht. Sich selber mußte man standhalten.

Sie legte sich erschöpft aufs Bett und schlief bis in den späten Nachmittag. Als sie erwachte, fiel ihr das zerrissene Kleid ein; sie betrachtete es wieder und erinnerte sich daran, daß sie vor langer Zeit einmal den Namen eines Flickschneiders namens Kudas gehört hatte, der hinter der Stallburg wohnen sollte. Kudas ...

dachte sie und malte sich seine Werkstatt aus, den muffigen Geruch darin und die Gestalt des Schneiders, der sicher leibarm war, ein mageres Männlein. Seine Hemden wären verwaschen, die Hosenträger durchgeschwitzt ... Wie wär's, wenn sie dort einmal vorspräche und dem armen Teufel etwas zu verdienen gäbe?
Sie fuhr mit dem Wagen in die Stadt, es war ein weiter, blaudunstiger Abend. Eine lässig wohltuende Empfindung durchströmte sie, sie dachte, ein berauschend großzügiges Leben sei ihr zuteil geworden, und fühlte eine gewisse, beinahe wehmütige Sehnsucht nach ihrem Mann, den sie seit geraumer Zeit nur noch sehr selten zu Gesicht bekam. Wahrscheinlich dachte er, er sei ihr langweilig geworden, und hielt sich deshalb von ihr zurück. Die Luft kam kühl heran. Als sie an einem Steinbruch vorbeifuhr, sah sie einen Mann, einen Steinklopfer, der ihr lange nachschaute. Dann fiel ihr ein eleganter, wohl ausländischer Wagen auf, der eine Zeitlang im gleichen Abstand hinter ihr dreinfuhr, als verfolge er sie, doch verlor sie ihn schließlich beim Eintauchen in die schwülen Straßenschluchten eines Mietskasernenviertels aus den Augen; sie bedauerte es, hatte ihr doch der Wagen für kurze Zeit fast ein Gefühl von Schutz verliehen, obwohl sie nicht hatte erkennen können, wer darin gesessen war, weil sich's dabei um ein geschlossenes, wie ein Schildkrötenpanzer gewölbtes Fahrzeug gehandelt hatte, das an der Stirnseite eine metallene Gerte wie einen Fühler emporragen hatte. Aber gleichviel, man mußte allein und ohne fremde Hilfe durch das Leben kommen ... War sie am Ende nicht dazu imstande?

Sie ließ ihr Auto wieder am Josephsplatz stehen und fand dann »Tailleur Josef Kudas« an einem alten Haus hinter der Stallburg angeschrieben. Sie klingelte an einer Glastür mit grüner Seidebespannung und fand sich in einem Vorraum einer jungen, schwarzhaarigen und zur Üppigkeit neigenden Person gegenüber, der man die jüdische Abkunft sofort ansah; der Raum war dämmerig und mit Teppichen ausgelegt. Nein, hieß es, Herr Kudas sei jetzt nicht zu sprechen, oder ja ... Wie ihr Name gewesen sei? Nissar? Einen Moment bitte ... Das Mädchen lächelte, horchte nach einer Tür, und Judith wurde in ein Zimmer mit Glasschränken hineingeleitet, wo elegante Kleider hingen. Auf einer drehbaren Schneiderbüste, die statt des Kopfes überm Halsstumpf in einen gedrechselten

Stab endigte, hing der Rauchmantel eines Priesters mit altertümlichen Goldstickereien. Judith hielt ihr zerrissenes Kleid zusammengewickelt in der Hand und kam sich fehl am Platze vor. An der Wand hing ein Stahlstich des Kaisers Franz Joseph in jungen Jahren, das Goldene Vlies auf dem weißen Uniformrock, glatt rasiert, außerdem ein Photo des jungen Otto von Habsburg in weitem, offenem Blusenkragen vor einem aufgeschlagenen Schulheft, den Federhalter in der Hand. Schließlich erschien ein gepflegter Herr, dem die untere Zahnreihe fehlte; er war gebräunt und hatte dichtes, weißes Haar. »Kudas«, sagte er und nahm ihr das zerrissene Kleid aus der Hand, das er beiseite legte. »Man wird es richten«, sagte er. Er rauchte eine Zigarette nach der andern und roch schlecht aus dem Mund, wohl von einem Magenleiden; außerdem trug er keinen Kragen, und auf dem linken Rockärmel hatte er ein Nadelkissen festgebunden. Man redete eine Weile, und Judith erfuhr, daß er Monarchist war. Einmal hatte er drei schwarzgelbe Fähnchen am Franz-Josephs-Denkmal niedergelegt, um den Machthabern zu zeigen, daß die Kaisertreuen noch nicht ausgestorben seien. – Ein Narr also ... Und solche Menschen wollten das Regime stürzen? Lächerlich.

Sie ging bald wieder. Sie war enttäuscht, es kam ihr alles dumm und kindisch vor; sie schlenderte ein wenig in den Gassen herum, ziellos und gelangweilt. Im Schaukasten eines Kinos war das Bild einer berühmten Diva zu sehn, bei der es Judith vorkam, als gliche sie ihr; sie hatte gefärbte Lider und zeigte ein schmerzvolles Gesicht mit langen Wimpern an ein Kissen gedrückt. Darunter stand »Herzgewinnendes Spiel«. Ein Schauspieler namens Pasetti war abgebildet, ein glatter Mensch mit schwarzem Bärtchen vom Typ »Weltmann ohne Herz«. Dann begegnete ihr ein Offizier in schwarzer Uniform, ein untersetzter Kerl mit brutalem Gesicht, der sich nach ihr umdrehte.

Sie mußte lachen und überlegte sich, ob sie in die Favoriten hinausfahren sollte, um dem Café Kostenbader einen Besuch abzustatten. Jawohl, das konnte man tun, sie hatte genügend Zeit und war ja eine beschäftigungslose Frau, ein Luxusweibchen ... Sie ging zurück zu ihrem Wagen, als es bereits dunkel wurde, schaute zum Josephsdenkmal hinauf und überlegte sich, wie es aussähe, wenn ihr Vater dort oben stehen würde, verewigt in schwarzem

Erz. Aber er war ja in ihr selbst verewigt, was brauchte er noch ein Denkmal! Und sie malte sich aus, wie sie in späteren Jahren, wenn ihr Vater gestorben wäre und auf dem Friedhof einen pompösen Grabstein bekommen hätte, zu diesem Stein wallfahren und, wie Herr Kudas vor dem Josephsdenkmal, schwarze Fähnchen, dunkelrote Rosen auf dem Sockel niederlegen und ein feierliches schwarzes Kleid für diese Zeremonie tragen würde. Und während sie, im Auto sitzend, das kühle Metall der Schalthebel an den Fingern spürte, war's ihr wie der Druck einer schweren Hand; sie sah sich selbst im Trauerkleid. Häuserschatten huschten im Fahren über sie hinweg, und es war ihr zumute, als berühre sie ein dunkler Flügel, oder ihr Trauerkleid streife über ihr Haar hin; in einem stillen Hof krähte ein Hahn, und in der Vorstadt Favoriten kam ein Hauch östlicher Weite her, worin nun ihr Vater lebte. Die lange Laxenburger Straße öffnete sich, man sah einen Bahnviadukt vor einem verschleierten Himmel schweben, und das Klappern langer Zugkolonnen drang herüber.

Das Café Kostenbader war angefüllt mit Gästen, dumpf und kahl wie immer. Sie erinnerte sich, als sie einen Platz bei der Theke fand, daß sie hier einmal vor dem Krieg mit einem Studenten gesessen hatte, den sie im Hotel »König von Ungarn« kennengelernt, einem schüchternen Menschen, dem etwas Weiches, Träumerisches anhaftete; er liebte es, hier zu sitzen, und hatte die Angewohnheit gehabt, wenn er irgendwo saß, einen Würfelbecher mit zwei beinernen Würfeln aus der Tasche zu ziehen, für sich zu würfeln und dabei den Kopf zu schütteln. Was aus diesem Studenten wohl geworden war?

Da aber war Schmidhüber neben ihr, der Photolithograph mit den dicken Augengläsern; sein empfindliches Gesicht überlief immer wieder eine starke Röte, wenn er sie anschaute, und dann kam es heraus, daß er sie schon von früher her kannte. Ja, war er in Wahrheit jener Student von damals? Daß sie ihn sofort erkannt hatte! Sein Studium hatte er kurz nach der Begegnung mit ihr aufgegeben, erzählte er nun, und war Photolithograph geworden. Auch recht, meinte er, es nütze sowieso nichts, was man tue, solange man am Leben sei. Übrigens sei er von der Front davongelaufen, vielmehr nach einem Urlaub einfach nimmer nach Rußland zurückgekehrt, und betreibe jetzt Paßfälscherei und so ...

»Ist es wenigstens interessant für Sie?« fragte Judith, und er antwortete: »Und wie!«, aber man glaubte es ihm nicht. Judith wunderte sich, wie sich alles, was sie heut erlebte, seltsam beziehungslos aneinanderreihte, als lege man ein ausgeblasenes Ei neben das andere; es fehlte irgendeine ordnende Kraft, die das Widersprechende zusammenschießen ließ wie ein Magnet einzelne Eisenspäne.

»Sagen Sie: wissen Sie was Neues von General Ljubin?« »Ach, von dem ...« Schmidhüber nahm seine Brille ab, und man sah seine seltsam divergierenden Augen, die an ihr vorbeischauten, als sähen sie sich irgendwo fest oder vertieften sich nach innen. Der Rauch, die heiße Luft, das Durcheinanderreden der übrigen Gäste und die Stimme des Schmidhüber mit ihrem schwingenden Ton, das gab beinah die Illusion einer Musik, die sie noch niemals gehört hatte; etwas Zerbrochenes war auch darin. Und er erzählte, Ljubin weile in einem Sumpf, wo man nur in Zelten wohnen könne; neben seinem Zelt stünden zwei russische Panzerwagen, angefüllt mit Leichen, und dicke Fliegen ruhten sich darauf aus. »Eine ungesunde Luft, aber man hält es aus ... Im Kessel, wo dem Wlassow seine Armee vernichtet worden ist, dort lebt er. Erinnern Sie sich an den Wlassow? Ljubin hat ihn selbst gefangengenommen, damals ... Und vielleicht gelingt ihm, was er will. Er macht manchmal in einem weißen Flugzeug, das die Russen im Sumpf zurückgelassen haben und das Schlittenkufen statt der Räder hat, Erkundungsflüge dicht über der Front. Die Russen schießen nicht auf ihn.« Schmidhüber grinste: »Weil er manchmal drüben landet ... Verstehst du?«

»Ach ja ... Aber es hat doch keinen Sinn.«

»Ob es Sinn hat – nun, es bleibt sich egal. Du hast übrigens recht.«

Er zog einen Würfelbecher heraus, würfelte eine Weile still für sich und murmelte etwas, das wie »Sie stehen gleich ...« klingen mochte, stand schließlich vorsichtig und mit den sorgsamen Bewegungen der Schüchternen auf und sagte: »Komm jetzt mit.« Aber schon besann er sich auch wieder, meinte: »Nein, es ist unnötig. Hast du etwas zum Schreiben da?«

Sie suchte ihr zerfleddertes grünes Adressenbüchlein und steckte es ihm zu; er schrieb »Lobkowitzplatz 3 im vierten Stock«

hinein und sagte: »Dort gehst du in den nächsten Tagen einmal hin.«

Zu Hause dachte sie dann oft an den Schmidhüber, und die Erinnerung an ihn quälte sie schließlich wie ein verschollener Klang, den sie nicht mehr aus ihrem Kopf verscheuchen konnte. Es kam ihr vor, als wäre sie damals, als sie Schmidhüber in seiner früheren Gestalt gekannt hatte – nun hatte er sich sehr verändert und war irgendwie hoffnungsloser, trauriger geworden –, lebendiger und glücklicher gewesen, denn jetzt beschwerte sie immerzu alles und zeigte ein bedrohliches Gesicht. Weshalb? Seit damals waren höchstens fünf Jahre vergangen, heut war sie siebenundzwanzigjährig. Mochte es daran liegen, daß sie mit Schmidhüber – nun fiel ihr's plötzlich wieder ein – etwas Unausgelebtes verband, das sie jetzt wieder beunruhigte? Er hatte mit ihr im selben Hotel – »König von Ungarn« – gewohnt und ihr eine Zeitlang jeden Morgen einen Liebesbrief geschickt; aber mit diesen Liebesbriefen hatte sie damals nicht viel anfangen können. Nach einigen Wochen aber, als er abgekühlt und vernünftig geworden war, hatte sie seine Briefe zum zweitenmal gelesen und sehr schön gefunden; nun hatte sie alles ergriffen, jedes Wort berührte sie tief, und sie wollte ihn immer sehen; aber nun war er aus dem »König von Ungarn« ausgezogen, und sie fand ihn nirgends. Auch auf dem Einwohneramt konnte man seine Adresse nicht erfahren.

Alles längst vorbei . . . Heut hatte sie nichts mehr von ihm als die Adresse im Büchlein. Wo war es denn? Sie suchte es aus ihrer Handtasche heraus, las wieder »Lobkowitzplatz 3 im vierten Stock« und beschloß, gleich hinzufahren. Es war heut sowieso ein regnerischer Sonntag, wie sie ihn gern hatte. Auf dem Weg in die Stadt glänzten die Asphaltstraßen, und alles war wolkig verhangen. Es war noch früh, die Glocken läuteten, und Helligkeit flog durch die feuchte Luft. Die Windschutzscheibe ihres Autos war mit Tropfen besprengt, und der Wischer pendelte hin und her.

Am Lobkowitzplatz stand das schwere Palais Lobkowitz ganz düster aufgerichtet da, und im Hof von Haus Nummer drei drückten sich, als ein neuer Regenguß herunterströmte, zwei Kinder unter das Blechdach überm Eingang. Judith trug ein durchsichtiges Regencape und mußte die Kinder auf die Seite schieben, damit sie eintreten konnte; die Kinder fühlten sich warm an, und sie hatte so kühle Finger von dem Regen. Sie hatte auch vor der neuen Begegnung Angst, denn wer oben im vierten Stock wohnte, wußte sie nicht; bestimmt auch einer von den verrückten Verschwörern, dachte sie, wurde vom Treppensteigen ein bißchen atemlos und verschnaufte schließlich oben unterm Dach vor einer Tür, wo »Elli Montagu« stand. Also wenigstens eine Frau, das war beruhigend.

Sie klopfte, und dann klang es gedehnt: »Ja . . .«

Innen saß ein nacktes Mädchen, dem kurzgeschnittenes blondes Haar an der einen Wange herabhing, auf einer Couch, wo das Bett noch nicht gemacht war, und färbte sich die Zehennägel. »Ach«, sagte sie, »ich hab' gedacht, es ist der Schmidhüber . . .« Sie lachte, warf sich das Haar aus der Stirn, streckte Judith eine Hand hin und sagte: »Elli Montagu . . . Ja, ich weiß schon, Sie sind Judith Nissar.« In der Dachstube war es hell, hinter der Bettcouch war ein alter, dunkelroter Wandbehang ausgespannt., darüber und ringsherum aber alles voll merkwürdiger Zeichnungen und Bilder, die bloß mit Reißnägeln hingeheftet waren. Auf einem Tischchen brodelte Wasser in einem elektrischen Kocher. Die Montagu schlüpfte in ihren roten Morgenrock und sagte: »Nehmen S' bitte den Stekker heraus, ich will mir Kaffee machen.«

Das war also die Montagu . . . auch ein bißchen verrückt. »Sind Sie Malerin?« fragte Judith und erhielt zur Antwort: »Ja, aber damit kannst du kein Geld machen. Ich spiele Sekretärin in der Akademie der Wissenschaften. Ach, ein ganz netter Posten. Ich bin im Büro wenigstens allein . . . Aber komm, trink Kaffee. Was hier herumhängt« – sie wies flüchtig auf die Bilder an den Wänden hin –, »ist alles dekadente Malerei.« Sie lachte. Große, strahlend blaue Augen hatte dieses Mädchen und ein Gesicht wie eine junge Löwin mit vorspringender Unterlippe; ab und zu flog etwas Finsteres über ihre Stirne hin. Auf den Bildern kamen immer wieder schwebende Mädchen vor, darunter Bauernhütten wie in Rußland; die Farben waren tiefes Violett und Blau, wie vom Nachthimmel heruntergeholt, feuriges Gelb wie Phosphor oder Schwefel. In einem Trapez hing ein Mann mit einem goldenen Stern auf der Brust, dem der Mantel zurückgeweht wurde und der eine Perücke trug; ein Mädchen streichelte mit ihrem Leib, der in einen

Fischschwanz endigte, einen Eselskopf, und hinter ihr stieg eine Marmorplastik in die Höhe, ein Mann im Brustpanzer, dessen steinerner Kopf wie von Regen zerwaschen und verwischt aussah; ein Schnurrbart hing ihm in die Mundwinkel herab, und Judith sagte, indem sie den Finger ausstreckte: »So stelle ich mir meinen Vater vor.« – »Es ist mein Vater«, sagte Elli Montagu, »ja, ich mal' immer nur den Traum und nicht das Fleisch. Oder das andere Gesicht der Dinge – du kannst es nennen, wie du willst. Verstehst du mich?«

Sie hieß eigentlich Montagu-Collalto und war Herzogin von Collalto, Brézi und Pontecorvo. Ein schwerer goldner Ring mit einem Wappen, den sie an der linken Hand trug, stammte von ihrem Vater und war über zweihundert Jahre alt. Der Vater war bei einem Flugzeugunglück umgekommen, und sie sagte: »Ein Attentat, inszeniert von denen.« Man hatte ihr gesagt, an ihrem Vater sei alles verbrannt außer der Hand mit diesem Ring. Und immer, wenn es ihr schlechtgegangen war und sie den Ring hatte verkaufen wollen, war sie irgendwie auf andere Weise zu Geld gekommen. »Ja, ich hab' Glück«, sagte sie lachend und blies den Rauch ihrer Zigarette in die Luft. Dann erzählte sie von ihrer Arbeit als Sekretärin, sagte: »Da telephonier' ich mit den Hotels, wenn ein berühmter Mann kommt. Er muß halt auch irgendwo schlafen können, und in den Hotels ist selten Platz. Mein Gott, die Welt ist vollgestopft mit Menschen, es werden immer mehr, du kriegst kaum Luft! Oder ich arrangier' Vorträge, Diskussionen über Rassefragen oder Gott weiß was . . . Kennst du die Skywa von der Gesellschaft zum Studium der Sowjetunion? Mit der arbeit' ich auch zusammen.« Sie verzog den Mund. »Ich hab' erfahren, wo der Marschall wohnen wird. Im ›Bristol‹. Er braucht keine Angst zu haben, weil er ja so populär ist. Hilfst du mir, den . . .« Und sie machte eine Handbewegung, als drücke sie jemand die Gurgel zu.

Phantastische Ideen . . . dachte Judith, obwohl ihr das Mädchen gefiel; aber diese Leute waren alle Dilettanten. Ja, wenn wenigstens ein paar geschulte Mörder darunter gewesen wären! Aber so, wo sich nur lauter Anständige zusammengefunden hatten, die in normalen Zeiten etwas Gutes hätten leisten können, jetzt aber gewissermaßen zum Erstickungstod verurteilt waren und sich auf geradezu kindliche Weise ihrer Haut wehren wollten, da mußte ja die Sache schiefgehen. Aber vielleicht wußten das diese Menschen alle selber auch ... Die Montagu war eine herrliche Person, außerdem eine begabte Malerin, aber das nützte selbstverständlich alles nichts. Übrigens schön und interessant, daß heutzutage nichts einen Wert hatte; man klebte drum weniger am Erdboden fest und klammerte sich nicht ans Diesseits. Es starb sich leicht in dieser Zeit.

Sie verließ das Mädchen und grübelte beim Nachhausefahren – wieder läuteten die Glocken von den Kirchtürmen Wiens, und es war hell geworden – darüber nach, an wen sie diese Montagu erinnerte. Da fiel ihr ein Mädchen mit Namen Lucy Geldmacher ein, eine Jüdin, die in früheren Jahren ihr begegnet war, kurz nachdem sie von dem Studenten Schmidhüber an den Bodensee geflohen war; denn nach ihrem letzten Zusammensein mit ihm konnte sie's im »König von Ungarn« nicht mehr aushalten, grinste sie doch in ihrem Hotelzimmer überall sein Gesicht an; sie schämte sich und dachte: jetzt wird er überall erzählen, wie ich mich benommen hab', und mit seinen Freunden über mich Witze reißen ... Und sie haßte Schmidhüber, überlegte sich, wie sie ihm schaden könne, und fuhr an den Bodensee. Es war ein heißer Sommer, und ihre Stube bei einem alten Bauernehepaar schwirrte von Schnaken. Im Gasthof, unten bei der Schifflände, aß sie zu Mittag und saß später im Wirtsgarten, um das milchig bläuliche Wasser und ein blondes Mädchen anzuschauen, das immer auf einem Motorrad angefahren kam, im Gasthof einen Kaffee bestellte, sich hinsetzte und in einem fort schrieb. Dann warf sie einmal ihr Milchkännchen um, es sprang vom Tisch auf den Kiesboden, und Judith hob's ihr auf. So lernte man sich kennen. Sie war Studentin und schrieb Geschichten, worin Frauen junge Mädchen an ihren Busen drückten. Und sie war sofort richtig verrückt mit Judith, schwamm mit ihr nachts im See, spielte mit ihr ganze Nachmittage Schach auf ihrem Zimmer, während der Regen übers Fenster herabwusch, lief zu Haus immer nackt herum; sonst trug sie Männerhosen. »Wenn du nach Wien kommst, muß ich dich lehren, Cocktail zu trinken«, sagte sie und schilderte Judith eine Gesellschaft von Malern, Dichtern und einem türkischen Prinzen, von lauter verrückten Leuten, die sie in Wien kannte. Und später traf Judith Lucy Geldmacher ab und zu in Wien, ging ihr aber fast immer aus dem Weg. Weshalb? Weil diese Person ein Leben lebte, wie sie es für sich selbst erträumte, aber nicht wirklich zu machen wagte ... An einem Tag trafen sie sich zweimal hintereinander, und Lucy rief ihr über die Straße zu: »Noch einmal – und es gilt einen Kuß – hast du verstanden?« Aber am schlimmsten war eine Begegnung in der Nacht gewesen, als sie in ein erhelltes Schaufenster hineingesehen hatte. Es war ein richtig wilder, schwerer Winterabend, wo der Wind wirbelte und alles dick eingehüllt war in Pulverschnee. Da trat jemand neben sie und sagte: »Gefällt's dir?« Im Schaufenster lagen teure Lederwaren. Sie fuhr herum, und da stand die Geldmacher, eingehüllt in einen grünen Mantel; sie blinzelte und sah wie eine junge Löwin aus, wie diese Montagu ... »Gehst du mit mir? Nein, du gehst nicht ...« Und schon wandte sie sich ab und verschwand mit ihrem lasziven Gang in der nachtschweren, schneestäubenden Straße. Judith sah, wie sie mit ihrem grünen Mantel in der Dunkelheit untertauchte. Aber das war ja alles Unsinn. Was hatte es denn für eine Beziehung zu ihrem jetzigen Leben? Oder hatte sich tatsächlich in all diesen Begegnungen damals schon irgend etwas angemeldet, das jetzt sein Recht forderte? Freilich, es hatte sie mächtig zu Lucy Geldmacher hingezogen, aber sie hatte diese Lüsternheit nach etwas Unglaublichem, Neuem, in sich abgetötet; jetzt rächte sich's und mußte zu Ende gelebt werden, das spürte sie genau.

In den folgenden Tagen hatte sie dann immer das Gefühl, als müsse ihr der Vater hier in Wien begegnen, doch ereignete sich nichts; es reihten sich nur leere Stunden aneinander, sie ging ins Pelzgeschäft, sah Pelze in erleuchteten Glaskästen hängen, atmete den Geruch des Kampfers ein und fühlte eine starke Betäubung wie ein eisernes Band ihre Stirn umklammern. Aber dann war es ihr manchmal zumute, als könne sie sich verwandeln und gewissermaßen in eine andere, stärkere Frau schlüpfen, als sie selbst war.

Sie atmete auf, sie hatte endlich wieder eine fast berauschende Empfindung, die ihr zuströmte aus ihrem eigenen Leben, und das öde Gesicht, das ihr alle Dinge bisher zugekehrt hatten, fiel wie eine dünne Haut ab; es war doch ein Genuß, zu leben! Und eines Nachmittags besuchte sie die Montagu in ihrem Bürozimmer im Prinz-Karl-Palais, wo alles prunkvoll und starr war und alle Zimmer bräunlichrote Ledertapeten hatten, in die goldene Lorbeerzweige eingepreßt waren. »Ja, hier muß ich's aushalten«, sagte die Montagu, »aber nimmer lang . . .« Sie ging vor den hohen Fenstern auf und ab, schüttelte manchmal ihr kurzgeschnittenes, blondes Haar. »Scheußlich alles . . .«, sagte sie und machte eine Handbewegung, die den ganzen kalten Prunk des Zimmers zu umfassen schien; das Zimmer war hoch und weit, und es fröstelte Judith. Elli Montagu bewegte unruhig die Schultern, lehnte sich schließlich vor den Fenstern an die Dampfheizung und schlug die Beine übereinander. Judith fragte, was sie tun wolle, um hier herauszukommen: Die Montagu antwortete, sie unternehme gar nichts, aber heute abend werde sie mitmachen. »Was geschieht heut abend?« fragte Judith und erfuhr: »Ach, was schon lange geplant ist . . . Du weißt nichts? Man trifft sich am Urania-Keller bei der Postsparkasse kurz vor Dunkelwerden.« Ihr Gesicht überflog ein Schatten, und sie sprach sofort von etwas anderem. Judith kam's vor, als würde das Zimmer noch weiter werden, während die Montagu von einem Besuch des italienischen Regierungschefs erzählte, der hier in diesem Palais geweilt hatte und vom Diktator empfangen worden war; des Italieners wegen hatte man das Palais innen ganz neu hergerichtet, die alten Seidentapeten von den Wänden gerissen und mächtige nackte Spiegel in das Treppenhaus gehängt; auch der Garten war vollkommen umgestaltet worden, aber der Italiener hatte nur eine Nacht hier im Palais geschlafen. Und am nächsten Tag waren der Diktator und der Italiener nebeneinander im offenen Auto durch die Stadt gefahren, beide auf seltsam erhöhten Sitzen wie zwei Götzen. Beide hätten blaue Augen hinter schmalen Schlitzen gehabt und ausgesehen, als wären sie weder Mann noch Frau, sagte die Montagu – ein recht seltsames Wort, das Judith an die Bilder denken ließ, die dieses Mädchen malte und worin etwas aufgedeckt war, etwas Hintergründiges vielleicht – mit Tierköpfen, die aus violettem Dunkel tauchten, einer emporschwebenden Statue im Brustpanzer und zurückgewehtem Mantel – das man lieber hätte ruhig schlafen lassen sollen . . . Und in der träumerischen Empfindung, die sie wieder heimsuchte, verglich sie die Männerköpfe dieser beiden Diktatoren mit ihrem Vater, der ihr unbekannt, aber als ein Gefühl von Macht hier im Zimmer lebendig war, wo die Montagu ihre Schultern an einem großen

Spiegel rieb, der ihre Gestalt verdoppelte; es sah aus, als würde diese Gestalt Rücken an Rücken mit ihr verwachsen sein. »Du mußt heut abend deine Uniform und die russischen Kleider mitbringen, die dir damals der Schmidhüber gegeben hat. Verstehst du? Auch dein falsches Soldbuch«, sagte die Montagu.

Am Abend war es schwül und staubig, und Judith warf vor dem Abfahren ihr Kleiderbündel ins Auto hinein. In ihr lebte etwas Auflösendes, und es kam ihr vor, als würden in ihrem Kopf violette Fische durch ein grünes Wasser schwimmen, auf und nieder und hin und her. Der Himmel war rosa angehaucht, und sie fuhr über die weite Ringstraße. Dann bog sie in die engen Straßen um das Postsparkassenamt ein, wo sie Mühe hatte, ihren Wagen in einer Seitengasse unterzubringen. Sie schlenderte wieder zurück; das Postsparkassenamt erhob sich als schwerer und düsterer Bau, und sie stand eine Weile am Rand des schmalen Platzes, wo viele leere Omnibusse hintereinander und nebeneinander warteten; dann kam Bewegung in die Ungetüme, und sie schoben sich vor und zurück. Ein großer und vornehmer alter Mann mit einer Hakennase, der von seiner Tochter begleitet wurde, die herrlich frei ging in ihrem weiten Sommerrock, warf neben Judith einen Brief in den Kasten, und das Mädchen drehte sich verwundert nach ihr um; dann kam ein Chinese mit schwerer Unterlippe und einer randlosen Brille im gelblichen, glänzenden Gesicht, und eine alte Frau schleppte einen Käfig, worin Tauben flatterten. Hoch oben vor dem verlöschenden Abendhimmel erhoben sich die geschwärzten erzenen Engel auf dem Dach des Postsparkassenamtes, und von hinten, wo Taxussträucher in Kübeln unter einer Markise auf das Trottoir herausgestellt waren, drang gedämpftes Reden abendlicher Gäste und Klirren von Besteck heraus. Hier war der »Urania-Keller«. Einmal schaute sie auf die Seite, als ein Mann zwischen den Taxushecken heraustrat, ein kurzes, schwarzes Abendcape um die Schultern und von jenem Schmidhüber begleitet, den Judith früher einmal geliebt hatte; der Mann im Cape aber war Maxim. »Wenn alle da sind, werde ich ins ›Bristol‹ gehen«, sagte Maxim, wandte sich an Judith und fragte, ob sie wisse, daß dort der Marschall wohne. In Maxims Augen war etwas Bezwingendes, von dem sie dachte, so hätten auch die beiden Diktatoren im Auto dreingeschaut, die Elli Montagu bei ihrer Triumphfahrt gesehen hatte; man konnte sich dem Blick nur sehr mühsam entziehen. Maxim ging auf dem Trottoir hin und her, drehte sich immer wieder um; in seinen Schritten war etwas Gespanntes, und Judith kam es vor, als schaue er in sich hinein; aber wahrscheinlich war er nur unruhig, weil die anderen nicht kamen, Elli Montagu, der Schneider Kudas und das jüdische Fräulein Winnie Rosen, von dem Schmidhüber sagte, daß sie eine sehr empfindliche, von Angst gepeinigte Person sei, die ihren Vater nicht gekannt habe. »Und trotzdem macht sie bei euch mit und will dem Chef vom Hauptamt den Hals umdrehen?« wunderte sich Judith, lachte und deutete an, daß sie so etwas nicht begreifen könne. Aber Schmidhüber meinte, vielleicht sei sie gerade deshalb für eine solche Arbeit sehr geeignet ... Er lächelte, machte ein paar vorsichtige Gebärden mit seinen weißen Händen und sah Judith verstohlen an. Maxim zog eine goldene Uhr heraus und ließ den Sprungdeckel aufschnappen, was Judith laut in den Ohren klang. Dabei kam ihr das Leben in der Straße merkwürdig stumpf und gedämpft vor, als rühre es sich hinter einer Wand aus Staub.

»Sie kommen sicher nimmer ... man wird sie holen müssen«, sagte Judith und meinte damit Kudas und die junge Jüdin, von denen sie nichts wußte und deren Leben sie sich nicht vorstellen konnte. Maxim erzählte vom Schlafzimmer des Herrn Kudas, wo über den Ehebetten eine Photographie seiner ersten, geschiedenen Frau hing; und zwar sei diese Dame nackt zu sehen, was immerhin merkwürdig anmute, wenn man bedenke, daß er unter diesem Konterfei mit seiner gegenwärtigen Frau schlafe. Maxim hatte ein zynisches Lächeln im Gesicht, das im sinkenden Abend weich zerfloß, und es fiel Judith auf, daß er gedrungen und seine Gestalt bäurisch plump war; dazu die elegante Kleidung mit dem Frackcape, das ihm wie etwas Fremdes um die Schultern hing. Man ging langsam fort vom »Urania-Keller« und vom Postparkassenamt. Judith war die trockene und stumpfe Abendluft sehr lästig. Außerdem wußte man nicht, was sich jetzt ereignen und wie es ausgehen werde, denn diese ganze Verschwörung, oder wie man's nennen wollte, hing ja schrecklich in der Luft. Man wußte nicht, was diese Leute planten, und wenn man es nüchtern bedachte, erschien es einem beinah lächerlich. Eine Handvoll merkwürdig zusammengewürfelter Leute plante also eine Reihe von Attentaten auf hohe politische Führer, und der Leiter dieser ganzen Clique blieb verborgen. Und heute sollte der entscheidende Tag sein? Es mutete alles unglaubhaft an, als greife man mit den Fingern in Nebel oder Watte hinein. Etwas tief Bedrückendes überfiel Judith. War es Reue oder Müdigkeit? Die Glocken dröhnten allenthalben durch den dumpfen Abend, und die beiden Männer, die neben ihr hingingen, wurden ihr unheimlich. Was ist, wenn mir einer von ihnen ein Messer in die Seite stößt? zuckte es durch ihr Hirn, und sie schaute hinein in eine Gasse mit toten Häusern rechts und links und blinden Fensterscheiben. Ein Wind erhob sich und wirbelte Staub heran. Maxim blieb vor einer Litfaßsäule stehen, ging langsam um sie herum und sprach mit einem Burschen im offenen Hemd, der Turnschuhe trug; Schmidhüber trat zu ihm, und sie flüsterten zusammen, während Judith in die erleuchtete Auslage einer Apotheke hineinschaute, wo die Weltkugel mit aufgerissener Haut zu sehen war, denn in der Mitte klaffte ein tiefes Loch. Ein Spruchband war um diese Weltkugel herumgewunden, »Die Heilmittel der Erdrinde« stand darauf, und man konnte in gläsernen Stöpselflaschen das reine, weiße Arsen sehen, das gegen Skrofulose und Hautkrankheiten half, oder den roten Karnalit, den reinen Bergkristall. Alles linderte Leiden, die im Fleisch und Blut steckten, aber nichts nützte etwas gegen die Melancholie. Ja, wenn einmal für kranke Seelen in der Erdrinde ein Heilmittel gefunden worden wäre, dann hätte alles einen Sinn gehabt.

»Dort drüben steht mein Wagen, ich fahre euch, wohin ihr wollt«, sagte Judith, als Maxim und Schmidhüber wieder neben sie getreten waren. Sie deutete hinüber zur Griechischen Kirche, die wie versunken und geduckt dastand. Maxim wechselte einen Blick mit Schmidhüber, und Schmidhüber nickte.

So stieg man ein. Judith setzte sich ans Steuer, und als sie in dem nachgiebigen Ledersessel saß, der ihr vertraut war, und das kühle Steuer in den Händen fühlte, überkam sie eine befreiende Empfindung. Sie konnte ja einfach davonfahren; diese Stadt und alle Beklemmungen hinter sich lassen. Was gingen sie die Männer außer ihrem Vater an? Sie schaltete das Licht ein, und der Schein flog weit hinaus. Dann das Losfahren, eine Frage über die Schulter: »Wohin wollt ihr?« und ihre eigene Antwort: »Wenn mir's Spaß macht, fahre ich euch in die Donau ...«

Maxim legte das Kleiderbündel auf den leeren Platz neben ihr, und man fuhr langsam davon. Die Gassen waren eng, und überall brannten die Lichter. Aus der Ferne, wohl vom Donaukanal herüber, klang die Sirene eines Polizeiautos.

Bei der Hofburg war es still. Man stellte den Wagen ab und ging wieder zu Fuß. Hinter der Stallburg saß der Schneider Kudas hemdärmelig am hellen Fenster und führte die Nadel, flink und geschickt wie alle Schneider; er sah heute so aus, wie sich ihn Judith gedacht hatte, ehe sie mit ihm zusammengekommen war: klein, im verschwitzten Hemd, mit alten Hosenträgern. Er sah nicht von der Arbeit auf, als man an seinem Fenster vorbeiging. Schmidhüber wollte an die Scheibe klopfen, doch riß ihm Maxim plötzlich seinen Arm herunter, packte Judith am Handgelenk und zog sie in einen feuchten Durchlaß hinein. Hier war es dunkel, draußen aber floß der Schimmer einer Bogenlampe über den Asphalt, und man sah zwei Männer vorbeigehen, die zwischen sich ein Mädchen führten. Das Mädchen trug dicke schwarze Zöpfe, die ihr über ein rosafarbenes Kleid herunterhingen, und Judith erkannte die Jüdin in ihr, die Kudas in seinem Haus verbarg. Sie war an den Handgelenken gefesselt.

»Ah, deshalb ist sie also nicht gekommen . . .«, flüsterte Judith, und Maxim sagte grinsend: »Du merkst aber auch alles!« Man ging tiefer in den Durchlaß hinein, kam auf einen engen Hof, wo hinter einer Mauer eine Mädchenstimme ein reines Lied summte, das Judith an etwas Fernes, Versunkenes erinnerte; es klang wohltuend, kühl. Eimer klapperten, und man drückte sich hintereinander über einer Abflußrinne, wo frische Gedärme lagen, zwischen zwei Häusern hindurch und kam auf dem Lobkowitzplatz wieder heraus.

Die vier Treppen zu Elli Montagu wurden schnell zurückgelegt, und man fand die Tür zu ihrer kleinen Wohnung angelehnt. Als man in die Dachstube eintrat, lag sie, eine Kamelhaardecke bis zum Kinn heraufgezogen, lächelnd auf ihrem Ruhebett. Ein Fenster stand weit offen, und der Wind bewegte die Blätter auf dem Zeichentisch, wo eine Lampe brannte. Judith trat neben Elli Montagu, strich ihr über das Haar, doch sie rührte sich nicht; sie sah nur zu Judith empor, die blauen Augen weit geöffnet, als Maxim die Decke zurückschlug. Und da sah man denn in der weißen Bluse ein rot umrandetes Loch.

»Schlechtes Vorzeichen«, sagte Maxim und streifte die Bluse zurück, so daß man Ellis Wunde unter der linken Brust sehen konnte, wo sie einen Stich ins Herz erhalten haben mußte. Schmidhüber stand versunken am Zeichentisch, wo ein Aquarellblatt mit nächtigen Farben noch feucht war; eine weiche, wie ein Mund geschwungene Linie, die dem Zeichen für »Unendlich« glich – eine liegende Acht –, verlor sich hinter einer dünnen, violetten Haut.

»Daß wir verraten worden sind, ist dir wohl klar?« fragte Maxim, als man die Dachwohnung verließ, und Judith gab zurück: »Glaubst du, daß ich zu Nissar zurückgehen kann?« Sie wußte aber schon, daß es unmöglich war, und als Maxim antwortete: »Den haben sie natürlich längst«, wurde es ihr klar, daß nun kein andrer Ausweg blieb, als an die Front zu fahren. Sie erinnerte sich daran, daß sie dies vor unendlich langer Zeit schon einmal im Gefühl einer rauschhaften Lüsternheit nach etwas Neuem, Ungewöhnlichem hatte tun wollen, sprach auch mit Maxim davon und lächelte. Und das Vergangene kam ihr beinahe kindisch vor, während jetzt alles nüchtern vor ihr stand und keinerlei Reiz mehr auf sie ausübte. »Soll ich mich gleich umziehen?« fragte sie die beiden Männer und sah Schmidhüber an, der im dunkeln Treppenhaus an der Wand lehnte und eine Zigarette rauchte; sie sah das glühende Zigarettenende und seine spiegelnden Brillengläser, während plötzlich Mondlicht durch ein Fenster hereinfloß. Der Mond war hinter einer Wolke aufgetaucht.

»Es wird das beste sein«, sagte Schmidhüber. Judith fragte: »Und was macht ihr?«, worauf Maxim ruhig antwortete: »Hier bleiben.«

Sie zog dann im Zimmer der Montagu ihre graublaue Uniform an, die ihr etwas zu weit geworden war. Im Spiegel sah sie ihr Gesicht, und es kam ihr schöner als früher vor. Freilich, sie war in den letzten Wochen abgemagert, doch konnte sie sich darüber heut nicht mehr freuen; es blieb ihr einfach keine Zeit dafür, und außerdem war es gleichgültig.

Das Fenster knarrte hinter ihr, und sie erschrak. Zu ihren Füßen lag ihr abgelegtes Kleid, das sie Nissar verdankte, und aus dem Spiegel sah sie eine fremde, kostümierte Frau an. Sie nahm ihr

Bündel, aus dem die russischen Filzstiefel herausragten, verließ die Dachwohnung und traf wieder die beiden Männer, die noch wie zuvor auf der Treppe beieinanderstanden; Maxim lehnte am Geländer und Schmidhüber an der Wand. Als Judith kam, wurden sie lebendig. Judith sagte: »Wie Ölgötzen seht ihr aus.« Der Mond füllte das Treppenhaus, und hinter einer Glastür tönte Radiomusik, als man hinunterging. Unten dehnte sich der Lobkowitzplatz in silbernem Dunst, und an der Ecke ging ein Wachmann schläfrig hin und her. »Daß du ein Auto hast, ist günstig«, sagte Maxim, doch hörte Judith nur das verworrene Geräusch der Stadt zusammen mit dem zerfließenden Klingeln der Trambahnen. Über dem Lobkowitz-Palais flötete eine Amsel, und alles zusammen klang wie das Lied aus einer zerbrochenen Leier, das Judith anrührte, als käme es von weit her.

Die Nacht verbrachte sie im Café Kostenbader, wo Schmidhüber noch ein paar neue Eintragungen in ihrem Soldbuch machte. »Damit du unbesorgt nach Rußland reisen kannst«, fügte er schmunzelnd hinzu und hob das Büchlein unter einer Tischlampe dicht vor seine Augen; die Brille hatte er auf seine Stirn geschoben, und während er jede Seite noch einmal, gewissermaßen witternd, überprüfte, sagte er: »Dein erstes Reiseziel heißt Gatschina, kannst du dir das merken? Eine einstmals berühmte Stadt mit einem großen Schloß der Zarin Katharina im jetzt sicherlich sehr verwilderten und verschlampten Park . . . Ich beneide dich darum, daß du sie sehen wirst, die Seen von Gatschina, mit Algen und schwimmenden Blättern bedeckt . . . Und dann die Hütten mit schwarzen Strohdächern in russischen Dörfern. Und die Sümpfe und weite Erdwogen wie ein Meer von Erde.« Es klang in einem einschläfernden und singenden Tonfall an ihr Ohr; als rinne Wasser oder fächle Wind, während Judith hinter Schmidhüber auf einem durchgesessenen Sofa lag und eine Zigarette rauchte. Durch die Wand hörte sie eine alte Melodie in einzelnen Akkorden herüberwehen, als käme sie aus einer Äolsharfe, die der Wind durchfließt. Und Schmidhüber fügte hinzu, er liebe Rußland beinahe wie eine Geliebte, die man nie erreicht. Dann erinnerte er sie an ihre alten, gemeinsamen Tage im »König von Ungarn«, und Judith fragte, ob er sie begehre. Mein Gott, in einer Nacht wie der heutigen, da könne es gut möglich sein, daß er bei ihr ans Ziel seiner

Wünsche käme. Sie lächelte und ließ ihren nackten Arm mit der brennenden Zigarette am Sofa herunterhängen. Allerdings, sie habe auch ihre geheimen Wünsche, doch hingen sie nur mit ihrem Vater zusammen, dem sie in diesem vagen Rußland – und sie wischte Rauch vor ihrem Gesicht weg – immerhin zu begegnen hoffe. Und plötzlich stand sie auf, trat dicht hinter Schmidhüber und griff ihm in das Haar. Dabei riß sie ihm seinen Kopf zurück, küßte ihn und fragte: »Wo find' ich ihn?«

»Ich weiß es beim besten Willen nicht ... Du fragst zuviel, Juditschka. Aber wer wird auch fragen, wenn es nach Rußland geht?« Und er deutete mit einer träumerischen Geste an, wie weit dieses Land sei. –

Sehnsucht nach ihrem Vater erfüllte sie, als sie am andern Tag allein zum Bahnhof ging. Sie stieg in den Zug ein, und nach zwei Tagen sah sie das östliche Land, im Herzen eine tiefe Ruhe, die vielleicht von ihrem Vater kam, der seine Augen auf sie gerichtet hielt. Der Klang einer zerbrochenen Leier schien aus diesen weiten Erdwogen heranzuwehn, worin manchmal eine tiefe Sandgrube leuchtete, als öffne sich ein großer gelber Mund. Die hellen Kopftücher vieler Frauen wehten überall wie Wickenblüten. Ähren rührten sich auf weiten Feldern wie ewiges, grünes Haar, und die Holzhäuser sahen uralt aus und waren wehmütig verstreut, als sähe man etwas, das in einem selber geschlummert hatte ... Die Montagu hatte solche Landschaften gemalt, wie sie nun vor dem Wagenfenster ineinanderflossen, aber auf den Bildern sah es aus, als stünde es in einer anderen Welt als der irdischen. Und sie gedachte dieser Montagu als der einzigen Frau, die ihr in ihrem bisherigen Leben außer jener fernen Lucy Geldmacher nahegestanden hatte, und die Empfindung, welche die Erinnerung an diese beiden in ihr heraufrief, verschmolz mit der Gestalt des Vaters. Es war wohltuend, diesen Dingen in sich selber nachzuspüren, aber es trübte den Blick und ließ das Angesicht der Welt verschwimmen. Fürchtete sie sich nicht? Nun reiste sie doch mit falschen Papieren in ein Land, wo der Krieg wütete, das aber doch ein sanfter Klang durchwehte und ihr vertraut war; sie hätte es schon lang einmal aufsuchen sollen.

In Gatschina kam sie an einem heißen Mittag an und schlenderte, ihr Bündel mit russischen Kleidern in der Hand, durch den staubigen Park, der sich um das graue Schloß dehnte; überall waren verschlammte Seen mit dickem, grünem Blätterschimmel, und die Frösche quakten. Dann zweigte eine breite Straße mit glattem Asphalt, der in der Sonne wie ein schwarzer Spiegel glänzte, von einem sternförmigen Platz ab, und schwere Lastwagen brummten vorbei. Hinter Eisengittern, die teilweise zerbrochen waren, bewegten sich staubige Gebüsche. Judith zog ein zerknülltes Papier, das ihr Schmidhüber in Wien eingesteckt hatte, aus ihrer Uniformjacke heraus; darauf stand eine Adresse. Aber wer wußte, wo die Gasse lag, von der hier geschrieben stand? Und Judith fragte einen Soldaten mit einer Brille, der verträumt aussah, rot wurde, als sie ihn anschaute, und schließlich liebenswürdig Auskunft gab.

Sie hatte gar nicht weit zu gehen. Die Sonne blendete, und sie kam in eine Gasse mit holprigem Pflaster, wo Gras wuchs und niedere Häuser standen; es war sehr warm und man konnte sich treiben lassen. Judith fragte sich, wer die vergangene Zeit in ihr ausgelöscht habe, denn sie erinnerte sich nur noch nebelhaft an alles Frühere. Schließlich blieb sie vor einer offenen Tür stehen und sah in einen dämmerigen Ladenraum hinein, zu dem ein paar Steinstufen hinaufführten. Innen saß eine alte Frau, mit schwammigem, weißem Gesicht. Ein Grammophon spielte, eine ekstatische Frauenstimme sang gedehnt zur Gitarre, und als Judith schließlich drinnen stand, stellte ihr die alte Frau eine winzige rote Tasse mit dampfendem Tee auf den Ladentisch; man sprach kein Wort. Judith bot der Alten eine Zigarette an, man rauchte, trank, redete schließlich über belanglose Dinge, bis der Name des Generals Ljubin fiel, der in einem Sumpf lebe, fünfzig Kilometer südlich; Pol Samoschje heiße der Ort ... Und Judith wolle also dorthin gehen? O ja, sie werde heute noch von ihrem Neffen hingefahren ... Übrigens, er stehe dort drüben ... Und die alte Frau machte eine Geste mit der Zigarette und deutete hinter sie.

Als sich Judith umdrehte, stand Maxim da; er trug blaue Reithosen, hohe Stiefel und einen Schafspelz. Er nickte ihr zu und deutete auf die alte Frau, die einen zerschlissenen Vorhang zurückschob. Dahinter lag eine enge, mit altmodischen Möbeln vollgestopfte Stube. Hinter den doppelten Fensterscheiben war überm Gesims weiße Watte hineingestopft, und darauf lagen bunte Glaskugeln wie Christbaumschmuck. Hier zog sich Judith um, löste ihr Bündel auf und schlüpfte in einen dünnen Rock und eine Wattejacke, die für den Sommer sicherlich viel zu warm war. Allerdings, es konnte in den Nächten noch kalt werden, und außerdem war alles ganz und gar gleichgültig ...

Als es Nacht war, fuhr sie mit Maxim auf einem zweirädrigen Karren ins Dunkel hinein. Sie redeten fast nichts. Die Nacht war kühl. Knöcheltiefer Staub lag auf den Wegen wie schwarze, pulverige Asche, und als das Morgenrot mit purpurnem Lid überm Lande blinzelte, standen zwei Soldaten vom Straßenrande auf, riefen etwas Unverständliches auf russisch und hielten schließlich Maxims Pferd an. Dann schwatzten sie mit ihm, lachten, zündeten Zigaretten an, und Maxim erklärte Judith, man müsse hier den Wagen stehenlassen und zu Fuß weitergehen. »Aber verstehst du nicht; die beiden haben uns verhaftet, weil wir Partisanen sind!« Und Maxim lachte. »In der Früh stehst du deinem Vater gegenüber – begreifst du, was das heißt?«

Sie erfuhr, daß ihr Vater ein Kosakenregiment befehligt, das auf deutscher Seite kämpft und gegen Partisanen eingesetzt wird. Die Soldaten, die sie gefangen hatten, waren auch Kosaken. Ihr Vater wurde, weil er für unzuverlässig galt, nur noch hinter der Front verwendet. Und es mochte entehrend für einen General sein, wenn er nur noch als Regimentskommandeur tätig sein durfte. Aber das beachtete ein Mann wie ihr Herr Vater sicher nicht. Er konnte doch nur ein stolzer Mann sein, der über alles hinwegschaute, was das niedere irdische Dasein an kümmerlichen Sorgen mit sich brachte; oder glaubte jemand, ihr Vater ärgere sich über diese Zurücksetzung, weil man ihn nur ein paar Kosaken befehligen ließ? Sie lachte, schüttelte den Kopf und bat Maxim im Weitergehen um eine neue Zigarette, die drei Soldaten kümmerten sich glücklicherweise nicht um sie. Judith ging langsam hinter ihnen drein, die Füße in warmem Staub, der angenehm über die Schuhe floß, und den Kopf zu den Sternen aufgerichtet, die im weiten Himmel größer als zu Hause waren. Herrliches Rußland mit Sternen wie Perlen, wo man endlich einmal leben durfte, wie man sich's schon längst erträumt hatte. Und wem verdankte sie die Träume, die nun verwirklicht wurden, wer hatte sie in ihr geweckt? Allein Maxim, der jetzt wieder aufgetaucht war. Oder täuschte sie sich, und es war letzten Endes kein anderer gewesen als ihr Vater, der diese Träume in ihr aufgerührt? Er hatte immerzu von ferne her auf sie geschaut und sich dieses Maxim als eines Sendboten bedient, von dem sie sich befreien mußte ...

Sie kamen in den Sumpf, als überall das Morgenrot am Himmel emporflammte. Zwischen zerfetzten Bäumen war ein großes grünes Zelt aufgeschlagen und ein breiter, mit Baumstämmen ausgelegter Pfad führte dazu hin; es war hier alles mit einer gewissen Akkuratesse hergerichtet, denn der Pfad hatte ein Geländer aus glattem, weißschimmerndem Birkenholz. Ein Geruch wie von einer Droge, der Fäulnisdunst des Sumpfs, durchschwebte die Luft, und überall schimmerten Birkenstämme. Viele Kohlmeisen begrüßten mit ihrem wehmütigen Tirili den beginnenden Tag, und Maxim gab Judith ein Zeichen, daß sie hinter dem Zelt warten möge; er selber schlug vor dem Eingang eine Zeltbahn zurück und trat mit den beiden Kosaken ein.

Hinterm Zelt dehnte sich ein aufgewühltes, von Granaten durchgepflügtes Feld mit vielen wassergefüllten Trichtern, und zwei russische Panzerwagen standen als scharfkantige Stahlblöcke halb im Schlamm eingesunken da; auf ihren Wänden ruhten sich bläulich schillernde Fliegen aus, dahinter aber lagen überall schlaffe Tote verstreut, und manche streckten ihre Arme aus schillerndem Wasser heraus; zwei Tote hielten sich bei den Händen fest, als ruhten sie sich aus, wohlig ans Erdreich angeschmiegt ...

Nun wurde die Zelttür zurückgeschlagen, und jener große Mann trat heraus, den sie damals in Salzburg im Kabarett mit einem Mädchen gesehen und der ihrem Gesang zugehört hatte. Er war jetzt älter, grauhaarig, mit gebräuntem Gesicht, großen dunkeln Augen und einer scharfen Hakennase; er trug ein offenes Hemd und leinene Reithosen. Ein unbestimmter Zug, halb Trauer und halb Lächeln, umspielte seine Lippen, und er fragte: »Was kann ich für Sie tun?«

»Mich lieben«, antwortete sie und zitterte. Ihre Steppjacke lose um die Schultern gehängt, stand sie vor diesem Mann, der mächtig wie ein Gott war und aus dessen Augen ein dunkles Licht strömte. Sie ließ die Jacke von den Schultern gleiten und griff mit einem ihrer nackten Arme an der Kante des Panzerwagens hinauf; bläuliche Fliegen wurden aufgescheucht und schwirrten träge in der Luft. Der Panzerwagen war noch warm von der Tageshitze. Ob der Mann nun den schwarzen Flaum unter ihren Achselhöhlen sah, ob er ihre Schönheit bemerkte? »Sie sind der General Ljubin«, flüsterte sie. Das Blut schoß ihr ins Gesicht, weil sie wußte, daß sie niemals einen andern lieben würde und nie einen andern geliebt hatte ... Wie tote Standbilder reihten sich alle Männer, denen sie früher begegnet war, hinter ihm aneinander. Maxim erschien und meinte mit unbewegtem Gesicht: »Mich haßt die Judith«, worauf der General bemerkte, das sei ganz natürlich. Übrigens müßten er und sie – er deutete auf Maxim und Judith – noch eine Zeitlang beisammenbleiben und heute abend durch die Frontlinie gehen. »Ein kleiner Auftrag bei den Russen drüben ...«, fügte er lächelnd hinzu, und Judith sagte: »Für dich tue ich alles.« Er sah sie flüchtig von der Seite an und führte sie mit Maxim in das Zelt hinein, wo er zu essen bringen ließ. Im rötlichen Halbdunkel des Morgenlichts, das durch die Zelluloidfenster des Zeltes drang, saß er ihr dann auf einem Klappstuhl gegenüber, und Judith konnte ihn nicht recht erkennen, sondern nur die Luft fühlen, welche um ihn war. Sie fühlte sich ruhig werden und schaute alles nüchtern an, sagte sich auch, daß es keinen Sinn habe, den eigenen Vater zu lieben, und war gewissermaßen auch nicht dazu aufgelegt, sich einzulassen auf etwas Ungewöhnliches; hatte nur große Lust zu schlafen, dachte, sie könne sich hier sicher fühlen, und was dieser Mensch späterhin von ihr verlangen werde, dürfe ihr im Augenblick gleichgültig sein. Alles, was um sie vorging – die weichen Bewegungen des Kosaken, der Tee, geschmackloses Büchsenfleisch und Brot herbeibrachte –, war wie ohne Geruch, als sei die Luft, die alle Dinge sonst umschwebte, dünn geworden und etwas Gestaltlosem, Grausamem gewichen, das sehr stark war.

Sie wußte, daß sie dieser Mensch in der Hand hatte und alles mit ihr anfangen konnte, was er wollte; sich dagegen aufzulehnen hatte keinen Sinn, weil sie auch dazu außerstande war, denn ihre Müdigkeit und eine gläserne, übermächtige Schwäche hinderten sie daran, alles klar aufzufassen. Oder lähmte sie die Gegenwart dieses Mannes, der schließlich, bequem im Feldstuhl zurückgelehnt, sein Glas mit Wodka gegen das ihre hob und ihr zulächelte, als seien sie Spießgesellen? Er hatte einen eigentümlichen Mund, der, wenn er lächelte, sich nur auf einer Seite – mit dem linken Mundwinkel – in die gebräunte Wange vertiefte. Der Wodka schmeckte beißend und belebte sie. Der General fragte, wieso sie dazu käme, sich auf eine derart seltsame Arbeit wie Spionage einzulassen, es scheine ihm doch, als käme sie aus einer anständigen Lebenssphäre. Oder ob er sich wohl täusche? – Nun also ... Aber nötig gehabt habe sie doch sicher nicht die Flucht nach Rußland? Oder doch? Aus inneren Gründen vielleicht? Worin bestünden die ›inneren Gründe‹?

Sie hätte am liebsten aufspringen und ihm ins Gesicht schlagen mögen, aber er hielt sie mit seinen bannenden Augen fest; seine Worte klangen höhnisch und beleidigend. Aber was sollte sie antworten? Und so lehnte sie sich denn in ihrem Stuhl zurück, schaute in ihr leeres Glas hinein und drehte es in den Fingern hin und her. Vielleicht war sie ein Nichts, und dieser Mensch hier durfte sie verspotten, weil sie einem Trugbild gefolgt war, das auf sie gewirkt hatte, als stünde ein Gott in der Ferne. Im übrigen war's ihr gleichgültig, was geschah, denn was taugte die Welt? Sie war ein Vorsaal, und von dort ging es weiter in unendlich viele Zimmer, wie in einem Schloß ... Was nützte es, wenn man die Tyrannei beseitigte, es setzten sich nur andere Machthaber auf die Thronsessel der alten. Wo gab es ›Menschlichkeit‹? Das einzige, worauf man sich verlassen konnte, war das eigene Herz und der Mut zu sich selber. Oder wollte sie sich am Ende ihres Lebens sagen müssen, sie habe viel versäumt und ihr Tod sei nur eine Dummheit? Lächerlich ... Ein ›moralisches Gesetz‹ gab's nicht – wer hätte es auch bloß erlassen sollen – und zurück blieb nur das brennende Gefühl, allein zu sein und immer weitergehn zu müssen, mochten Leute wie der General Ljubin auch von ihr denken, was sie wollten. Vielleicht hatte sie eben überhaupt keinen wirklichen Vater und keinen wirklichen Geliebten oder fand beide erst nach ihrem Tod.

So sah sie schließlich alles mit nüchternen Augen. »Was man anfängt im Leben, ist gleichgültig, und Rechenschaft ist man niemandem schuldig, nur sich selbst. Es kommt nur darauf an, was man empfindet«, sagte sie, stand von ihrem Feldstuhl auf und ging in dem Zelt hin und her; besonders diese Männer waren ihr gleichgültig. »Also, ich stehe zur Verfügung, aber ich will schlafen. Ist das Ihr Bett, General?« Sie deutete auf ein Feldbett, das unter die schlaffe Zeltwand gerückt war. Sie wartete nicht auf seine Antwort, sondern legte sich einfach nieder und zog eine rauhe Decke bis zum Kinn herauf.

Als sie erwachte, war es hoher Mittag, und im Zelt herrschte schwüle Luft. In Liegen sah sie den General vor einem Klapptischchen sitzen; er kehrte ihr den Rücken zu, und sie konnte nicht erkennen, was er tat. Jedenfalls beugte er sich über Papierblätter und rauchte dazu eine Zigarette, doch glaubte Judith schließlich seinem Rücken anzusehen, daß er wisse, sie sei aufgewacht. Trotzdem bewegte sie sich nicht, glaubte sich aber zu erinnern, daß sie im Erwachen laut und tief geseufzt, ja, daß sie dieser Seufzer selbst aufgeweckt hatte. Und schließlich wandte sich der General halb zur Seite und sagte: »Komm her, Judith.«

Sie stand auf, ging zu ihm hinüber und trat hinter ihn; sie schaute ihm über die Schulter und sah auf seinem Tischchen Photographien liegen, die den Sumpf bis in winzige Einzelheiten wie auf einer Landkarte zeigten. »Luftaufnahmen« ... sagte er und machte mit seiner langen Hand, die die Zigarette hielt, eine lässige Geste. Judith beugte sich vor, er schob ihr eine Lupe hin, und mit ihr konnte sie zwischen niederem Gebüsch einzelne Blockhäuser sehen, an denen eine Art Laufsteg entlanglief; dazwischen glänzte hier und da der Sumpf als schwarzer Spiegel, und alles zusammen bot einen verschwimmenden Anblick gestaltloser heller und dunkler Flecken, als schaue man durch ein Mikroskop Bakterien an, die ihre Gestalt ständig veränderten. Das Bild war sehr anziehend und sah aus, als schaue man in sich selbst hinein. Sie sagte es dem General, aber er ging nicht darauf ein, lehnte sich nur in seinem Stuhl zurück und erklärte ihr an Hand der Luftaufnahmen den Weg durch den Sumpf, den sie heute nachmittag »mit ein paar anderen Leuten« gehen müsse. »Wir bringen wichtige Informationen hinüber, verstehst du? Es ist geplant, eine Division in den Rücken dieser Fronttruppen zu schmuggeln, die sehr schwach sind ...« Und er zeigte Judith, wie im Sumpf die Posten verteilt waren, die natürlich viel zu weit voneinander entfernt standen, manchmal über zweihundert Meter. »Eine sehr dünne Postenkette«, flocht Judith ein, und der General sagte: »Ja, du bist sehr klug.« Er nahm sich eine neue Zigarette. Und mit einer Handbewegung über die Schulter, die dem diensttuenden, sich ständig im Zimmer bereithaltenden Kosaken galt, deutete er an, daß er

Wodka wünsche. »Sie gewöhnen sich das Trinken an?« fragte Judith spöttisch, eine Bemerkung, die er überhörte. Anmaßender Snob, dachte Judith und wunderte sich darüber, daß sie mit diesem Menschen keinen Kontakt fand und nur ein ödes, leeres Gefühl in ihr zurückblieb. Gewissermaßen hatte sie sich früher, in weit zurückliegenden Tagen, die Begegnung mit ihrem Vater anders vorgestellt. Nun, es geschah einem zu Recht, daß man jetzt ernüchtert wurde. Wollte sie dieser Mensch tatsächlich nur als Figur in einem sinnlosen Spiel benützen? Meinetwegen ... dachte sie.

Man machte sich dann fertig. Maxim erschien in einer dunkelblauen Wattejacke, ein Kästchen an einem Lederriemen umgehängt, das er aufklappte und Judith erklärte; es war ein englischer Morseapparat. Der General gab ihm Luftaufnahmen, auf denen der Weg eingezeichnet war, und Judith bekam Papiere ausgehändigt. »Du darfst dich nicht erschießen lassen«, sagte er lächelnd zu ihr und hob den Zeigefinger. Zwei Russen mit stumpfen Gesichtern trafen ein, jeder eine Maschinenpistole an der Seite; die Pistolen sahen wie Armbrüste aus, hatten eine schwere Trommel, und ihre Schäfte waren aus rohem Holz. Judith ließ sich erklären, wie die Schießeisen funktionierten, und wog die rohen Dinger in den Händen. Es war, als griffe sie an ein rauhes Fell. Dann aß man noch etwas und machte sich schließlich auf den Weg.

Er ging zunächst über das Leichenfeld, das sich hinterm Zelt des Generals dehnte; die Sonne brannte, und die weißliche, zerfließende Erde, die mit Granatlöchern wie eine aussätzige Haut mit Wunden bedeckt war, warf das grelle Licht zurück, daß einem die Augen brannten. Man mußte sehr vorsichtig gehen und manchmal in einen Toten hineintreten, weil man nicht ausweichen konnte; von vielen Tritten war das verwesende Fleisch von den Knochen abgeschält worden, und schließlich überquerte man eine aufgeweichte Straße, die breit war und von ockerfarbenem Lehm glänzte, aus dem ein Pferdekopf herausragte.

Judith war froh, als dann der Wald begann. Schwül war's, überall summten die Schnaken, und unter den Schuhen schwappte das Moos. Die Bäume wiegten sich im sanften Wind, und ein Vogel ließ da und dort seinen melancholischen Triller hören. Es ratterten auch schon die Maschinengewehre in der Ferne, und man erreichte schließlich einen Steg aus Baumstämmen, auf dem sich Judith nur mit Mühe geradehalten konnte, weil die Rinde vom vielen Gehen abgeschält und die Stämme glitschig waren. Maxim schärfte einem jeden ein, daß man nur gehen dürfe, wenn ein Maschinengewehr schieße, denn sonst höre man hier jeden Schritt. Es war totenstill, über vielen Tümpeln zuckten Wasserspinnen hin und her, und Judith pflückte einmal eine Himbeere, die süß schmeckte; es kam ihr vor, als sei es die einzige Süße, die es für sie auf der Welt gäbe. Und sie ging in weitem Abstand hinter den andern drein, stolperte manchmal und wunderte sich darüber, daß Maxim gelegentlich nach ihr zurücksah. Die beiden Russen bogen jetzt ins Gebüsch ein, auch Maxim verschwand, und Judith machte es ihm nach. Sorgte sich Maxim um sie, war er der einzige, der sich um sie gekümmert hätte, wenn ihr eine Kugel in den Leib gefahren wäre? Vielleicht ... Aber sie wollte allein sein, und wenn sie hier im Sumpf versunken wäre, so hätte ihr dieser Tod wohlgetan als etwas sinnvoll Schönes. Sich ausstrecken im Sumpf, wo einen niemand kannte und man aufgelöst wurde in ruhendem Wasser, das eine Art fester Luft war ...

Aber sie träumte. Ringsum breitete sich dichtes Grün aus, und nur an einzelnen lichten Stellen sah sie Maxims Gestalt auftauchen, den Morseapparat an der Seite; er ging vorsichtig, lauschte bei jedem Schritt. Dann warf er sich auf den Sumpfboden, winkte Judith, damit sie sich auch hinlegte und schließlich langsam näher rutschte. Man war nun dicht hinter der Front.

Sie lagen beieinander, und Judith pflückte eine gelbe Blüte, die sie in den Mund nahm; es raschelte neben ihr, und als sie zur Seite schaute, hob ganz nahe eine schwarze Schlange ihren eiförmigen Kopf und sah sie mit witternder Zunge aus starren Augen an. Das Tier war ihr vertraut, sie empfand nichts Unheimliches bei dieser Begegnung und hob die gelbe Blüte gegen den Schlangenmund. Aber schon stieß sie Maxim an, Schüsse knallten vor ihnen, und zwei deutsche Soldaten sprangen dicht neben Maxim vorbei. Dann blieb es eine Weile still, bis lautes Stöhnen durch das Gebüsch drang. Aber das sei nicht ernst zu nehmen, flüsterte ihr Maxim zu; die Soldaten hätten nur die beiden Russen niedergeschossen und liefen jetzt alle zu denen hinüber, und so sei es von Anfang an geplant gewesen: »Zwei werden geopfert, damit wir durchkommen.« Er grinste.

Er lag dicht neben ihr, und nun erhob er sich vorsichtig; stützte sich zuerst mit den Händen auf den feuchten, schwammigen Sumpfboden und schob seinen Morseapparat in der Hüfte zurecht. Das Geschrei der Soldaten drang durch das Gebüsch, doch entfernte sich's bald und wurde schwächer. Über den Baumwipfeln hörte man wieder jenen seltsamen Vogeltriller, der Judith wie ein Lockruf in den Ohren klang; es waren ein paar kurze Töne wie aus einer Flöte. Die Farben im Sumpf waren nun abendlich stark, und das Blättergrün leuchtete hervor, ein dichtes Gespinst. Maxim war aufgestanden, machte einen Schritt nach dem andern. Nun hatte er schon den Laufsteg erreicht, nun wollte er hinübersteigen, als ein Schuß knallte. Maxim fiel mit dem Gesicht auf den Laufsteg, es hörte sich wie ein dumpfer Steinwurf an. Zwei Soldaten traten aus dem Gebüsch, und an der Uniform des einen, dessen, der vorausging und eine Maschinenpistole in den Händen hielt, glänzte es von Silber, als trüge er auffallend viele Silberknöpfe und Silberlitzen. Und für winzige Augenblicke war für Judith alles seltsam erleuchtet und das Grün des Sumpfs wie durchscheinend geworden, und in ihr selbst alles so klar und dünn, daß es im nächsten Augenblick zerbrechen mußte ... Sie wußte, daß das Glück einer Erfüllung ihr niemals zuteil werden konnte in einer irdischen Welt, vielleicht aber in einer andern. Ihr Vater hatte sie ja nicht erkannt, und hier, auf dieser letzten Stufe, erwartete sie auch nur eine gestaltlose, reine Öde ... Es war eine falsche Hoffnung gewesen, unter den Menschen auf einen Gott zu rechnen, der einen befreien konnte und den sie »Vater« genannt hatte. »Und nähme ich Flügel der Morgenröte ...«, fiel's ihr wieder ein, während die Soldaten auf sie zukamen und die Mündungen ihrer Pistolen und Gewehre Judith anschauten; die Gewehrmündungen hatten dunkle Augen ... Und Judith duckte sich tief, drückte ihre Stirn ins schwammige Moos, riß die Naht ihrer Wattejacke auf, wo die Giftkapsel versteckt war, und schob sie in den Mund; die Kapsel war aus dünnem, weichem Gummi, sie spürte sie zwischen Gaumen und Zunge. Dann stand sie auf, streckte die Hände in die Höhe und sah die Soldaten winken, um ihr anzudeuten, sie solle auf den Laufsteg heraustreten.

Sie tat, wie sie es wünschten. Sie mußte über Maxims Kopf hinwegsteigen, der vor ihr auf dem Laufsteg lag, und als ein untersetzter Kerl auf sie zutrat und mit der Faust ausholte, um ihr ins Gesicht zu schlagen, zerbiß sie die Giftkapsel, die sie im Munde hatte. »Ich glaub, jetzt weiß ich viel ...«, waren ihre letzten Gedanken; und im Tod sah sie hochmütig aus. *(1952)*

Zu spät

Ich ging nachmittags vom Büro nach Hause und sah auf die Stadt hinunter, die in rauchigem Nebel lag. Es war Tauwetter eingefallen, und alle Bäume und Büsche sahen vor dem nassen Schnee schwarz aus. Das Trottoir war schmutzig, und als die Straße eine Biegung machte, sah ich auf der anderen Seite ein altmodisches Parkgitter mit einem hohen Tor, dessen verrostete Greifenfüße und Engelsgestalten mir schon früher aufgefallen waren; dahinter führte eine gewundene Treppe hinauf. Ich hatte hier noch nie jemanden herauskommen oder hineingehen sehen. Auch in den letzten Tagen hatte der Schnee auf den Treppenstufen nie Spuren von Tritten gezeigt, und im Herbst war alles dick mit welken Blättern bedeckt gewesen, obwohl hinter den Bäumen eine Villa mit breitem Mansardendach gelegen war, ein vornehmes Haus mit einem vorgebauten Mittelteil und einem Balkon darüber.

Heute stand vor diesem Gittertor ein Polizeiauto mit zwei bläulichen Lichtern über der Windschutzscheibe, und ein Mann im Ledermantel kam heraus, der einen Photoapparat auf einem Stativ trug und in das Polizeiauto einstieg; dabei klapperte das Stativ. Mehrere Leute standen herum, die mir bekannt vorkamen, und in der Villa brannte ein rötliches Licht im Erdgeschoß; man sah es nur undeutlich durch das Gitter, weil nebliges Wetter herrschte.

Als ich hinübergegangen war und mich zu den anderen Leuten gestellt hatte, wurde von zwei alten Männern in Sanitätsuniform eine Bahre herausgetragen; es lag ein verhüllter Körper darauf, der mit einer rauhen braunen Decke zugedeckt war. Am unteren Ende ragten zwei Füße mit hübschen Damenhalbschuhen aus schwarzem Wildleder heraus. Ich erschrak, glaubte ich doch, dieselben Schuhe vor einer Viertelstunde an einem Mädchen gesehen zu haben, das ich kannte und das auf mich vor der »Komödie« gewartet hatte. Ich hatte die Schuhe bewundert und war erstaunt gewesen, daß sie heut so elegant gekleidet war; sie hatte einen grünen Mantel, ein schwarzes Hütchen mit Schleier und außerdem diese Wildlederschuhe mit hohen Absätzen getragen, die sie größer als sonst erscheinen ließen. Außerdem hatte ich bemerkt, daß sie sich hübsch aufgemacht hatte, mit Puder und Lippenrot; ich hörte auch noch ihre Worte: »Wir haben einander schon lang nimmer gesehen, und es gäbe sehr viel zu erzählen. Sollen wir nicht in ein Café gehen?« Aber ich hatte den Kopf geschüttelt und Ausflüchte gebraucht, über die sie lächelte. Dann schaute sie mich an und sagte: »Dann also nicht.« Wir gaben einander die Hand, und ich ging meiner Wege.

Daran erinnerte ich mich, als nun die Bahre herausgetragen wurde. Die Sanitäter setzten sie auf dem Trottoir nieder, und nachdem die zwei Männer, die vor mir gestanden hatten, weggegangen und ich und ein anderer Herr an ihrer Stelle vorgetreten waren, wurde das braune Tuch auf der Bahre zurückgeschlagen, und ich sah meine Freundin darauf liegen, so wie sie mir vor kurzem in der Stadt unten begegnet war.

Ich fuhr zusammen und sagte: »Das ist Gwendolin S.«

»Ihr Beruf?« flüsterte eine Stimme neben mir.

»Schauspielerin.«

»Sie kennen sich seit drei Monaten, nicht war? Gwendolin S. hat sich Ihnen genähert, als Sie sehr niedergeschlagen waren und sich überhaupt in einem äußerst hoffnungslosen inneren Zustand befanden, nicht wahr?«

Ich nickte: »Ja, sie hat mir wieder Mut gemacht. Ich hatte damals an mich selbst nicht mehr geglaubt.«

»Und Sie haben sich ihr erkenntlich gezeigt. Sie haben sie auch aufgerichtet, als dies nötig wahr?«

Nun wurde ich aufmerksam, denn alle bisherigen Antworten hatte ich wie im Traum gegeben, und es kam mir vor, als ob ich mich bereits verraten hätte. Ich wußte plötzlich, daß ich Gwendolin gegenüber ein schlechtes Gewissen hatte, wandte mich dem Herrn neben mir zu und erkannte Albrecht, mit dem ich studiert hatte; wir kannten uns seit neunzehn Jahren. Er war jetzt Bibliotheksdirektor in einer Kleinstadt, und ich wunderte mich sehr darüber, ihm hier als Kriminalbeamten zu begegnen, hielt er doch einen Schreibblock in der Hand und stenographierte jedes meiner Worte mit. Er hatte eine Glatze und ein schmales Gesicht, wie man's bei Leuten findet, die alten Familien entstammen.

Er sah mich mit seinen braunen Augen an und sagte:

»Du hast sie getötet.«

»Ich? Das kann doch nicht dein Ernst sein! Vor einer Viertelstunde habe ich sie noch unten in der Stadt gesehen, und wir sind friedlich auseinandergegangen. Sie hat mir sogar zugelächelt und sich noch einmal nach mir umgedreht. Das ist doch Unsinn, was du da behauptest.«

»Fünf Uhr siebzehn ist sie auf dem Trottoir vor der ›Komödie‹ tot aufgefunden worden; sie hatte dieses Messer im Rücken stekken.« Und Albrecht zeigte mir einen Brieföffner, den ich im Büro benütze und den mein Vater aus dem ersten Weltkrieg nach Hause gebracht hat; er ist aus einem Granatsplitter gearbeitet.

»Das ist mein Brieföffner, da hast du recht.«

»Na also. Hat Gwendolin heut etwas von dir gewollt?«

»Ja. Ich sollte mit ihr in ein Café gehen. Sie wollte mir etwas erzählen. Weißt du, sie hat immer eine Herzensgeschichte, einen Flirt nach dem anderen, und die beichtet sie mir immer. Ich soll ihr dann wieder heraushelfen... Oh, ich hab's schon ein paar Mal getan und mich dabei furchtbar edelmütig benommen, weil ich ihr einen uneigennützigen Rat gegeben habe. Aber dazu war ich heut nicht fähig. Ich häng mir ja allmählich selber schon zum Hals heraus vor lauter Edelmut. Mein Edelmut schmeckt ranzig, so kommt's mir manchmal vor. Kannst du das denn nicht begreifen? Wenn dir so eine nicht gleichgültig ist, und du hörst immer nur von ihr, daß sie vom Regisseur angeschwärmt wird, daß sie sich heute abend mit Hansi treffen wird, der Vertreter für Mercedes-Wagen ist und mit dem sie im Sommer weite Autotouren gemacht und in den Kornfeldern geschlafen hat, oder daß Dieter wegen Devisenschiebereien fünf Jahre Gefängnis bekommen hat, und weiß der Teufel, wen sie sonst noch hinter sich herzieht – ist das denn vielleicht angenehm? Ich bin letzten Endes auch nicht aus Stein.«

»Niemand verlangt von dir, daß du aus Stein sein sollst. Im Gegenteil. Aber heute abend hast du sie getötet – oder du hast sie in dir selbst getötet.«

Albrecht teilte mir dies äußerst ruhig und fast belustigt mit, so daß ich es auch gar nicht ernst nahm, was er sagte. Ich wunderte mich nur darüber, daß er bei der Kriminalpolizei angestellt war. Aber da fiel er mir ins Wort und sagte:

»Nicht Kriminalpolizei, Innenpolizei ... Etwas, das mit deinem Innenleben zu tun hat.«

»Mit was hat es zu tun? Mit meinem – «

»Innenleben«, wiederholte er, worauf ich nahe daran war, schallend hinauszulachen, als ich mit einem Mal seinen Blick fühlte, der mich verstummen ließ, als würde meine Lachlust in meinen Hals zurückgestopft. Dann schaute ich Gwendolin an, die immer noch mit geschlossenen Augen vor mir auf der Bahre lag, das Gesicht gepudert, die Lippen dünn geschminkt und ihren Schleier schräg über die Stirn gezogen, was wie ein zarter Sprung, ein feiner, kaum sichtbarer Riß aussah, der über die Nasenwurzel zwischen den Brauen hindurchlief und die linke Wange zerteilte. Sie sah sehr frisch aus, aber wie unwirklich, als bestünde ihr Gesicht aus künstlichem Stoff, vielleicht wie eine dünne Malerei auf einer Vase. Aber nein, Gwendolin war plastisch anzuschauen wie der Kopf eines Standbildes, das in einem hellgrünen Mantel steckte. Der Nebel wurde stärker, die Luft wurde verwischt und dunkel, denn es dämmerte. Die Sanitäter schauten Albrecht an, der ihnen ein Zeichen gab, worauf sie die Bahre anfaßten und Gwendolin in den Wagen hineinhoben.

»Schade, dann ist dir also nicht zu helfen«, meinte Albrecht und zuckte mit den Schultern. »Sie hat dir nämlich heute etwas Angenehmes sagen wollen.« Er gab mir die Hand und stieg ins Auto ein.

Als er davongefahren war, schaute ich auf meine Armbanduhr und stellte fest, daß es fünf Uhr siebzehn war. Die Uhr tickte und lief wie immer. Das verrostete Parktor war fest verschlossen. Seine Engelsgestalten zeichneten sich dunkel vom Schnee ab und dahinter führte die Treppe empor. Ihre Stufen waren mit wässerigem Schnee bedeckt, und nirgends zeigten sich Fußspuren.

(1952)

Hotel Memoria

Es war schwül, und die Vormittagssonne brannte mir im Nacken, als ich an der Schloßruine vorbeiging, wo weißlackierte Stühle und Tische auf orangefarbenem Kies standen. Aus einem Lautsprecher träufelte Musik, die plötzlich abgeschaltet wurde und sich in ein pfeifendes, knackendes und sausendes Geräusch verwandelte. Dann war eine Melodie zu hören, die ich kannte. Lion hatte sie vor achtzehn Jahren oft auf einer Ziehharmonika gespielt, und ich glaubte mich daran zu erinnern, daß es sich um ein rumänisches Lied gehandelt hatte.

Ich blieb stehen und sah über eine niedrige Steinbalustrade und über die weißen Tische zum Eingang des Hotels hinüber, das in den Kellerräumen des Schlosses untergebracht war. Weite Türflügel öffneten sich dort, und darüber glitzerte ein Glastransparent mit der Aufschrift »Hotel Memoria« in der grellen Sonne. Die Musik war nun sehr laut, hinter mir glitten rauschende Autos und Straßenbahnen vorbei, und dann kam Lion aus dem dunklen Eingang heraus.

Sie trug eine graue Männerhose und einen kurzärmeligen Sweater, der eng anlag und am Hals und an den nackten, gebräunten Armen ausgefranst war. Ihr Haar schimmerte messingfarben wie ein Helm. Sie gab mir ihre Hand, die sich wie vor achtzehn Jahren kühl und leblos anfühlte, und sah mich mit großen blauen Augen an. In ihrem Gesicht war etwas Unwirsches, Ungezügeltes, beinahe Wildes. Ich kannte es, besonders ihr Mund mit den gespannten Lippen, die kühn, aber auch grausam aussahen, war mir vertraut. Ein schwarzhaariger junger Mann, der neben einem staubigen Fahrrad an der Steinbalustrade lehnte und sich eine Zigarette drehte, schaute herüber. Lion wandte sich zur Seite und machte eine energische Geste. »Geh weg«, flüsterte sie.

Dann sagte sie zu mir: »Wir haben uns verkracht.«

»Er ist auf dem Rad durch Frankreich gefahren, nicht wahr?« sagte ich.

»Wissen Sie alles noch so genau?« Sie lächelte flüchtig, nahm aus ihrer Hosentasche einen Fisch aus Silberpapier heraus und sagte: »Das hat er für mich« – sie wandte den Kopf flüchtig zur Seite – »aus dem Stanniol seiner Zigarettenpackung gedreht.«

»Bedeutet es etwas?« fragte ich.

Sie nickte: »Daß ich Sie liebe.«

»Das haben Sie mir damals leider nicht gesagt«, antwortete ich ihr und sah den silbernen Fisch in ihrer Hand glänzen. Sie wandte den Kopf zur Seite, und auf ihrer Stirn zuckte es. Dann sagte sie rasch: »Hier können wir nicht stehenbleiben. Ich wohne im ›Memoria‹«, und ging weg.

Ich wollte ihr folgen, aber da hatte sie sich schon zwischen den vorübergehenden Menschen verloren, und ich wurde von der aufblitzenden Scheibe eines amerikanischen Autos geblendet, das auf der anderen Straßenseite vorbeifuhr. Ein blondes Mädchen mit metallisch glänzendem Haar wie Lion saß am Steuer, und über einem weiten Platz mit Blumenbeeten und zwei großen eisernen Brunnen, deren Wasser schimmerte, flatterten Tauben in die Höhe. Ihre Flügel klatschten und knatterten wie Schüsse, und am Ende des Platzes, wo hinter Baumkronen ein zerstörtes Gebäude seine Säulenfinger emporreckte, glitzerte ein Schieferdach. Ich schaute auf die weißen Tische und Stühle zurück, sah den orangefarbenen Kies flimmern, hörte die wilde Musik aus dem Lautsprecher und hatte die Empfindung, als ob die vergangenen achtzehn Jahre ausgelöscht seien. Damals hatte ich Lion am Bodensee in einem Hotel mit orangefarbenem Kies und weißlackierten Tischen zum ersten Mal getroffen.

Ich wußte nicht, wohin ich gehen sollte. Lion war vor mir im Gewühl untergetaucht, während das Hotel Memoria in meinem Rücken lag. Hatte es drum einen Sinn, sich umzuwenden und dorthin zurückzukehren, wo sie nicht zu finden war? Aber was bedeuteten Worte wie »vor« und »zurück«, denn sobald ich mich umwandte, lag das Hotel Memoria genau so vor mir, wie es jetzt hinter mir lag, und es mochte drum gleichgültig sein, was ich unternahm.

Im Lautsprecher war von neuem das ungezügelte, fremdartige Lied zu hören und erregte ein heftig brennendes Gefühl in mir. Ich wollte Lion wiedersehen. Sie durfte mir nicht mehr entgleiten, weil ich etwas mit ihr zu Ende leben mußte, dem ich vor achtzehn Jahren ausgewichen war.

»Glauben Sie, daß es möglich ist, etwas Versäumtes nachzuholen?« hörte ich eine Stimme hinter mir, und als ich mich umwandte, stand der schwarzhaarige junge Mann, auf sein Fahrrad gestützt, vor mir. Er zündete sich seine selbstgedrehte Zigarette an, und es kam mir vor, als sei es ihm gleichgültig, ob ich ihm antworte oder nicht.

»Wahrscheinlich nicht«, sagte ich zu ihm. Er nickte und sah dabei mit unbewegtem Gesicht über mich hinweg.

»Aber gehen Sie nur ins Hotel Memoria hinein«, fügte er hinzu.

»Sind Sie immer noch Justizreferendar in Miesbach?« fragte ich.

»O nein, das ist längst vorbei. Ich liege bei Grigorowo.« Und als ich ein dummes Gesicht machte: »Im Sumpf natürlich. Aber Sie waren doch auch in Rußland, wie?«

»Ach so ... Ja, ich erinnere mich. Grigorowo, das liegt nicht weit von Malukssa, nicht wahr? Keine schöne Gegend.«

Er machte eine wegwerfende Geste, die »egal« oder »nitschewo« bedeuten mochte. Dann beugte er sich zu mir und flüsterte an meinem Ohr: »Lion hat mich damals Ihretwegen fortgeschickt. O ja, Sie glauben es nicht, aber es ist so ... Erinnern Sie sich noch: ich bin von meiner Radtour durch Südfrankreich an den Bodensee gekommen, und Sie haben mich damals bewundert. Solche Augen haben Sie gemacht« – er zeigte es mir – »als ich Ihnen erzählt habe, in Frankreich sei der Tabak in den Zigaretten rabenschwarz.«

Ich wurde verlegen und antwortete: »Ja, damals hatte ich eben auch noch gar nichts von der Welt gesehen und war ein großer Kindskopf.«

»Lion hat das aber sehr gemocht. Es hat ihr wohlgetan. Warten Sie nur, was sie Ihnen alles zeigen wird.«

Es quälte mich, jetzt zu erfahren, sie habe mich geliebt, denn ich war all die Jahre niemals von ihr losgekommen, obwohl ich ihr nie gesagt hatte, was ich empfand. Und während ich vor dem »Memoria« in der Sonne stand, nahm ich meinen abgegriffenen Geldbeutel, der mich auch durch den Krieg begleitet hat, aus der Hosentasche und suchte ein zerrissenes und beschmutztes Papier hervor. Darauf hatte mir Lion ihre Adresse geschrieben, und nun sah ich wieder diese Schriftzüge: groß und kräftig und sehr deutlich. Aber es nützte nichts mehr, wenn ich dorthin ging, weil die Straße im

Krieg völlig zerstört worden war; statt der Häuser breiteten sich niedere Schutthügel aus, über denen das Gras wehte.

»Haben Sie sie einmal dort besucht?« fragte der junge Mann neben mir und tippte mit den Fingern, die die Zigarette hielten, auf das schmutzige Papier. Er trug eine Hornbrille mit dicken Gläsern, die seine Augen klein erscheinen ließen, und hatte einen schmalen Mund. Er war sehr bleich. Vor achtzehn Jahren hatte ich geglaubt, daß er sich nächtelang in schlechter Gesellschaft herumtreibe, sein Äußeres hatte mich angewidert und ein unbestimmtes Gefühl von Furcht in mir hervorgerufen wie vor etwas Lasterhaftem, mit dem ich niemals in Berührung kommen wollte; es war dasselbe, was mich damals auch an Lion befremdet hatte. Heute aber spürte ich ein starkes Mitgefühl und dachte, er sehe sehr unglücklich aus.

»Nein«, sagte ich, »ich habe Lion nie besucht.«

Ein Lächeln huschte über seinen Mund, und sein bewegtes Gesicht belebte sich für einen Augenblick. »Sehen Sie ...«, flüsterte er. – »Sie müssen das verstehen. Vor achtzehn Jahren war ich ein gehemmter Mensch mit geringem Selbstvertrauen. Es war keine angenehme Zeit für mich, und ich habe nie erwartet, daß jemand wie Lion Interesse an mir nehmen könne ... Und jetzt kann ich es Ihnen ja erzählen: ich habe sie einmal besucht, aber dann war sie nicht mehr anzutreffen, und niemand hat etwas von ihr gewußt. Ich ging abends zu ihr, als es regnete.«

»Wann ist das gewesen?«

»Drei Jahre nachdem wir uns getroffen hatten.«

»Drei Jahre ...«, wiederholte er und schüttelte den Kopf. »Dann haben Sie also ...«

»Ja, ich habe sie nicht vergessen. Aber wie war doch Ihr Name?«

»Mein Name war Vermittler. Heute habe ich keinen Namen mehr.« Und er trat zur Seite und machte sich an seinem Rad zu schaffen.

Ich hatte das Gefühl, als sollte ich noch eine Frage an ihn richten, die mir jemand aufgetragen hatte, an den ich mich nicht mehr erinnerte, und auch die Frage selbst war mir entfallen. Sollte ich zurück zu ihm? Aber er hatte jetzt ein sehr abweisendes Gesicht und schien ganz mit sich selbst und seinem Rad beschäftigt. Aus dem Hotel Memoria kamen plötzlich viele Leute heraus, als habe dort eine Versammlung stattgefunden; die Menschen sahen aus, als seien sie von etwas Starkem, vielleicht sogar Erschütterndem berührt worden und kämen aus einem Kino oder aus der Kirche. Ein Mädchen mit rotlackierten Fingernägeln und einer Tituskopffrisur bewegte die Lippen im Gehen und starrte vor sich auf den Boden, ein dicker Mann im eleganten Sommeranzug wickelte die Plastik einer Frau, der der Kopf abgeschlagen war, behutsam in Packpapier ein, erschrak, als sein Chauffeur vor ihm auftauchte, und machte ihm ein Zeichen, daß er verschwinden und allein nach Hause fahren solle; dabei tropfte ihm eine Träne auf das Packpapier.

Dann stand ich wieder allein da. Die Hitze war jetzt beinahe unerträglich, und meine Absätze drückten sich in den weichen Asphalt des Weges. Das Glastransparent des Hotels blitzte und blendete mich, und im Lautsprecher war eine öde Musik zu hören.

Ich ging drum gerne ins »Memoria« hinein. Auf der Treppe, die in die Tiefe führte, war es kühl, und immer wieder mußte ich vor unbehauenen Steinblöcken ausweichen, die zwischen den Stufen herausragten, auch kam mir's vor, als rinne hinter den Wänden ein unsichtbares Wasser. Unten dehnte sich die Halle aus, und überall brannte Licht. Vor dem Lift stand ein Boy mit dunklen Mandelaugen im brünetten Gesicht, der mir bekannt vorkam. Er verbeugte sich vor mir und öffnete die Glastür zum Lift. Als ich dicht vor ihm stand, erkannte ich Naemi in ihm und erschrak.

Sie drückte ihren Zeigefinger an die Lippen und schüttelte den Kopf, als ich etwas sagen wollte, flüsterte mir aber zu: »Es wäre mir auch lieber, man hätte es vor mir verborgen.« Dann schnappte die Glastür hinter uns zu, und sie stand mir im erleuchteten Kämmerchen gegenüber. Die hellblaue Uniform stand ihr gut, nur quollen ihr die schwarzen Haare unter der Mütze hervor, und als ich sie anschaute, drückte sie ihre Finger in die Augenwinkel; trotzdem sprangen ihr Tränen heraus. »Kein Mitleid, bitte kein Mitleid«, fügte sie leis hinzu und drückte wiederum den Finger auf die Lippen. Dann stieg ich aus. Sie schloß sofort den Lift, nickte mir hinter der Glastür zu und drückte ihren Mund an die Scheibe. Dabei rannen ihr Tränen über beide Wangen.

Ich stand vor einer Mietwohnung neben einem großen Kleiderkasten, auf dessen altertümliche Tür ein schmales Frauenantlitz mit bläulich schillerndem Haar gemalt war, das mich an eine Inderin erinnerte. Vor dem schlangenhaften Mund war eine dünne Glasschale zu sehen, in der ein silberner Fisch schwamm, und die schlanke Hand der Frau, die das Glas hielt, schimmerte hindurch. Dann hörte ich das wilde Lied wieder, diesmal auf einer Ziehharmonika gespielt, und eine Mädchenstimme lachte laut, aber es klang nicht fröhlich. Ich erinnerte mich, daß die Wohnung, in der ich vor langer Zeit einmal vergeblich nach Lion gefragt hatte, auch so ausgesehen hatte. Eine Treppe führte in die Tiefe, und an ein großes Fenster mit farbigen Glasscheiben prasselte der Regen. Eine Glühbirne brannte an der Decke.

Ich drückte auf den Klingelknopf, aber die Glocke gab keinen Ton. Dann sah ich, daß die Tür angelehnt war, ging hinein, tastete mich zu dem Zimmer, aus dem das Ziehharmonikaspiel klang, und als ich eintrat, lag Lion auf einer Couch. Die Harmonika tat einen seufzenden Schrei, weil Lion sie an ihrer Hand herabhängen ließ. Sie schaute mich unbewegt an. Im Zimmer herrschte ein Licht, wie wenn man unter Wasser die Augen öffnet, und es war, als steige vor dem Fenster eine Wasserwand empor.

Lion bewegte sich auf der Couch. Sie trug ein enganliegendes schillerndes Gewand, das einem schmutzigen, halb zerrissenen Schlafanzug glich, der mit vielen Flicken, Ölflecken, Fingerabdrücken, halbzerfetzten Zeitungspapierschnitzeln, mit winzigem Aufdruck und Wein-, Blut- oder Cocktailspritzern bedeckt schien. Über der Brust war es aufgerissen und zeigte ihren gebräunten Leib, der gesund, fest, biegsam und frisch war. Ein warmer Duft ging von ihr aus, in den sich ein abgestandener Geruch mischte, wie er in Straßenbahnen am frühen Morgen oder in Wirtschaften herrscht, wenn man die Stühle auf die Tische stellt und auskehrt.

Ich setzte mich zu ihr. Ihre großen blauen Augen drehten sich mir zu, und ich hörte sie flüstern: »Reiße mir das Kleid vom Leib.«

Ich versuchte es, aber es war festgewachsen. Es war wie eine zweite Haut. Lion bäumte sich auf, wand sich und stöhnte. Blut sickerte an den Rändern hervor, wo der Stoff auf der Haut festklebte und sich ein Schorf gebildet hatte, der wie ein Saum aussah.

»Heut kommst du zu spät. Vor achtzehn Jahren hättest du es

leicht abstreifen können. Nur du hättest es gekonnt. Warst du damals zu schwach dazu?«

Ich nickte. Sie verzog schmerzlich die Lippen, griff mir in die Haare, drückte meinen Kopf an ihre festen Brüste. Dann entzog sie sich mir und sagte: »Ich wollte dich diese Freuden« – sie deutete auf ihren Leib – »und das Cocktail-Trinken lehren. Erinnerst du dich noch?«

»Warum hast du es nicht getan? Es wäre gut für mich gewesen, denn es hätte mich freier gemacht.«

»Ich wollte dich nicht verderben. Du hast mich bewundert, und ich habe getan, als fühle ich mich wohl in meinem Sumpf. Hast du denn nichts gemerkt?« Sie richtete sich auf und deutete auf einen der Papierfetzen auf ihrem Kleid. Ich sah ihre langen spitzen Fingernägel, die geschwärzt waren, und las dann ein Gedicht von mir, das ich ihr früher gezeigt hatte.

»Du hast es mir damals vorgelesen. Lies es bitte wieder.«

Es waren ein paar Verse auf den Rauch der Herbstfeuer, der in dem Gedicht »bitterrot« genannt wurde. Als ich sie vorlas, warf sie sich damals auf der Couch zurück und sagte: »Ihre Verse sind gesund!« Dann nahm sie ihre Ziehharmonika und spielte das wilde Lied mit vielen Molltönen.

»Dein Leib ist auch gesund, nur das Kleid ist schmutzig«, sagte ich.

»Das hast du aber damals nicht gesehen. Und heute nützt es nichts, daß du es erkennst.«

»Dann bleibt uns nichts mehr?« fragte ich.

»Die Erinnerung«, antwortete sie, hob die Hand und zeigte mir auf der Innenfläche den silbernen Fisch. Sie streckte mir die Hand entgegen. Ich ergriff sie und spürte ein heftiges Brennen, als würde ich verletzt und mein Blut sauge den Fisch auf. »Jetzt schwimmt er in dir«, sagte sie und lächelte.

»Bist du glücklich?« fragte ich.

Sie schüttelte den Kopf: »Das wird nie sein.« Dann führte sie mich zur Tür, durch den dunklen Gang und auf den Vorplatz hinaus, wo sie sich umschaute. Ich hörte den Lift brummen, das Kämmerchen wurde neben der Treppe erleuchtet und Naemi kam heraus. Sie trat auf Lion zu, strich ihr über die Brust und löste mühelos das Kleid von ihrem Leib. Lion stand nackt vor mir, sonnengebräunt, gesund und jung. Sie lächelte und machte eine abwehrende Geste, als ich sie umarmen wollte.

»Es ist nicht mehr nötig«, sagte sie und deutete auf Naemi.

Als ich wieder ins Freie trat, wurde es mir für einen Augenblick schwindlig von der Hitze und dem Benzingeruch der Straße. Der Lautsprecher krähte jetzt das rumänische Lied laut und gedehnt über den orangefarbenen Kiesplatz mit den weißen Tischchen hin; es klang zerrissen. Hatte es etwas genützt, daß ich in das Hotel Memoria hineingegangen war? Nur für einen flüchtigen Augenblick war mir dort eine erlösende Empfindung zuteil geworden, aber nun spürte ich die Sehnsucht nach Lion noch stärker als zuvor. Ich schaute in meine Hand, aber dort war kein silberner Fisch zu finden. Er hatte sich in mir aufgelöst, und darin bestand wohl die Rache der Lion. *(1952)*

Die Marmorbüste im Sumpf

Er schleppte sich mühsam durch den überwölbten Gang, wo Teppiche auf den Fliesen lagen und der Sommerwind durch die geblähten weißen Vorhänge hereinstrich. Über die gemeißelten Türstöcke vor den Zimmern seiner Mutter huschten Schatten hin, und es war, als bewegten sich die nackten steinernen Frauengestalten, die die Decke trugen. Ein Wächter salutierte, und seine Hellebarde blitzte. Karl brannten die Augen in den Höhlen. Der Schweiß unterm Schnurrbart schmeckte heiß und salzig, aber im Nacken kühlte ihn der Schweiß, und sein gepudertes Gesicht brannte. Sein Kopf war glattrasiert. Er schnaufte rasch und kurzatmig und hielt sich an der Mauer fest, wo er sich weitertastete, vom hellen Licht geblendet, das durch die Fenster hereinströmte. Das Hemd klebte ihm auf der Brust. Endlich erreichte er ein kühles, weites Vestibül. Eine Reittreppe führte hier hinab, und Karl beugte sich über die Brüstung und schloß die Augen. Das Schloß war still.

Nun zu der Treppe, die hinter einer dünnen Brettertür emporführte. Er zog sich an einem Seil, das an der Wand befestigt war, über die morschen Stufen in die Höhe. Hier roch es nach erhitztem Holz, und der weitläufige Dachstock dehnte sich aus. Die Eichenbohlen knarrten leise unter seinen Tritten, und es war dämmerig und stickig warm. Die Tür zur Stube des Bildhauers war nur angelehnt. Karl klopfte, und als niemand antwortete, schleppte er sich hinein. Es war ein dürftiges Quartier: auf zwei aufeinandergelegten Kisten stand die fertige Marmorbüste und davor ein alter Lehnstuhl.

Er ließ sich hineinfallen, der Stuhl ächzte. Gegenüber glänzte die Büste mit ihrem Geäder im gelblichen Marmor. Karl sah sich im Brustpanzer mit dem Überwurf um die Schultern. Auf der Reise von Chenonceaux nach Blois hatte er sich so mit seiner Frau Cypre dem Volk gezeigt. Der Brustpanzer war aus feuervergoldetem Silber gewesen und der Umhang aus blauer Wolle. Ob er sich übel fühle, hatte Cypre, die Zunge über die frischen Lippen huschen lassend, neben ihm auf dem Pferd gefragt, und der Arzt

Lessa, ein junger Pole, hatte gegrinst und Cypres weiche Hand ergriffen. Vor der Abreise hatte Lessa ihm Schröpfköpfe in die Achselhöhlen gesetzt, aber in diesen Schröpfköpfen mußte etwas enthalten gewesen sein, das ihn schlaff gemacht und in einem Monat so weit gebracht hatte, daß er hier saß, erschöpft. Es war nicht die Schwindsucht, es war das Gift. Er wußte es, und alle wußten es, und seine Mutter Maria wollte es so. Und er lehnte sich zurück und preßte seinen rasierten Kopf an das Königswappen, das in die Rückenlehne des Stuhls geschnitzt war. –

»Nun setze ich Ihnen wieder Schröpfköpfe an. Sie werden Ihnen Linderung verschaffen. Bald ist es soweit, und Sie sind ein großer, von seinem Volk geliebter König«, pflegte Lessa zu sagen, wenn sie ihn morgens umstanden: die große schmalhüftige Cypre mit dem schwarzen, blauschillernden Haar überm steinern schönen Gesicht, dessen Augenbrauen rasiert waren, so daß es wie nackt wirkte, der geschmeidige Lessa, unterwürfig wie ein Barbier, und Karls üppige Mutter mit kupferrot gefärbtem Haar. Cypre lehnte oft gelangweilt an der Tür, aber wenn Lessa die Schröpfköpfe aufsetzte, trat sie näher, und ihre Augen glitzerten. Sie interessierte sich für diese Prozedur, schaute Lessa über die Schulter und drückte sich an ihn. Hinter der Marmorbüste stand ein Fenster offen, und davor bewegte sich der Wipfel einer Blutbuche, deren dunkle Blätter vor Karls kurzsichtigen Augen ineinanderflossen. Es sah wie der braunspiegelnde Tümpel unter den Eichen des Gastiner Waldes aus, in den er sich vor drei Wochen zum letzten Mal geflüchtet hatte, nur vom Kommandanten der Leibwache begleitet, der wie alle im Schloß auf seinen Tod wartete. Aber das war alles schon so lang versunken, als sei es in einer anderen Zeit geschehen oder er habe es in einem alten Buch gelesen, vielleicht in den Metamorphosen des Ovid ... Er schaute seine Hände an, die durchsichtig blaß waren mit bläulichem Geäder an den Gelenken. Die Marmorbüste, sein eigenes Bildnis mit weichem Blusenkragen, der aus dem Halsausschnitt des Panzers hervorragte und sich an sein Kinn schmiegte, als sei dieser Kragen aus Leinenstoff und nicht aus Marmor, schwamm nun im Gastiner Sumpf. Auch der Panzer mit den erhabenen Verzierungen, den Blättern und der Maske mit halboffenem Mund mitten auf der Brust, dies alles erhob sich vor ihm, als ob es zu betasten sei. Es schauderte ihn in seiner Fieberhitze, und er zog den zerfetzten Schlafrock des Bildhauers von dem armseligen Bett neben dem Stuhl und hüllte sich hinein. Seine Zähne klapperten aneinander. Der Kopf der Marmorbüste ragte alterslos und durchsichtig empor, verschwimmend; der Mund der Büste war zusammengepreßt, schmallippig, und ein Schnurrbart umschloß ihn wie eine feste Klammer. Dahinter aber wogte der Tümpel, und seine Frösche waren groß und hatten Menschenköpfe. Nun schwamm Lessa, der Arzt, an seine Schläfe heran und saugte sich als Blutegel fest. Darüber zuckten zwei Libellen, fingergroß und starr und mächtig, und eine hatte den Reptilmund seiner Gemahlin Cypre. Sie stieß mit einer anderen zusammen, die nicht so schlangenhaft wendig war wie die Cypre-Libelle, diese seidige, gläserne Schlange der Luft, wohl aber fleischig, mit kupferroten Augen. Oh, die Libellenfrauen, diese biegsamen und diese gierig ansaugenden, sie setzten sich auf den Brustpanzer, der so weich war, daß sie sich beide hineinbohren konnten, denn Karl schützte nichts mehr, weil er dem Sumpfgift verfallen war, das seinen Leib von innen her auflöste, faulig machte.

Es raschelte hinter ihm, er raffte sich auf. Der Wald umstand ihn überall, und sein fleischfarbenes, mürbes, weiches, vorjähriges Laub hob sich als sanfte Welle unter den Stämmen in die Höhe. Ein Reh und ein Bock jagten sich im Liebesspiel. Ihre Flanken bebten, rasches Hecheln drang herüber, und das Reh gab einen leisen, lockenden, gurrenden Ton. Sie verhielten einen Augenblick, schauten sich an. Und dann jagten sie sich wieder, und der Bock hatte Karls Gesicht, aber jung und glatt und fünfzehnjährig, als Cypre noch ein Mädchen war. Und das Cypre-Reh bekam einen Libellenkopf mit mächtigen dunklen Augen, der rasch aus dem Hals herauswuchs, als sie sich endlich vereinigten und im Laub wälzten. Sie erhob sich und blickte ihn an, der noch am Boden lag. Sie öffnete ihr blauschillerndes, lippenloses Libellenmaul und gähnte, wobei sich die Fangkiefer öffneten. Er konnte sich nicht rühren, weil er ermattet vor ihr lag. Dann biß sie zu.

Karl schaute auf, seine Augen weiteten sich, er raffte den Schlafrock über der Brust zusammen. Er mußte so aussehen wie auf der Marmorbüste, die sein Antlitz im Tode widerspiegeln sollte. Seine

Füße waren bereits starr wie Holz, zwei rauhe, schwere Stämme. Dann zuckte sein Leib heftig zusammen, die Tür der Kammer knarrte hinter ihm, und eine Stimme sagte: »Es ist soweit.«

(1953)

Die Geschichte mit Valetti

Im Haus ihrer Tante mußte sie vor den Gästen mit Valetti, ihrem Lehrer an der Schauspielschule, eine Pantomime »Orpheus und Eurydike« spielen.

Das Kinderzimmer diente als Garderobe. Wera stellte einen Handspiegel in ein Regal, das mit durcheinandergeworfenen Spielsachen vollgepfropft war, setzte sich auf einen Schemel und schminkte sich. Sie trug ein weißes, an einer Seite geschlitztes Gewand und hatte an den Füßen Tanzschuhe, deren schwarze Bänder ihre Knöchel umspannten. Während sie die Augenbrauen nachzog, sah sie durch den Spiegel Valetti im schwarzen Trikot hinter sich ins Zimmer kommen. Er fragte: »Sind Sie soweit?« Man hörte nebenan die Gäste durcheinandersprechen, ein verworrenes Geräusch, das Wera beunruhigte. Valetti hatte sein Gesicht in eine bleiche Maske mit einem dünnen Lippenstrich verwandelt, während er in Wirklichkeit einen großen Mund hatte; eine Kerbe im Kinn trat deutlich hervor, und seine Augen glitzerten unter zusammengewachsenen Brauen. Wera fiel auf, daß er auch heute seinen Ehering trug; sie dachte: das ist komisch.

Dann die Pantomime auf der kleinen Bühne. In ihrem weißen Kleid drehte sie sich spröde und stolz vor dem schwarzen Valetti, der die Hände nach ihr ausstreckte und sich gequält wand, um Wera, die von einer Schlange tödlich gebissen worden war, aus dem Schattenreich zurückzuholen. Er spielte seine sehnsüchtige Liebe gut. Und Wera lächelte kühl, und bei jedem Schritt war im geschlitzten Kleid ihr nacktes Knie zu sehen, aber das merkte ja Valetti nicht. Sie fürchtete, die Bretter könnten unter ihr zusammenbrechen.

Nachher, als Wein gereicht wurde, stand sie mit ihrem Vater abseits von den übrigen Gästen. Sie stieß mit ihm an und sagte mit rauher Stimme, denn von der heißen Bühnenluft war ihr die Kehle ausgetrocknet: »Ich hab' gesehen, wie du gegrinst hast. Es muß für dich ja auch grotesk gewesen sein, deine Tochter mit einem Mann auf der Bühne zu sehen, von dem du weißt, daß sie ihn liebt. Und er mußte sich in Liebesqualen vor ihr winden, während er sie in Wirklichkeit zurückstößt und wie den letzten Dreck behandelt.«

»Ja, du hast ein bißchen gehemmt gespielt.«

»Das beweist, daß ich keine gute Schauspielerin bin, nicht wahr?«

Nun wurde eine alte Frau im Rollstuhl in den Saal gefahren, eine reiche Gönnerin der Schauspielschule. Sie sprach mit Valetti, der Wera ein Zeichen machte, um sie herbeizurufen. Sie trat neben die Frau, die ihr Mumiengesicht zu einem schiefen Lächeln verzog und sagte: »Ihr habt es gut gemacht. Und, nicht wahr, im Leben seid ihr auch ein Liebespaar?«

Später, als sie mit ihrem Vater allein in einer Bar saß, erzählte sie ihm diese Worte und lachte laut darüber. Der Vater sah sie von der Seite an. Dann sagte er: »Jetzt trinkst du aber nichts mehr.«

»Gut. Ich tue immer, was du sagst«, antwortete Wera. Und beim Weggehen meinte der Vater: »Helfen kann ich dir natürlich auch nicht.«

»Keine Angst, man kommt darüber weg. Wenn der Valetti nur nicht so verflucht edel wäre, ich meine jetzt, in puncto ehelicher Treue. So ein Esel. Da wärst du anders, was?«

»Wer kann über seinen Schatten springen?« fragte der Vater.

Wera meinte, jetzt lächle er diplomatisch, und fügte hinzu: »Du weißt heute, was an solchen Gefühlen dran ist und daß sie nicht viel taugen. Aber dahinter kommt man eben erst viel später.«

Sie versuchte immer, sich während der ganzen Affäre genau zu beobachten und sich klarzumachen, wie es um sie stand. Anmerken ließ sie sich nichts, und außer ihrem Vater wußte niemand davon; aber sie stellte fest, daß sie jetzt manchmal, wenn nicht gerade unzurechnungsfähig, so doch mindestens häufig geistesabwesend war und nicht ganz mit der Wirklichkeit zurechtkam.

Einmal besichtigte man mit der Schauspielschule das Opernhaus, schaute die Bühne, den Schnürboden und die Garderoben an und stieg zuletzt auch auf das Dach hinaus, um den Blick über die Stadt zu genießen; dabei mußte man über eine enge Wendeltreppe zu einer Dachluke emporsteigen. Hinter Wera kam Frau Irene Valetti, eine hübsche, schwarzhaarige und lustige Person, die, als ihr Wera die Hand entgegenstreckte, um ihr aus der Luke herauszuhelfen, sagte:

»Ach, das ist aber nett von Ihnen. Ausgerechnet zu mir sind Sie so freundlich?«

Wera runzelte die Stirn und dachte: Wer zieht mich ans Licht heraus?

Frau Valetti sah sie an, als habe sie Mitleid mit ihr, und drum hätte ihr Wera am liebsten ins Gesicht geschlagen, obwohl sie wußte, daß Irene Valetti eine bewundernswerte Frau war. Sie mußte das zugeben, wünschte aber im stillen, daß sie ein sanftes, langweiliges Täubchen sei. Es war sehr schade. Aber als man später in der Schauspielschule einen Aufsatz über »Werthers Leiden« schreiben mußte, rächte sich Wera, indem sie schrieb, sie könne es nicht verstehen, daß Werther auf ein solch sanftes Täubchen wie Lotte hereingefallen sei, und drum geschehe es ihm recht, daß er sich habe erschießen müssen. Valetti las ihren Aufsatz der Klasse vor, manchmal lachten die Burschen und Mädchen, und zum Schluß sagte einer, man wisse nicht, wie dieser Aufsatz gemeint sei, ob komisch oder ernst. Valetti schaute zu Wera hinüber, die erstaunt sagte: »Ernst natürlich. Daß ihr das nicht gemerkt habt, wundert mich. Vielleicht seid ihr zu dumm dazu?« Sie machte dabei eine entrüstete Miene, und schließlich lachte auch Valetti.

Trotzdem blieb ein beklemmendes Gefühl zurück. Wera redete von nun an nicht mehr freimütig mit den andern, wurde schweigsam und reagierte bitter auf besorgte Fragen aus dem Freundeskreis. Nimm dich doch zusammen, sagte sie zu sich selbst, wenn sie bemerkte, wie man sich kopfschüttelnd von ihr abwandte, spürte aber bald, daß ihr das nicht mehr recht gelingen wollte.

Sie spielte dann in »Clavigo« die Rolle der Marie, die von ihrem Geliebten zugrunde gerichtet wird. Man probte im verwilderten Garten der Pension »Elvira«, wo Valetti wohnte. Es war ein heißer Sommernachmittag, und die Zuschauer – Leute aus der Pension, ein Schriftsteller mit grauen Haaren und einem überzüchteten, schmalen Gesicht, in dem eine Hakennase und ein abwesendes Lächeln auffielen, eine Pianistin mit Ponyfrisur, dicklich und quicklebendig, sowie eine etwas müde Dame mit zerzausten Lokken, die, auf einem altmodischen weißlackierten Eisenstuhle sitzend, die Stirn in die Hand stützte und die Augen meistens geschlossen hatte – sie alle hatten es sich unter den Schauspielschülern im Gras bequem gemacht, während Wera mit Valetti probte.

Sie hatte weiße Tennisschuhe an und bewegte sich auf einem kiesbestreuten, von hohen Bäumen überhangenen Platz wie eine Schlafwandlerin und schaute kaum auf; ihre Blicke gingen ins Leere, und wenn sie beim Sprechen die Arme bewegte, war's, als rede sie mit einem Unsichtbaren. Nachher meinte der alte Schriftsteller, der sich im Gras ausgestreckt hatte und mit einer jungen Katze spielte, Fräulein Jordan gehöre wohl zu den Schauspielerinnen, die immer nur sich selber spielten; das sei ein großes Plus, schließe aber wohl auch eine gewisse Gefahr in sich, der Fräulein Jordan allerdings leicht entgehen könne, weil sie ja vielerlei Menschen in sich verberge. Ob sich das übrigens nicht bei jedermann so verhalte? Na ja ... Und der Mann lächelte und streichelte die Katze.

Wera kam es vor, als wisse hier jeder, daß sie Valetti liebte. Irene Valetti brachte ein Tablett mit Gläsern und einem Krug Zitronenlimonade in den Garten und verteilte Strohhalme. »Danke«, sagte Wera, »ich brauche keinen. Damit geht es mir zu langsam«, und Frau Valetti fragte: »Muß es denn immer schnell gehen?«

»Machen Sie sich doch nicht immerzu über mich lustig!« fuhr es Wera heraus.

Nachher saß sie allein in einem Café und ließ sich vom Kellner einen Bleistift und eine Postkarte bringen. Sie hatte sich in die hinterste Ecke gesetzt und sah sich nun nach allen Seiten um, ob man ihr beim Schreiben nicht zusehen konnte. Dann kritzelte sie rasch die Worte: »Verehrte Frau, Ihrem Gatten läuft eine Achtzehnjährige nach, und er liebt sie jeden zweiten Tag im Hotel ›König von Ungarn‹ – eine Wohlmeinende« auf die Karte und adressierte sie an Irene Valetti. Die Unterlippe vorgeschoben und den nackten Ellbogen auf die Tischplatte gestützt, die unter einer Glasplatte mit lustigen Bleistiftkritzeleien bekannter Künstler der Vergangenheit geschmückt war, betrachtete sie dann ihr Werk und dachte: Wer weiß, vielleicht tut Frau Valetti so, als hätte sie meine Karte nie bekommen, und lädt mich einmal zu sich ein? –

»Ich erwarte Sie heute abend im Stadtpark hinter den früheren Hofburg-Stallungen, die jetzt zu Garagen umgebaut sind. Sie wissen doch, wo das ist? Na schön ...« sagte Valetti am nächsten Tag nach dem pantomimischen Kurs zu ihr, wo Wera zur allgemeinen Erheiterung – und auch Valetti hatte in das Gelächter mit eingestimmt – ein Mädchen unter der Dusche dargestellt hatte. »Ach, Fräulein Jordan, zeigen Sie uns doch bitte mal, was man alles mit dem Körper ausdrücken kann«, hatte Valetti gesagt, und so prüfte sie denn auf der kleinen Bühne zuerst mit den Fingerspitzen ein unsichtbares, von oben herabrieselndes Wasser, zuckte dann zurück, schraubte es kühler, wand sich wohlig und versuchte immer wieder eine bestimmte Stelle zwischen den Schulterblättern mit der Seife zu erreichen, bis sie ihr aus der Hand rutschte.

So unterhielt sie alle, und Valetti, dieser Filou, bestellte sie dafür in die einsamste Gegend des Stadtparks, wo sie sich am Abend bereits eine Viertelstunde früher einfand, als die Wiesen im Schmuck blühender Gräser stäubten. In der Ferne ragte ein zerstörter Tempel im griechischen Stil wie eine erstarrte Hand auf. Wera war etwas betäubt, zwang sich aber, alles scharf zu sehen, und ging, einen Finger an die Lippen gepreßt, in einen schmalen Seitenpfad hinein, der vor einer Backsteinmauer endigte. Sie hörte jemand kommen, schaute aber nicht zur Seite, sondern sah die Backsteinmauer an. Als Valetti neben ihr stand, sagte sie: »Haben Sie einen Bleistift dabei?«

Er gab ihr seinen silbernen Drehbleistift, und sie fing an, ein Gesicht mit langen Haaren und großen dunklen Augen auf eines der roten Vierecke zu zeichnen, aus denen sich die Mauer zusammensetzte. Den Mund ließ sie weg, und Valetti sagte: »Hier fehlt etwas.« Er deutete auf die Stelle, aber Wera schüttelte den Kopf. Dann zeigte er ihr die Karte, die sie gestern im Café geschrieben hatte, und fragte: »Ist das von Ihnen?«

Sie nickte.

»Sie sind die niederträchtigste Person, die mir jemals begegnet ist«, sagte er. Wera nickte wieder und kritzelte nun einen Vogel, der mit gespreizten Schwingen unter einem schweren Fuß am Boden lag, auf die Mauer, zeichnete auch noch weiter, als Valetti gegangen war, und nahm den Bleistift mit nach Hause. Am nächsten Vormittag gab sie ihn Valetti vor allen anderen zurück und sagte laut:

»Das haben Sie gestern bei mir liegenlassen.«

Damit war es aus. *(1954)*

Das Oleanderblatt

Lothar Jordan, ein Mann in mittleren Jahren, ging zum Hotel Royal, wo er wohnte. Es war hell und warm, hinter ihm dröhnten die Militärkapellen einer amerikanischen Parade, und das Aufheulen von Panzermotoren mischte sich in die schwerfällige Musik. Die Straße war fast leer. Es roch nach Benzindunst und Asphalt, und überm Seitenflügel des zerstörten Schlosses, wo hinter leeren Fensterlöchern da und dort Goldspuren an den Mauern blitzten, kreiste ein Falke; wenn er sich zur Seite neigte, sah man die rostbraune Unterseite seiner Flügel.

Es war viertel nach zwei. Um vier war die Feier im Krematorium, und Jordan konnte sich Zeit lassen. Er bog in die Rosengasse ein, wo es heute, der Parade wegen, sehr still war. Ein offener Wagen fuhr vorbei, und seine Tochter Else, die Filmschauspielerin, winkte heraus; ihre metallisch blonden Haare flatterten im Wind.

Dann kam er zum Schottentor, das früher zur Stadtmauer gehört hatte. Eine alte Brücke führte über einen braun vorbeischäumenden Bach, und dahinter lag das Café Sela.

Hier war er anno 41 Kläre begegnet. Er hatte Urlaub gehabt, war aus dem Café gekommen, und vorne an der Ecke, wo der verschlafene Jakobsplatz begann, hatte er sie getroffen. Es war mild und lau gewesen, und in der dunstigen Luft hatte es nach faulendem Laub gerochen. Angegilbte Blätter huschten über das Trottoir, und die Bäume waren grün, aber schon schlaff.

Kläre sagte, indem sie aufs Trottoir zeigte: »Schau, lauter leere Hülsen . . .«

»Ja«, sagte Jordan, »unsere Vergangenheit.«

Wie Vogelspuren hatten sich die Fältchen in ihrem Gesicht vermehrt, nur das Haar war gleichgeblieben: blond, mit grauen Fäden dazwischen. Sie sah ihn an und fragte:

»Du kommst aus Frankreich? Man sagt, du hättest dich freiwillig gemeldet. Norbert ist u. k. gestellt. Weißt du übrigens noch, wer Norbert ist? Mein Mann.«

»Freiwillig ist nicht ganz das richtige Wort. Aber lassen wir es gut sein, Kläre.«

»Bist du meinetwegen weggegangen?«

»Es ist mehreres zusammengekommen, weißt du.«

»Du, ich bin krank. Bei mir dauert es nimmer lange«, sagte sie.

Jordan nahm ihre Hand, und sie gingen unter den Bäumen weiter. Es war ihm unbehaglich, weil jetzt eine sentimentale Stimmung zwischen ihnen aufkam, und drum zeigte er Kläre einen Raben, der vor ihnen auf dem Pflaster zwischen hüpfenden Spatzen stolzierte und in Abfällen herumpickte. »Ein alter Knabe«, sagte er, »aber der überlebt uns alle ...« Und sie schauten dem Vogel zu, der unter den Spatzen besonders groß erschien; sein blauschwarzes Gefieder glänzte, und am Schnabel hatte er weißlichen Flaum. Manchmal zuckte er mit dem Schnabel gegen einen Spatzen und scheuchte ihn beiseite.

»Er gefällt dir«, sagte Kläre.

»Ach, der ist nur in die Stadt geflogen, weil es ihm auf seine alten Tage im Wald zu mühselig ist. Hier kriegt er sein bißchen Fressen bequemer zusammen. Übrigens: Brauchst du französisches Parfüm? Ich habe zufällig davon bei mir.« Und Jordan nahm ein violettes Fläschchen aus der Tasche.

Kläre blieb stehen und drehte es in den Fingern. Sie las das silberne Etikett und sagte: »›Passionément‹ ... Das klingt ja fast kitschig. Du, ist das dein neuer Stil?«

»Es hat dieselbe Farbe wie der Rabe«, sagte Jordan und lächelte.

»Der Totenvogel?« fragte Kläre. »Ein passendes Geschenk. Damit werde ich mich noch einmal aufmöbeln.« Und sie steckte es in ihre Handtasche und ging weg. –

Das war vor zehn Jahren gewesen. Kläre war einundfünfzig Jahre alt geworden. Vorwürfe brauchte er sich keine zu machen, denn er hatte sich ihr gegenüber immer sehr korrekt verhalten: Er hatte ihr das Unsinnige ihrer Empfindungen klargemacht, aber heute spürte er ein schales Gefühl. Es gehörte nicht viel dazu, eine Frau abzuwehren, und wenn man die eigenen Empfindungen erstickte, so tat man es meistens nur aus Feigheit. Aber er hatte in der Liebe schon einmal ein hohes Lehrgeld zahlen müssen, und wenn sich die eigene Frau vergiftet hatte, konnte niemand verlangen, daß man freudig überrascht war, wenn man von neuem zu dem altbekannten zerstörerischen Kampf aufgefordert wurde. Man hatte sich deshalb zurückgehalten, obwohl man heute zu sich selber sagen mußte, es sei falsch gewesen. Hatte er ihren Tod verschuldet?

Wer weiß, vielleicht hat es sie ausgezehrt, daß ich kalt geblieben bin, dachte er, als er dann zum Hotel Royal zurückging. Er fühlte sich unsicher und dachte in seinem Zimmer, während er die Kleider wechselte und die Teppiche auf den gelbglänzenden Dielen anschaute, über die Fehler nach, die er gemacht hatte. Freilich, es war alles falsch gewesen, und sie hatte das richtige Gefühl gehabt. Aber sein Fehler saß tiefer, weil er in seiner Natur begründet und es ihm schon immer versagt geblieben war, sich hinzugeben. Der Schock, der ihm durch den Tod seiner Frau zugefügt wurde, hatte ihm Furcht eingejagt.

Aber nun war es Zeit, um zum Krematorium zu fahren. Er bestellte sich durchs Telefon ein Taxi und verließ das Hotel.

Auf dem Weg zum Friedhof waren die Straßen von Wagen und Menschen überflutet, und sein Auto mußte einen Umweg fahren. Er saß hinter dem Chauffeur, dessen breiter Rücken schwer war wie ein Klumpen feuchter Erde, während die Scheibe vor ihm einen weiten Blick auf eine helle Straße freigab, wo hohe Neubauten mit gläsernen Wänden aufstiegen. In der Mitte der Scheibe steckte eine Photographie der Filmschauspielerin Else Jordan, die eine Art Faschingskostüm mit kurzem, silberglänzendem Zylinderhut trug; sie lächelte verschleiert, stützte sich auf einen Stock und zeigte ihre nackten Beine. Vor der Scheibe flog eine Taube vorbei, und ihre Flügel streiften fast das Glas. Der Chauffeur fluchte. Dann glitt die Mauer des Zentralfriedhofs vorüber, und man hielt vor dem Eingang, wo zwei Türme aus Backstein emporragten, von denen einer nur noch ein ruinöser Mauerstumpf war.

»Wissen Sie, wen Sie gefahren haben?« fragte Jordan den Chauffeur. »Den Vater dieser Dame.« Und er deutete auf die Photographie der Filmdiva.

Der Chauffeur überhörte es, Jordan bezahlte ihn und ging in den Friedhof hinein, wo da und dort Kinder zwischen den Grabsteinen herumliefen. Einige Autos fuhren vorbei, und es kam Jordan vor, als habe er in einem von ihnen Norberts schmales und bleiches Gesicht gesehen. Dabei erinnerte er sich daran, daß Kläre nicht begraben, sondern verbrannt wurde, und dachte an einen Ausspruch von ihr, als man über den Nachlaß eines toten Dichters sprach; sie sagte damals: »Bevor man stirbt, soll man alles verbrennen und nichts zurücklassen.«

Vor der Kapelle standen viele Wagen, und aus den Baumkronen wehte Kühle her. Die Steinstufen der Kapelle strömten Hitze aus, und als Jordan hineinging, war die Trauergesellschaft schon versammelt. Der Sarg ragte in der Mitte auf, er war mit Blumen zugedeckt, und auf den Stühlen in der ersten Reihe saß Norbert zwischen seiner Tochter und einem jüngeren Mann. »Der Sohn ist in Rußland gefallen«, hörte Jordan neben sich eine Stimme sagen, und er wich etwas zur Seite, weil er nicht wollte, daß man ihn erkannte.

Während der Pfarrer redete, dachte er an Kläre und fragte sich, ob ihr nun drüben alles, was sie hier außerhalb ihres geregelten Daseins durchlebt hatte, vielleicht sogar zu ihren Gunsten angerechnet wurde. Denn es war möglich, daß drüben andere Maßstäbe als hier galten und alle regelwidrigen Erlebnisse nach einem anderen System bewertet wurden. Was sie bewegt hatte, war nie offenbar geworden, und er selbst hatte auch nur das Äußere gesehen, ihr erstarrendes Lächeln, wie sie sich auf dem Boden festsah, oder daß sie ihm nach längerer Zeit, da er sie nicht gesehen hatte, plötzlich grau im Gesicht vorgekommen war, später dann schmal, eingefallen und mit jener spitzen Schärfe um die Nasenflügel, die bei alternden Frauen, die blonde Haare haben, oft die Gesichtszüge verändern. Aber all dies verriet nichts von ihr. Man hätte wissen müssen, was sie gedacht hatte, aber das war nun nicht mehr zu ergründen. Übrigens war es klug von ihr, daß sie sich verbrennen ließ, weil sie dann im Unsichtbaren blieb, dünn wie Luft und heiß wie das Feuer, von dem nur ein Schein die Erinnerung belebte.

Ja, er wußte nichts von ihr. Am Ende eines langen Trottoirs, das den Platz hinterm Café Sela einsäumte, sah er sie stehen, und das Trottoir war ein schmales Band von seinen Füßen bis zu ihr. Als schlankes Figürchen stand sie vorne in ihrem grünen Kostüm und hatte zerzaustes Haar. Sie schaute noch einmal zurück, ging dann über die Straße und verlor sich im Gewühl . . .

Nun senkte sich der Sarg zwischen den Oleanderbüschen, die ringsum aufgestellt waren, in die Tiefe, und die Trauergäste verließen langsam die Kapelle. Jordan hatte immer noch eine Redewendung des Pfarrers im Ohr, und während er wartete, um die andern hinauszulassen, hörte er: »Dem Herrn hat es gefallen, ein Leben zu beenden, das sich im Muttertum erfüllt hat«; er fragte sich, ob Kläre mit ihrem Leben zufrieden gewesen sei. Dann riß er eines der kühlen und glatten Oleanderblätter ab und steckte es in seine Tasche.

Als er ins Freie trat, war der Platz leer, und er ging die lange und breite Straße hinunter. An ihrem Ende ragten die beiden Türme, von denen der eine zerstört war, neben dem Tor auf. Ein Taubenschwarm löste sich vom gezackten Mauerstumpf und verschwand im Nachmittagshimmel, der einen lilafarbenen Hauch angenommen hatte und durchsichtig geworden war. Als Jordan sich umwandte, stieg aus dem Krematorium, das wie ein altertümlicher Festungsplan aufragte, eine bräunlichgelbe Rauchwolke empor.

Er ging durchs Tor und stand Norbert gegenüber, der sich in der Eingangshalle eine Zigarette anzündete. Norbert war etwas größer als er, und in seinem bleichen Gesicht, das vom Schmerz verfeinert war, leuchteten rote Äderchen, als seien sie ins Fleisch hineingeritzt. Seine großen blauen Augen waren ungetrübt, nur das kurze und dünne Haar über der hohen Stirn schien weißer geworden zu sein. Der schwarze Anzug machte ihn noch blässer. Er lud Jordan ein mitzufahren und sagte, seine Tochter und sein Schwiegersohn wohnten auch im Hotel Royal.

Jordan wurde dem Schwiegersohn, einem Museumsdirektor in einer mittleren Stadt, vorgestellt. Die Tochter, jetzt etwa dreißigjährig, sagte, als ihr Jordan die Hand gab: »Ich erinnere mich noch an Sie, aber ganz vage. Allerdings, die Mutter hat von Ihnen nie etwas erzählt. Sie wissen doch, daß mein Bruder in Rußland gefallen ist?«

Jordan sagte, er habe erst kürzlich davon gehört, aber wer's ihm erzählt habe, wisse er nicht mehr. Die junge Frau hatte grobe Gesichtszüge, weil sie schwanger war. »Wollen wir nicht einsteigen?« fragte Norbert, als die Unterhaltung für einen Augenblick stockte.

Im Fahren – er saß neben Norbert im hinteren Teil des Wagens – redete man kaum etwas, und Jordan huschten Erinnerungen an Kläre durch die Sinne. Er hörte ihre Stimme ganz nahe, als dringe sie aus der Ohrmuschel eines Telephonhörers, denn vor Zeiten hatte er öfters mit ihr telephoniert. Und nun führten sie wiederum ihr erstes Telephongespräch, und sie sagte: »Ich arbeite doch für Norbert: für seine Mikrobenuntersuchungen aus den Abwässern, da lese ich ihm die schwierigen Korrekturen. Lange Seiten mit Tabellen, wo man jede Zahl genau nachprüfen muß, und das geht jetzt sehr rasch bei mir. Schrecklich sind nur die öden Zwischenzeiten, wo nichts los ist. Da ist's, als gehe man durch eine Wüste ... Ja, Sie haben recht, Lothar: im Augenblick lasse ich es mir in einer Oase wohl sein und lebe auf. Allerdings, wie das bei Ihnen ist, weiß ich natürlich nicht, denn manche halten solch eine Sympathie – oder wie Sie es nennen wollen – für eine Geißel Gottes. Was sagen Sie? So ähnlich komme Ihnen das auch vor? Na, sehen Sie ... Nein, ich werde nicht von meinem Gewissen gepeinigt, obwohl ich es bei Ihnen schon verstehen kann: Die Sache mit Ihrer Frau geht Ihnen immer noch nach, wie? Ja, so ganz tumb bin ich auch nicht. Und Sie denken: Wir beide haben noch ein ganzes Leben Zeit ... Habe ich Sie noch nicht deutlich genug merken lassen, wie es mit mir steht? Auf Wiedersehen, Lothar. Und ein bißchen Feigheit spielt auch bei Ihnen eine Rolle.«

»Das stimmt: Die Feigheit ist eine starke Macht. Freilich, es gibt Leute, die alle Hindernisse vor sich in die Luft sprengen und brutal ihren Weg gehen.«

»Man kann auch um die Hindernisse herumgehen.« – Nun sagte der Mann hinterm Steuer: »Hier darf ich nicht fahren, es ist eine Einbahnstraße«, und lenkte den Wagen in eine andere Richtung.

So kam man auf Umwegen zum Hotel. Jordan führte Norbert in sein Zimmer hinauf, und als man in der Leseecke am Fenster saß, fragte er:

»Wenn ich mich recht erinnere, so hast du damals gerade eine umfangreiche Arbeit über einen bestimmten Bazillus geschrieben, der nur in unseren Abwässern gefunden wurde?«

»Ach ja ... Das ist lange her. Weißt du, Lothar: In den Abwässern hab' ich den Bazillus schon gefunden und ihn auch genau klassifizieren können. Nur im Leben nicht ... Ich meine jetzt, daß ich oft darüber nachgedacht habe, was Kläre so gequält hat. Aber dahintergekommen bin ich nicht. Wahrscheinlich rührt es daher, daß ich mit ihr glücklich war. Ich bin eine einfache Natur.«

Jordan legte die Fingerspitzen aufeinander und schaute an Norbert vorbei auf den hellen Vorhang, über den Schwalbenschatten hinhuschten: Sichelflüglige Mauersegler, deren Schreie die Abendluft durchstießen, flatterten gegen das Dachgebälk, wo sie überm Fenster nisteten. Er sagte: »Genau läßt es sich nicht erklären. Und aus eigener Erfahrung kann ich dir auch keine Antwort geben. Die Sympathie – oder die Liebe –, die die Menschen zusammentreibt, kann man ja auch für eine Geißel Gottes halten. Jedenfalls gibt's Menschen, die werden gequält, wenn sie lieben, und wenn sie nicht lieben, ist es ihnen auch nicht wohl. Die Unruhe . . .«

Er schwieg, und Norbert erzählte von seinem gefallenen Sohn. Nach dem Abitur hatte er eine Stelle als Mechanikerlehrling angenommen, denn er wollte nicht studieren. »Das hat doch heutzutage keinen Sinn mehr«, pflegte er zu sagen. Auf seiner Stirn, dicht über der Nasenwurzel, hatte immer etwas Düsteres, Finsteres genistet wie bei jungen Arbeitern oder Arbeiterinnen. War es wirklich nur eine dumpfe, pubertäthafte Unzufriedenheit gewesen? Wahrscheinlich nicht. Er verkehrte nur mit seinen Freunden aus der Werkstatt und drückte sich beiseite, wenn Besuch ins Haus kam. »Die kenne ich. Die sind nur so wie du und Mutter«, sagte er, ging auf die Straße, holte sein Motorrad aus der Garage und fuhr in die Vorstädte hinaus.

»Er hatte eben genug von den Bürgern«, sagte Jordan. »Das imponiert mir. Im Grunde bin ich genauso. Mir gefällt auch nichts, was zum Beispiel meine Kollegen im Ministerium freut. Nirgends fühle ich mich zugehörig. Und so war Kläre auch. Sie hat etwas anderes gesucht.«

»Ja, aber was ist dieses Andere?«

Jordan zuckte mit den Schultern und krampfte seine Finger ineinander: »Für mich ist der Mensch immer noch das anziehendste Abenteuer. Jede neue Begegnung lockt mich. Festsitzen mag ich nicht. Meine Tochter Else . . .«

»Sie ist hier, hab' ich gehört?«

»Ja, aber nicht mehr lange. Sie könnte einen Amerikaner haben, einen Journalisten. Sie mag ihn auch. Aber sie muß wieder weg. Als Achtzehnjährige hat sie wie dein Sohn ein Motorrad gehabt. Und damals hat sie oft gesagt: Am wohlsten fühle ich mich, wenn mir mein Karren mitten auf der Landstraße verreckt und ich dahocken und warten muß, bis mich einer abschleppt. Was jetzt kommt, das ist interessant. Und dabei mußt du so richtig dreckig und bis auf die Haut durchnäßt sein, Vater.«

Norbert nickte: »Als er am Wolchow in den schlimmsten Kämpfen als gewöhnlicher Soldat dabei war, hat er mir geschrieben: ›Jetzt bin ich endlich dort, wo ich hingehöre. Das ist das Richtige für mich.‹ Er deutete auch einmal flüchtig an, daß er ein russisches Mädchen kennengelernt habe. Kurz darauf ist er gefallen.«

»Mit diesem Mädchen hättest du sprechen sollen. Sie hätte dir sagen können, wie er wirklich war. Und von ihr hättest du auch über Kläre was erfahren, indirekt natürlich, denn was für ihn gegolten hat, das hat auch auf sie zugetroffen. Ich weiß nicht recht, was ich sagen soll, denn ich tappe auch im dunkeln. Oder glaubst du, ich wisse mehr von ihr, etwa so, wie das Russenmädchen mehr als du von deinem Sohn gewußt hat?«

»Ich habe gehofft, du würdest mir heut eine Antwort geben.«

»Ach so, ich soll den Bazillus klassifizieren und genau beschreiben? Du verlangst viel, Norbert. Glaubst du, ich müsse etwas sagen können, weil ich den Bazillus auch im Blut habe? Aber ein Kranker weiß doch nie etwas von seiner Krankheit.«

Sie schwiegen eine Weile, und Jordan nahm das Oleanderblatt, das er im Krematorium mitgenommen hatte, aus seiner Rocktasche. Es war noch frisch, aber etwas zerknittert. Er legte es in seine linke Hand und betrachtete es, während vor dem Fenster die Schreie der Mauersegler immer lauter wurden. Flüchtig sah er auf und sagte: »Heute gibt's noch ein Gewitter. Immer wenn sie so wild sind, gibt es ein Gewitter.« Und zögernd versuchte er, Norbert klarzumachen, was es gewesen sei, das Kläre zerstört habe. Dabei schaute er in seine Hand und betrachtete das Oleanderblatt. »Ein Sinnbild hat sie beunruhigt, das wertvoller ist als jeder wirkliche Besitz: Du hast eine Lebendige und sehnst dich nach einer Verewigten, einem Marmorbild, das aus einem schleierigen Nebel aufragt. Es steht in einem verwilderten Garten, der sich in dir selber ausdehnt, und du siehst es manchmal, aber immer wieder verschwimmt es dir. Es bewegt sich nämlich und verändert sich auch, ist aber trotzdem immer dasselbe. Ihm gehst du nach. Ein peinlich beunruhigender Zustand, du kannst es mir glauben. Natürlich wäre es angenehm, wenn man ihm nicht ausgeliefert wäre.«

Nun war das Licht, das den Vorhang erhellt hatte, erloschen, und die Mauersegler schrieen in der Ferne. Jordan trat ans Fenster. Er sah auf den Schottenplatz hinunter, dessen Pflaster wie schwarz gewordenes Silber schimmerte. Der Brunnen in der Mitte zeigte seine beiden dünnen, gebogenen Wasserstrahlen, und das Innenministerium auf der anderen Seite streckte sich schwarz aus. Aus der Schottenkirche drang Orgelspiel herüber, und am Himmel näherte sich ein violetter, goldumränderter Wolkenfisch, zu dem gelbliche Staubwirbel aus der Stadt aufzüngelten.

»Siehst du, ich habe gewußt, daß ein Gewitter kommt«, sagte Jordan; er betrachtete wiederum das Oleanderblatt. Dann meinte er: »Unser Gespräch ist unklar geworden. Solch vage Vermutungen stimmen nie genau, und besonders tiefsinnig sind sie auch nicht von mir gemeint.«

Er lächelte und ließ das Oleanderblatt aus dem Fenster fallen.

(1955)

Der Käfer

Es roch dumpfig im hohen und schmalen Zimmerschlauch, wo die Regale bis zur Decke reichten, vollgestopft mit Büchern, die da und dort ihre Goldpressungen glänzen ließen, ein Glimmen zwischen zerfledderten Rücken, abgenützt und abgegriffen, darüber lappig hängende Broschüren, und hinter einer halb aufragenden Büchermauer war ein zweites Kabinett dämmerig hell. Durch ein Glasdach fiel Licht. Von dort kam mir ein Mann entgegen, lächelnd, als traue er mir nicht. Er hielt einen roten Leinenband mit dem Aufdruck »Mörike – Gedichte« in der Hand. 1848 war das Buch erschienen, es war die zweite Auflage seiner Gedichte.

»Ja, das nehme ich.«

Ich bezahlte und ging die enge Straße hinunter, in der sich seit hundert Jahren viel verändert hatte. Heute berührte mich Herbstluft, nachmittagsschläfrig, warm mit blauseidigem Himmel. Am Ende der Straße ragte ein vierstöckiges Haus mit zwei Giebelfenstern auf, und Girlanden aus Stuck, wie sie vor Zeiten modern gewesen waren, zierten die Wand. Mörike hatte dort gewohnt, einen Grundriß der Wohnung gezeichnet, jeden Stuhl darin vermerkt und bei den Fenstern die Aussicht beschrieben: »Über das Dach des Theaters hinweg mit dem goldenen fliegenden Engel.«

Ich ging zum Anlagen-Café und setzte mich unter der Markise an einen Tisch im Freien.

Nach einer Weile nahm ein Mann neben mir Platz. Aus der oberen Rocktasche, wo sein Taschentuch hervorsah, holte er ein Monokel und las die Karte, die ihm der Kellner gebracht hatte. Einen Stock mit Elfenbeinknauf, in den eine Goldmünze eingefügt war, hielt er zwischen den Knien fest wie einer, der längst nicht mehr hierhergehört, vor vielen Jahren vielleicht im offenen Einspänner zum Anlagen-Café gefahren ist und sich auf diesen Stuhl, mir gegenüber, gesetzt hat.

»Mörike«, sagte der Mann, »ich habe ihn gesehen.«

Sein Gesicht war dicht vor mir, die blau leuchtenden Augen, die verästelte Schrift der roten Äderchen auf seinen Wangen, und die Lippen: schmal, genau gezeichnet, frisch durchblutet, als wäre mir etwas Durchsichtiges nahegerückt. Und während er erzählte, sah ich, von seinen Worten aus der Vergangenheit hervorgeholt, die Schaufenster der Geschäfte hinter den Säulen des Königsbaus, an einem Nachmittag im Juni. Es war schwül und gewitterdunstig, kurz vor Mittag. Ein Offizier in der Uniform des Regiments »Königin Olga«, blau mit breiten Epauletten, stand, eine Zigarre rauchend, neben einer Säule. Eine Equipage fuhr vorüber, Hufe klapperten, man grüßte diese Equipage. Vor den Geschäften verdrängte der Schatten einer Wolke die Helligkeit, und für einen Augenblick schien es, als wäre unter den Vorübergehenden Platz geschaffen worden durch den Wolkenschatten, der den Gang hinter den Säulen dunkel machte. Eine Tür klappte ins Schloß, und aus einem Juweliergeschäft trat ein Mädchen, sah sich um, lächelte und bewegte einen schwarzen Fächer vor dem Gesicht. Ihr Krinolinenrock rührte sich über den Steinfliesen.

Dann kam Mörike heran.

Er ging langsam, den großen Kopf etwas zur Seite geneigt, mit schlaffem, gelblichem Gesicht. Unter der Stirne – »ein richtiges Gebäu von Stirne«, hörte ich – spiegelten seine Brillengläser, die Augen verdeckend, und so kam er heran im schwarzen Bratenrock, die Hände auf dem Rücken. Wie verwischt war sein Gesicht unter dem Stirn-Gebäu, geschützt von den Brillengläsern. Nun eine Kopfwendung, ein Lächeln der erschlafften Lippen, und plötzlich wurden seine Augen sichtbar, groß und blau. Er grüßte die junge Dame vor dem Juweliergeschäft. Sie näherte sich ihm, sie verneigte sich, den Fächer zusammenklappend. Mörike gab ihr die Hand, und sie gingen ein paar Schritte bis zur Säule, wo der Offizier stand. Sie ging neben Mörike. Er redete nichts. Schlafwandlerisch trat er auf die Säule zu und blieb stehen. Der Sockel ragte scharfkantig vor, und darüber rundete sich der Steinwulst mit dem Schaft. Die Ecke der Säule war wie ein spitzer Kiel geformt; Mörike beugte sich darüber, hob die Hand und berührte mit dem Zeigefinger einen goldgrün glänzenden Käfer, der dort saß. Der Käfer regte sich, er erschien merkwürdig groß, und nun sah Mörike den Offizier an. Hinter den Gläsern blaue Augentiefen, sagte er: »Der ist nicht tot.« Und wieder dieses plötzlich aufspringende Lächeln, jetzt ins Verschmitzte gewandelt, und eine Handbewegung zu der jungen Dame. Dann ging er zwischen den beiden hindurch.

Der Offizier und die junge Dame betrachteten den Käfer, der seine Fühler rührte und zweimal, sich aufrichtend, die goldgrünen Decken spannte mit durchsichtig rosaschimmernden Flügeln darunter. Die Sonne kam wieder hervor, der Offizier spürte sie heiß auf den Schultern und im Nacken, und von ferne her, anschwellend mit Geklirr und Klingeln und dem schweren, dunkelblauen Ball des Trommeltons, die aufziehende Wachkompanie …

»Mehr ist nicht geschehen«, sagte der Mann, nahm seinen Stock an sich, stand auf und ging.

Später, einige Wochen nach dieser Begegnung – inzwischen war ein grämlich nässender, dunkler November eingefallen –, war ich wieder einmal im Büchergewölbe, wo nun eine Glühbirne, an einer langen Schnur hängend, zwischen den Regalen brannte, der Antiquar mich wie immer halb freundlich, halb mißtrauisch über seine halbierten Augengläser hinweg ansah und erzählte, vor zehn Tagen sei einer gestorben, ein gewisser Generalleutnant von G., einundneunzig Jahre alt. Jeden Tag sei er im Anlagen-Café zu sehen gewesen, zur festgesetzten Stunde, nachmittags, mit seinem Elfenbeinstock eine unverwechselbare Erscheinung. – »Im Knauf eine Goldmünze, nicht wahr?« fragte ich. – »Ja, derselbe. Ein Monokel hat er auch getragen, und zur Suite des Königs hat er gehört, und der letzte ist er gewesen, der den Mörike noch gekannt hat.« *(1956)*

Die Muse

Der Musiker Mathias Mandelsloh wohnte in Stettenheim, einem Dorf, nicht weit von der Ditzenburger Landstraße, die, glatt asphaltiert, der Stadt zueilt. Unterhalb einer in den letzten Kriegstagen gesprengten, nun aber aus Eisenbeton neu erbauten Brücke weist ein schiefer Wegzeiger unter Obstbäumen nach Stettenheim. Die Straße, die dort beginnt, kennen nur wenige, denn sie ist weißsandig und schlaglochholperig, wie früher alle Straßen hier gewesen sind.

Wer noch im vorigen Jahr dort weiterging, konnte einem Mann begegnen, der mit kurzen Fingern in sein struppiges, fuchsrot und grau meliertes Haar fuhr, im Gehen schnaubte, baßdröhnend sang und mit sich selber sprach. Er kam eingezogenen Genicks daher, aus aufgerissenen Augen glotzend, den Mund verschlossen, daß sich die Lippen überm Kinn wulstig vorwölbten. Ein Pferdegespann nahm hier einmal mit hochgeworfenen Schwänzen vor ihm Reißaus.

Dieser Mann war Mandelsloh.

Er wohnte in einem baufälligen Gartenhaus, das zum Flohbergerschen Anwesen gehörte. Flohberger, ein Raufbold und liederlicher Bauer, hatte es teuer an Mandelsloh vermietet, und der Musiker ließ jeden Herbst, bevor er in die Stadt zog, neue Fensterläden am Gartenhaus anbringen und schenkte die alten Flohbergers Tochter, die sich Anita nannte. Sie lenkte, eine Zigarette in geschminkten Lippen, den Bulldog oder – wie man heute sagt – den Traktor ihres Vaters. Nacktbeinig, den Rock über den Schenkeln gespannt, fuhr sie in der Früh an Mandelslohs Behausung vorbei und ließ den Motor knallen. Der Musiker stieß den Fensterladen auf, erschien im Nachthemd mit seinem Gnomenkopf und lächelte. Anita nahm die Zigarette aus den Lippen, rief: »Heut abend bin ich beim Polgreen!«, und Mandelsloh ballte die Faust, zornrot, als wolle er mit dem Kopf die Mauer sprengen oder herunterspringen, die spöttische Anita vom Bock des fauchenden Bulldogs reißen und ins Gartenhaus schleppen. Aber dann kamen ihm immer Tränen in die Augen.

Anita fuhr ratternd weiter, und Mandelsloh rasierte sich am offenen Fenster. Zuweilen warf er Pinsel und Rasierapparat fort, durchwühlte seinen Tisch nach einem Bleistift und kritzelte krause Notenschrift auf den Fensterladen. Dieser Kritzeleien wegen schenkte er im Herbst, bevor er mit Sack und Pack in die Stadt zog, Anita die Fensterläden. Sie verschacherte sie in der Stadt an ihre Freunde, snobistische Jünglinge aus dem Funkhaus zumeist, gewann einen Batzen Geld dafür und erhielt sich mit diesen Fensterladen-Autographen des bekannten Komponisten Mathias Mandelsloh die Freundschaft ihrer Gönner, die – obwohl fast unempfindlich für die Reize einer Frau – Anita versprachen, sie würden sie noch einmal »beim Funk ganz groß herausbringen« und ihre Karriere als Fernsehstar sei eine klare Sache, nur müsse sie sich noch eine Weile gedulden, weil der Wind im Funkhaus augenblicklich noch etwas ungünstig stehe; aber wenn die rotblonde Programmdirektorin des Fernsehstudios, die Jo von Rappen hieß, endlich gestürzt sei, komme Anita obenauf, das sei schon lange abgemacht.

Polgreen war ein Mulatte und Jazztrompeter, der Mandelslohs Kompositionen spielte, ein von allen Seiten Geld scheffelnder Mann, der einen schwarzen Cadillac mit nickelblitzender Führergondel und grünen Scheiben fuhr, ein Straßenschiff, das, sobald es am Rand von Stettenheim auftauchte, das Dorf in fiebernde Erregung brachte. Und der Mann selbst, groß und braun, den Würde umgab, war Anita gegenüber von nachsichtiger Milde und versäumte nie, Mandelsloh, vor dem er sich jedesmal tief verneigte, wenn er ihn im Flohbergerschen Gartenhaus besuchte, zu versichern, daß er niemals mit Anita –. »Oh, du es doch solltest allmählich wissen. Ich dir nie wegnehme, Fräulein Flohberger!« Und er lachte leise, Mandelsloh schnaubte, stieß mit den Fäusten in die Luft, faßte den Tisch an, auf dem zwischen Notenbündeln und Papierfahnen Geschirr stand, und ließ ihn krachend in die Ecke sausen. Kaffee floß in die Manuskripte, die Polgreen hervorzog, mit seinem Taschentuch abwischte und zum Trocknen aufs Fensterbrett legte. Grimmig lachte Mandelsloh, zerriß die Noten und warf sie in den Garten.

»Unsere Sonate! Hinaus auf Flohbergers Misthaufen, daß die Ratten sich drin paaren! O du, du –«

Mandelsloh verstummte, stellte sich in die Ecke neben dem zerwühlten Bett und kaute, ein beschämtes Kind, an den Nägeln seiner Fingerstummeln. Dann ließ er sich von Polgreen in den Garten führen, wo beide die Papiere einsammelten, und Polgreen sagte, er werde sie zusammenkleben, denn für das Konzert morgen abend im Funkhaus, wo die Sonate gespielt werden sollte, mußte die Partitur fertig sein. »Willst du?« fragte Mandelsloh, die Blätter über dem Kopf schwenkend. »Dieses Krötengeunk willst du spielen, Polgreen? Oh, ihr, die ihr nichts ahnt von der Woge, mit der ich euch überschwemmen werde! Nein!« Und er zerriß die Noten in winzige Fetzen und warf sie in die Senkgrube.

Polgreen lächelte: »Good ... very good. So es ist recht. Du wirst schreiben bessere Musik.« Mandelsloh sah ihn entsetzt an und stürzte davon, die Hände an die Schläfen gepreßt.

Der Mulatte ging zu seinem Wagen, schloß ihn auf und setzte sich ans Steuer. In ein Heft, das Notenpapier enthielt, schrieb er Notizen über den letzten Satz der Sonate auf, den Mandelsloh heute zerrissen und als »Krötengeunk« bezeichnet hatte. Heut war sie abgeschlossen worden, Mandelsloh würde sie neu schreiben und er, Polgreen, würde ihn morgen abend im Auto zur Premiere ins Funkhaus fahren.

Polgreen steckte sein Heft ein, zündete sich eine Zigarette an und ließ den Motor anlaufen, als Anita in den Wagen schlüpfte und »Hällou« sagte. Er nickte ihr zu, gab ihr sein Zigarettenpäckchen, und so, rauchend und bequem in die Sitzpolster gelehnt, fuhren sie der Stadt entgegen.

»Hat er wieder getobt?« fragte Anita.

»Ja, er hat.«

Anita lachte über Mandelsloh, während Polgreen unbewegten Gesichts den Wagen lenkte. Das Mädchen schien den Musiker zu verachten. Polgreen sagte zu ihr: »Von uns wird übrigbleiben nur ein Grabstein, er aber lebt schon hier in einem andern Reich.« Er fügte das Wort »Unsterblichkeit« hinzu und sagte: »Du lebst nur in deinem Fleisch und Blut, Anita. Das ist nicht viel.«

Sie schwieg. Er dachte, daß sie den Mund halte, sei ein gutes Zeichen. Wenn im großen Sendesaal des Funkhauses, wo er vor Mandelsloh, der ihn auf dem Flügel begleitete, die Trompete emporhielt, schreiende Rhythmen die Zuhörer aufpeitschten, die mit den Schultern zuckten und Hände und Beine schlenkernd rührten, als würden sie an unsichtbaren Marionettenfäden emporgerissen, die Ekstase der Rhythmen befreie sie von ihrem Fleisch und Blut und ihre Leiber spüle eine unsichtbare Woge hinweg, dann brach Mandelsloh plötzlich ab, drehte sich auf seinem Stuhl um und schrie, die Fäuste schüttelnd: »Oh, ihr verführten Kinder!« Später, wenn er schweißtriefend im Künstlerzimmer stand, viele Gläser mit Wasser hinunterstürzte, während draußen die Menge tobte, flossen ihm Tränen über die Backen, und er sagte zu Polgreen, seine Musik könne die Menschen nicht erlösen und darum müsse sie bald ins Feuerflüssige hinunterfahren, aus dem sie aufgestiegen sei. »Ich, der Knecht des Feuers!« rief er mit gedunsenem Gesicht. »Mein Urteil heißt: Verdammnis!« –

»Wenn es morgen gutgeht, haben wir Glück gehabt«, sagte Anita.

»Ich möchte nicht stecken in deiner Haut. Du bist schuld, daß er sich zerstört.«

»Besäß' er mich, so schrieb' er nichts mehr.«

Der Mulatte hob die Hand vom Steuer: »Ob er keine Erfüllung haben soll im Fleisch? Niemand weiß es.«

Es hieß, Künstler dürften im Irdischen nichts erreichen, sie müßten ihr Leben opfern, um Großes zu vollbringen wie gewisse Vögel, die am schönsten sangen, wenn sie in dunkle Kästen gesperrt wurden. Es gab Beispiele, die eine solche grausame Ansicht bestätigten, aber niemand wußte, wie viele eine unerbittliche Lebens-Sonne ausgedörrt hatte. Die Feuchtigkeit der Liebe war ihnen versagt geblieben. Es nützte nichts, darüber nachzugrübeln, und vielleicht vermochte er, Polgreen, der sich aufgerichtet hatte aus dem Menschenschlamm der Neuen Welt, seinem Freund durch Güte die scharfe Hitze seiner Besessenheit zu mildern. Und dann: diese Anita, die lebenshungrig und begierig schien, der heimatlichen Dumpfheit zu entrinnen, die glaubte, es sei ihrer Karriere schädlich, Mitgefühl zu zeigen, und es komme darauf an, unbeteiligt zu erscheinen und jeden Schritt zum Erfolg kühlen Sinnes zu berechnen – wie sah es wirklich in ihr aus? »Man muß sich in der Hand haben«, war eine ihrer Redewendungen, und Polgreen wußte, wie froh sie war, daß ihre Kollegen im Fernsehstudio für eine Frau meistens nur kameradschaftliches Wohlwollen empfanden. »Ihr seid meine besten Freunde: ihr riecht gut und wollt nichts von mir haben«, pflegte sie zu sagen, wenn sie spät in der Nacht nach anstrengendem Schauspielunterricht im Fernsehstudio auftauchte, um »den Kontakt nicht zu verlieren«. Tagsüber trieb sie das verlotterte Anwesen ihres Vaters um. Man dachte, sie sei haltlos und leichtsinnig, obwohl ihr eine seltene moralische Härte eigentümlich war, aber sie gab sich zynisch, und Polgreen wußte, daß es notwendig war, ihr glauben zu machen, man hielte sie gewissermaßen für verworfen.

Polgreen war verheiratet und hatte ein Kind, ein Mädchen.

»Du lebst unangefochten, Polgreen. Du bist zu beneiden«, sagte Anita.

»Ja, ich immer gewesen bin ein Bürger. Deshalb mich anziehen so hintergründige Frauen wie Anita.« Er lächelte.

»Mandelsloh ist ein armer Hund«, sagte sie.

»Endlich du es einsiehst, Anita. Du ihm mußt helfen.«

Sie schwieg. Ihr Gesicht war ernst und hart. Er dachte: wenn sie mit Achtzig im Betstuhl der Stettenheimer Kirche sitzt, wird ihr Gesicht wie aus Holz geschnitzt aussehen.

Sie sagte: »Es soll geschehen, wie du es wünschst, Polgreen.«

Sie sprachen dann noch über Bauernarbeit, und Anita sagte, bei solchem Wetter, feuchtwarm mit Regengüssen, sei es im Frühling schwierig, den richtigen Tag fürs Pflügen zu erraten, damit die Erde am Pflugeisen nicht schmiere.

Man kam in die Stadt, über die der Abend herabsank, ein Feuervorhang mit dunklen Wolkenfransen, die die Türme zu berühren schienen; über den Hügeln dehnte sich die Aura eines rosigen Dunstschleiers. Im Funkhaus brannten Neonlichtröhren, und das Gebäude glich einem mächtigen Bienenstock mit lilafarben erleuchteten Waben. Anita suchte ihr Fernsehreich auf, das Studio, das erfüllt war von fünfundvierziggradiger Trockenluft, eine hohe Halle, wo sich Kabelschnüre am Boden ringelten und im hitzeziehenden Scheinwerferlicht die Kamera an einem Eisenarm wie eine Schildkrötenfaust einschwenkte. Mit grell bemalten Kulissen war der Platz eines italienischen Dorfs aufgebaut, rot und grün gestreifte Markisen hingen vor einer Trattoria, und an Marmortischen mit geschweiften Eisenfüßen saß eine bunte Sommerfrischen-Gesellschaft. Weinranken aus bemaltem Blech wanden sich um die Fenster, hinter denen ein Lattengerüst die Kulissen stützte. Alles sah abgenützt und schäbig aus. Jemand spielte träg auf einem Klavier, Chopin. Ameisengeschäftig eilten Techniker vorbei, und in einem Nebenraum, einer Koje, wo ein Büro aufgebaut war, unterhielten sich durch zwei Telephone ein Knabe und ein Mädchen, sonnenbraun geschminkt und in Sommerkleidern. In einem Ledersessel schlief, steif ausgestreckt und mit bleich erstarrtem Gesicht, ein junger Mann, der eine anthrazitschwarze Haartolle trug. Anita faßte ihn an der Schulter. Er zuckte zusammen, riß die Augen auf und sagte: »Oh, du bist es ... Endlich ist ihr gekündigt worden.«

»Jo von Rappen?« Der junge Mann nickte. »Das haut hin. Wie habt ihr's gemanaget?«

Sie erhielt keine eindeutige Auskunft, weil es gefährlich für den jungen Mann war, Einzelheiten über eine sorgfältig gesponnene Intrige zu erzählen, in der sich die rotblonde Programmdirektorin des Fernsehstudios nun doch verfangen hatte, nachdem ihr viele fähige Mitarbeiter Netze, Schlingen und Fußangeln gelegt hatten. Endlich war es geglückt, und der Mann mit den Kohle-Haaren, der sich vor ihr in einem schwarzen Hemd und engen Samthosen gähnend aufrichtete, tief eingegrabene Augenschatten im gipsernen Gesicht, war an die Stelle der verhaßten Rotblonden getreten. Ihm hatte Anita zwei Fensterläden des Flohbergerschen Gartenhauses mit Bleistiftentwürfen der berühmten Mandelslohschen C-Dur-Symphonie geschenkt, und er hatte sie in seinem Atelier – denn er bewohnte ein Atelier, wo entzückende Feste mit befreundeten Kollegen (Damen verkehrten nicht bei ihm) gestartet wurden – als Wandschmuck aufgehängt.

»Du glaubst, ich kann bald bei euch einsteigen, Kai?«

»Übermorgen, Anita.« Und er erzählte von seinem Freund, dem Frauenarzt, der übermorgen eine Plauderei über Schaufenster-Dekorationen à la Chagall im Abendprogramm leiten werde und bei der Anita ihm witzig assistieren solle. Man lachte zusammen. Anita ließ sich das Rollenheft geben. Bevor sie ging, stieß sie mit Kai, der aus dem Starmix seinen berühmten »Heure-bleue-Cocktail« hervorzauberte, auf ein gutes Gelingen ihrer künftigen Arbeit an.

Wußte Kai, daß sie eine andere war als die, die sie ihm vorspielte? Bestimmt, obwohl er nie mit ihr darüber sprach. In der Bruthitze des Studios verbrachte er seine Jugend. »Anita hält uns alle für sympathische Schemen«, hatte er einmal gesagt. Mehr nicht. Und wie war es zwischen ihr und Mandelsloh? Da gab es nichts, was der Überlegung wert gewesen wäre. Morgen abend, nach seinem Konzert mit Polgreen, ging sie zu ihm ins Gartenhaus.

Die Augen zusammengezogen, die schweren Lippen fest aufeinandergepreßt, verließ sie das Fernsehstudio. Was sie empfand und dachte, wußte nur einer: Mandelsloh.

Anita ging in ihre Schauspielschule und fuhr in der Nacht nach Stettenheim zurück.

Am Morgen sah sie den Musiker nicht. Sie fuhr wie jeden Tag mit dem Traktor am Gartenhaus vorbei und ließ den Motor knallen, aber die Läden blieben fest verschlossen. Kein Gnom erschien im Nachthemd, das zerwühlte Haar wie eine schlechtsitzende Perücke gesträubt, denn Mandelsloh saß am Tisch und schrieb. Die Lampe brannte. Er dirigierte mit wildem Armwerfen, prustete und brummte, riß die Augen auf und schrieb grimmig verbissenen Mundes. Viele Seiten waren mit Noten-Saaten bedeckt. Manchmal lachte der Musiker, weil er an Polgreen dachte, der dieses Hagelwetter spielen sollte, das er nun auf das Papier niedergehen ließ. Aber es sollte heute abend alles zugrund geblasen werden. Die Fischblasen in den Brüsten der Zuhörer mußten platzen. Fischblasen statt der Herzen hatten sie. Ein Exempel der Verdammnis war zu statuieren, Statuen mußten umgeschlagen werden und Staub mußte staunende Münder stopfen. Gehirne gerannen zu Gips. Die Sonne gebar einen schwarzen Widder. Nur eine wußte es. Eine wußte alles. Eine.

Schluß.

In Flügelbuchstaben schrieb er FINIS unter das Blatt und lachte. Zu Ende. Aus. Für immer. Sein Vermächtnis. Keine gute Hinterlassenschaft, kein besänftigender Abschluß. Aber heutzutage besänftigte nichts.

Er stand auf, tunkte den Kopf ins Waschbecken und trottete mit triefenden Haaren zum Bett. Dort ließ er sich fallen und schlief ein.

Im späten Nachmittag ging er, nachdem er sich rasiert und im

Wirtshaus gegessen hatte, den weißen Weg zwischen Obstbäumen nach der Ditzenburger Landstraße zu, sang und gestikulierte, wie es seine Art war. Er redete laut mit sich selbst, rief Worte wie »Krötengeunk«, drohte mit geballter Faust und bemerkte nicht das Pferdegespann, das sich näherte und nun stillstand, obwohl der Bauer auf dem Bock die Peitsche knallen ließ. Mandelsloh ging weiter, schäumte und tobte, das Gesicht rot überlaufen, als plötzlich die Pferde ihre Köpfe lang vorstreckten, die Ohren zurücklegten und, den Wagen durch die regenpfützigen Schlaglöcher werfend, heranstampften. Ein weit aufgerissenes Auge und über langen Zähnen emporgerissene Pferdelefzen huschten wie Traumfetzen vorbei, dann traf ihn ein Hufschlag, und er sah nichts mehr.

Abends fuhr Polgreen in seinem Wagen am Gartenhaus vor. Er ging hinein und fand den Toten, auf das Bett gelegt. Anita war bei ihm und erzählte, er sei zu sich gekommen, habe gelächelt und etwas geflüstert, von dem sie nur die Worte: »Meine . . . Muse« verstanden habe. Dann sei er gestorben. *(1957)*

Erinnerung an Europa

Ich war mit einem anderen in Afrika. Er schoß einen Löwen, sagte: »Wir graben uns ein.« Also hoben wir ein Erdloch aus, darin wir beide stehen konnten. Über den Köpfen machten wir ein Dach aus Zweigen. Darunter saßen wir und warteten, doch ereignete sich nichts.

Wir wollten wieder hervorkriechen, als ein breiter Schatten in der Luft war. Ein Geier, den Hals nackt und faltig, pflockte auf dem Kopf des Löwen auf und pflückte sich ein Auge mit dem Schnabel. Der Löwe lag auf der Seite, seine Barthaare waren gesträubt und die Lider verkniffen. Wie einen Arm, der mit krummem Operationsmesser zugreift und schneidet, drehte der Geier seinen Hals dem anderen Löwenauge zu, indes neben ihm ein kleiner Vogel mit Wippschwanz und gesträubtem Kopfputz hüpfte und vielleicht im Fell nach Läusen suchte.

Bald schlichen auch die Grauen mit geduckten Köpfen und schleifenden Schwänzen her: demütige Schakale. Schnuppernd schnürten sie; einer hob neben mir die Pfote und blaffte leise, ein heiseres Geräusch. Sogleich verschwanden alle andern. Er schlich vorbei und kam als erster zu dem Löwen, biß in seinen Unterkiefer und holte sich die Zunge. Dann waren auch die andern da und schlitzten den Bauch auf.

Das waren Eingeweidefresser.

Die Schakale machten Platz, und eine dicke Schlange kam herbeigerutscht, schlich durch die Sudellache aus Blut und Gedärm, dort, wo zuvor der Löwenbauch gewesen war und nun ein schartiges Brustkorbgitter, einem krummen Lattenzaun vergleichbar, von Sonne durchschienen wurde. Die Schlange kroch zwischen ihm hindurch, hob den Kopf und züngelte, als wolle sie einen Triumph genießen, wahrscheinlich weil der Löwe sie und ihresgleichen nie beachtet hatte.

Aber ich ermüde Sie mit Details. Sie leben kultiviert, beschützt von Zivilisationsglätte, ein geschmeidiger Berichterstatter, der besucht den Abenteurer und wird im Blatt erzählen, wie er ihn antraf in einer leeren Kammer, in einem Haus, das abgebrochen wird, auf einem Feldbett hockend, die billigste Zigarettensorte paffend.

Sie haben mich durchschaut. Nie war ich in einer Savanne, nie im Urwald. Ich durchmesse lediglich die liebestrockenen Gebiete einer gemäßigten Zone und weiß, wer herfällt über einen Toten.

(1958)

Am Fluß

Spiegelndes Wasser hinter dürrem Schilf. Das war ein breiter, verschlafener Fluß. Die Schilfstauden hatten dürre und flaumige Büschel. Ein Eisenbahngleis führte vorbei; seine Schienen waren rostig, und zwischen den Schwellen wuchs Gras, das trocken war wie Polster aus Bast und feuchten Moosflecken dazwischen. Das trockene Gras erinnerte an ein Tierfell, und mit dem Schilf und der Flußweite erinnerte es mich an glückliche Stunden als Kind. Damals schnitt ich mir trockene Schilfhalme und steckte daumendicke Holunderzweigstücke darauf. Der Holunder hatte innen weißes Mark, so konnte ich das Schilfrohr hineinstecken, und der Pfeil für meinen Bogen war fertig. Dann schoß ich den Pfeil an den Himmel. Es war heiß, ich war allein. Am Ufer glitt ein grünglänzender Aal ins Wasser. Das Wasser machte plub, und der Aal war verschwunden. Der Fluß streckte sich glatt und schwarz aus. Ein Fisch schnalzte als silberne Sichel. Es war gewitterig, der Donner brummte in der Ferne. Der Fluß machte eine Biegung. Von Kalkfelsen rieselten Tropfen herab und plätscherten wie der Springbrunnen im Garten des Fabrikanten Büchsenstein. Oder es war Abend, und nasses Moos federte und schmatzte unter meinen Schuhen . . .

Hier am verschlafenen Fluß führten rostige Geleise über eine Brücke. Ich ging über die Brücke und dachte: Heute bist du sechsundvierzig Jahre alt. Meine Tritte hallten dumpf auf Eisenblech. Im Gebüsch lag aufgebrochenes Mauerwerk: ein gesprengter Bunker. Draußen flimmerte das weißliche Licht der Ebene, des Wassers, und hinter mir glühte ein rotes Schloß. Eine Insel streckte sich aus; sie war gebüschüberwuchert und struppig. Ein Frachtkahn zog vorbei. Vor einem niederen Haus mit gelblichem Verputz, der abgewaschen und mit Grauspuren vermischt war, dachte ich: Dort hinterm Fenster sollte mein Schreibtisch stehen, dann sähe ich auf den Fluß beim Schreiben. *(1959)*

Zum Eremiten

Meine Lippen waren salzig von Schweiß. Ich ging den Weg zwischen den Weinstöcken hinauf. Es war ein ausgewaschener und ausgefahrener Weg voll runder weißer Steine; ich rutschte mit den Schuhen darauf aus. Dann rauschte ein Auto vorbei. Von seinen prallen Reifen spritzten Kiesel in den Graben. Ich wurde weiß eingepudert und stapfte weiter. Leise summend glitt ein niederes Gefährt von unten herauf, spiegelnd in schwarz lackierter Glätte, ein feiner Autofisch, der sich elastisch auf dem Trockenen bewegte; am Hinterteil trug er einen schrägen Namenszug in Goldbuchstaben. Eine Dame mit rotem Kopftuch und olivfarbenem Gesicht saß darin, die Arme nackt, eine grüne Sonnenbrille vor den Augen. Unterm Kopftuch waren ihre Haare weiß.

Dann sah ich einen Turm zwischen den Weinstöcken aufragen; er war breit und klotzig und unter der Dachhaube mit Brettern verschalt, aus denen enge Fenster blinzelten. Die Luft war hell vom spiegelnden See, der sich draußen dehnte. Ein schwarz verwitterter Wegzeiger deutete mit morschem Arm zum Turm. In weißen Buchstaben stand ZUM EREMITEN darauf, als sei er mit Eulendreck bemalt.

Der Weg weitete sich, Wagen waren hintereinander gestaffelt, teure Gefährte in Weinrot, Grün und Schwarz, lauter glatte Metallrücken wie Schalentiere. Zwischen den Weinstöcken standen Bänke und Tische regenzerwaschen und grau neben einer Abfallgrube, alle besetzt mit Leuten, die sich sonst in teuren Bädern tummeln, gebräunt durch Dünen schreiten oder auf Promenaden trippeln. Damen ließen pralle Busen hinter dünnen Blusen ahnen, Männer mit haarigen Armen hatten goldblitzende Uhren am Gelenk. Die Männer und die Damen neigten sich über Holzbrettchen und aßen etwas Schwarzes mit den Händen; es sah wie getrocknete Fische aus. Ein dralles Winzerkind hob eine Holzschüssel über die Köpfe der schmausenden Gäste, stellte sie ab, griff hinein und klatschte neue Nahrung wie lederne Lappen auf die Holzbrettchen. Für jeden Lappen ließ sie sich einen grünen Zwanzigmarkschein geben, den sie in eine Umhängetasche stopfte, wie sie

Geldbriefträger tragen. Die Tasche hatte einen geschwollenen und rissigen Lederbauch. Ich sagte zu ihr: »Was gibt's hier?« – »Geräucherte Fledermäuse. Es gilt für chic, hier zu sitzen und eine Fledermaus für zwanzig Mark zu essen. Dort sehen Sie meinen Chef. Er zeigt sich selten«, sagte das Mädchen und deutete auf Brennesselbüsche. Dahinter ging ein Kerl mit grauschwarzem Bart vorbei, nacktbrüstig und braun; das Haar hing ihm in den Nacken, seine Augen waren hinter großen Brillengläsern versteckt. »Der Eremit«, sagte das Mädchen. Es hatte große Augen und streckte einen Zeigefinger in die Höhe.

Ich ging zu den Automobilen. Jedes Fahrzeug hatte eine Nikkelrute, einen blanken Fühler neben der Windschutzscheibe. Das kannte ich, es waren Antennen für die Radioapparate. Der Eremit stapfte, ein zottiger Geselle im ledernen Lendenschurz, hinter den Brennesseln hervor, an den nackten Füßen klumpige Stiefel, mit dicken Nägeln gespickt. Das waren Bergschuhe. Er hatte durchsichtige Beutel aus Cellophan bei sich und ging von Automobil zu Automobil. An jede Antenne knüpfte er ein Beutelchen. Das eine und das andere sah ich mir an. Hinterm geschmeidigen Cellophan fächerten sich Haare auseinander, schwarz mit weißen Fäden, gerade abgeschnitten, fettig, hart und drahtig wie von einem Roßschweif. Ich erinnerte mich, daß das Haar des Eremiten sorglos abgeschnitten wie Weinbergstufen in den Nacken hing. Jedes Beutelchen war mit einem roten Papierfähnchen geschmückt; darauf stand: »Garantiert echtes Eremitenhaar, hygienisch verpackt; jedem Gast ein Löckchen zur Erinnerung. Beehren Sie mich wieder. A rivederci, au revoir, good bye, auf Wiedersehen. Ihr EREMIT!«

(1959)

Castra Regina

Der Hof ist leer und still. Oben, zwischen Fenstern, steht eine schwarze Dame im engen Kleid vor der Fassade; sie hält ein Stundenglas, eine Sanduhr, in der Hand und sieht unterm Helm herunter. Streng und steif, abwesend und geziert, zeigt sich die Gestalt auf der Konsole, die in vergoldeten Buchstaben, gotisch verschnörkelt, die Inschrift trägt: »Die Uhr außgelauffen ist. Bedenk, daß Zeit zum Sterben ist.« Ein Durchgang wölbt sich über Bukkelpflaster, steinerne Treppenstufen, olivfarben und ausgetreten, führen in die Höhe. Ein Gebäude aus Steinquadern, mittelalterlich im Grundstock, ist mit dünnen Pilastern geschmückt. Vor zweihundert Jahren haben sie ein Palais der eleganten Zeit aus dem dumpfen Gebäude gemacht, und nun beherbergt es eine Bücherei. Zehn Schritte weiter ragt eine Familienburg mit grauen Zinnen auf, und die Inschrift erzählt von Barbara Blomberg, Karl dem Fünften und Don Juan d'Austria.

Ein weißer Wagen schwankt aus einer Gasse. US FORCES IN GERMANY steht auf dem grünen Nummernschild. Rote Lichter glühen an metallenen Flossen, und am Steuer sitzt eine blonde Dame mit vorgeschobener Unterlippe, die brennende Zigarette im Mundwinkel.

Die Schwarze Bärenstraße grenzt an die Weiße Liliengasse, das Einhorngäßchen krümmt sich in steinerne Tiefen; ein rundes blaues Schild ragt mit der weißen Silhouette eines Mannes, der ein Kind an der Hand führt, aus einer Mauer. Wer dort hindurchgeht, kommt auf einen Platz mit einem Plankenzaun, hinter dem das graue Innere eines Fachwerkhauses bloßgelegt ist und ein Bagger stählerne Kiefern schwenkt. Schon gräbt sich die neue Zeit, die noch lange nicht ausgelaufen ist, in die Maulwurfshöhlungen der alten ein, räumt Plätze frei für Garagen mit blauen Metalldächern und für Schaufenster, deren fahles Licht die ausgelegten Kleider zu Flittertand für Schemen macht. Das künstliche Licht der lebensfrohen Gegenwart, die am Tage enge Gassen mit blauen Autogasen füllt, erinnert an Leichenhaus- und Hadesluft und verwandelt die Menschen in Puppen, als wären sie ausgestopft, und ihre Glieder bewegten sich maschinell.

Hier stand früher Castra Regina, ein römisches Kastell. Der Legat des Kaisers hatte darin sein Büro. Ein Jahr vor dem Tode Marc Aurels wurde es unter Helvius Clemens Dextrianus, dem Befehlshaber der Legio Tertia Italica, vollendet. Was ist von Seiner Exzellenz zurückgeblieben? Ein Name auf einer großen Marmortafel, die im Museum steht, zusammengestückt aus brüchigen Platten.

Hier war die Grenze, am anderen Flußufer begann die Barbarei. In der Gasse, die »Unter den Schwibbögen« heißt, wölbt sich ein Tor aus unbehauenen Quadern; es wurde unter einer Mauer bloßgelegt, als hätte sich Haut abgeschält. Ein Turmstumpf steht daneben. Hier ritt der Kaiser hindurch, begleitet vom Legaten, hier war der Haupteingang von Castra Regina.

Wer heute hindurchgeht, kommt in einen Hof mit alten Bäumen; ihre Wurzeln greifen in Römerschutt, und unter ihrem Laubdach klappern Teller im Wirtsgarten. Ein Tisch ist schwarz von Pfarrern. Früher trappelten hier Pferdehufe übers Pflaster, zur Begrüßung des Kaisers war eine Kohorte illyrischer Reiterei zur Stelle, und die Feldzeichen glänzten. So mag es gewesen sein, du kannst es dir ausdenken, aber niemand hat es aufgeschrieben. Castra Regina wurde verwüstet und wieder aufgebaut. Später haben Herzöge die Römerburg bewohnt, neue Mauern aufgerichtet und die alten abgetragen. Denkmäler, Totensteine, die in den neuen Mauern verbaut wurden, und Sarkophage sind zurückgeblieben.

Wer war die Römerin, der du im Museum ins Grab schauen kannst? Der Deckel, ein schweres Dach, ist zurückgeschoben vom Gehäuse und die Mulde des Steintrogs geöffnet. Ein Gerippe streckt sich aus, die Wirbelsäule gekrümmt und bräunlich, unterm Schädel mit einer dünnen Halskette aus Gold belegt; als Polster dient eine Schicht Erde auf dem rauhen, gelbkörnigen Boden der steinernen Ruhestatt. Das Fleisch wurde zu Erde. Ein Schienbein ist gebrochen; neben ihm ist eine Flasche aus bläulichem Glas an die aufgerauhte Steinwand gelehnt, und Glasstaub glitzert in der Ecke. Ein Gespinst aus Rissen ist in die durchsichtige Glashülle eingewoben, als sei etwas Lebendiges im erstarrten Schmelzfloß eingeschlossen, etwas, das sich immer noch flimmernd bewegt und rührt, ein Netz von Adern aus Luft, die vor siebzehnhundert Jahren die knöcherne Schläferin hat atmen lassen. Sie liegt im Gehäuse, umgeben von Licht, das die gelbe Steinwand zurückwirft. Neben ihrer Schulter steht ein Parfümfläschchen, gereinigt und leer wie die große Flasche. Das hat man ihr mitgegeben: Parfüm und eine goldene Halskette.

Was hat sie gefreut, geschmerzt? Wo hat sie gewohnt? An der Donau vielleicht, wo im Plan römische Villen eingezeichnet sind. Das Land mag ihr als barbarische Einöde erschienen sein, sie hat sich mit Parfüm und Schmuck aus der Heimat getröstet und ist am gebrochenen Schienbein gestorben, weil es damals mit der Hygiene schlecht bestellt war.

»Den Schattengöttern und der ewigen Grabesruhe geweiht« – »Dem Andenken der Ärmsten gewidmet« steht auf den Denksteinen, diesen löcherig verwitterten Blöcken mit den zerkratzten, zerschabten oder scharf hineingehauenen Inschriften, als hätte der Steinmetz gestern den Meißel weggelegt. Aurelius Patrinus, Soldat der Dritten Italischen Legion, ist neunundzwanzig Jahre alt geworden. Von seiner Mutter Aurelia Cara, vom Waffenmeister Aurelius Satinus, von »Fortunata, unserem Liebling, die fünfzehn Jahre gelebt hat«, vom Arzt Ulpius Lucilianus, dem ein Freund »Sei mir gegrüßt« zuruft, sind die Namen im Stein zu lesen.

»Und bald weiß nur noch die Sage davon, und bald ist es völlig vergessen«, hat der Kaiser bei den Quaden am Granuas, in Carnuntum oder in Castra Regina aufgeschrieben. Seine Worte sind noch heute im Buch zu lesen, aber wie lange noch?

In den Gassen schreit und schwatzt, knattert und kocht der Lebensbrei. Rauschen und Rumoren geht über Castra Regina hinweg. Im Fluß liegen Dampfer und Lastkähne. Hinter ihren Kaminen dehnt sich die weiße, blaue, die grün- und gelbdunstige Ebene. Castra Regina wird kleiner, seine Türme recken noch eine Zeitlang die Köpfe und verwandeln sich im Weiterfahren in eine ferne Siedlung. Der Himmel ist jetzt höher. Der Wald streckt sich wie ein Wisentrücken in der Sonne aus, und du bist allein im Fell des Waldes. Schweiß kühlt den Nacken, der Wind reißt am Haar, während du auf dem Rad fährst, die Straße wendet sich zur Seite. Du hast den Kamm erreicht, setzt dich, und du spürst warme Erde an den Beinen. Die Pfeife brennt, Tabaksrauch mischt sich mit dem Geruch der Tannenrinde.

Die Käfer haben Runen in die Rinde eingegraben, die vergänglicher erscheinen als die Beschwörungsformeln der Denksteine mit den strengen Zeichen, die zweitausend Jahre alt sind; aber die Runen unter den Rinden sind älter. *(1959)*

Die alte Stadt an den drei Flüssen

Mein Rad trug mich auf der schwarzblauen Straße. Jetzt mußte die Stadt nahe sein, die alte Stadt an den drei Flüssen. Umflogen von der Abendluft, der sommerwarmen, und im Licht, das orangefarben wurde, glitt ich weiter. Der Wind riß mir am Haar. Hell war's, ich durfte zum Strom hinuntertauchen. Seine Nähe war zu spüren, seine Ausstrahlung und das Gefühl, zu schweben, frei zu sein. Dies hing vielleicht damit zusammen, daß ich vor der Reise gedacht hatte: Wenn dir jemand, den du lang nicht mehr gesehen hast und mit dem du verbunden gewesen bist für einige Jahre, auf deiner Radfahrt wiederbegegnet, was wirst du dann tun? Willst du so tun, als sähest du ihn nicht? Ich wollte allein bleiben.

Schweiß und Waldgeruch waren auf meiner Haut getrocknet. Ich fühlte mich leicht, als durchdränge mich die Luft. Etwas Berauschendes war ins Gefühl der Fahrt gemischt, als ich jetzt segelte, im blauen Hemd, meinen dicken Rucksack hinter mir, Knie, Arme und Gesicht warm von der Tageshitze und gekühlt vom Schattenfluß der Bäume. Traum mischte sich in die Bilder, die ich gesehen hatte und jetzt sah. Sommergäste saßen in einem Wirtsgarten, eine Leinenplache war hell durchschienen. Ich dachte an den Ort, von dem Dächer und ein viereckiger Granitturm zwischen Tannenwaldspitzen herübergeschaut hatten. Wie zwei dunkle Schiffe hatten sich die Wälder gegeneinander geneigt. Der Mittagshimmel war weißlich gewesen, als wäre Zinn geschmolzen, und hatte den kantig gemauerten Turm umflossen, in dem ich gerne gewohnt hätte, um mir einen Bart wachsen zu lassen; der wäre mir dann grau gesproßt. Im Dorf wäre ich in einem Wollhemd und einer Samthose herumgegangen, abwesenden Sinnes, wie ich's immer bin.

Drüben streckte sich ein Gasthof aus, eine Allee führte zu ihm, und über einer Mauer rührten sich die Schwingen von Kastanienbäumen. Das war ein alter Gasthof; früher hatte er genauso ausgesehen, nur daß die Bäume vielleicht kleiner gewesen waren. Ich stellte mir ein Holzfuhrwerk vor, das dort hielt, und einen braunbäckigen Pferdeknecht, der Hafer in den Holztrog an der Deichsel schüttete; die Messingbleche am Pferdegeschirr blitzten. In diesem Gasthof aufwachen hinter dicken Mauern, das frühe Licht sehen, wie es Blätter durchdringt, das wäre wert gewesen, anzuhalten und abzusteigen; aber ich wollte zur Stadt vor den Flüssen hinabtauchen. Da hörte ich meinen Namen rufen: mein Vorname war gerufen worden.

Ein graues Auto fuhr vorbei. Es kam mir vor, als führe es langsamer und wolle anhalten. Der Ruf klang mir im Ohr wie von einer Frauenstimme. Stört mich nicht, laßt mich allein, jetzt, wo's herrlich ist, da ruft ihr mir . . . so etwa dachte ich. Kühle wehte, ein tiefer Straßenschacht umfing mich, in dem es nach warmem Staub roch, ein Puderduft. Das graue Auto von vorhin kam mir merkwürdig vor, wie einem alles merkwürdig erscheint, wenn man allein ist. Und dann sah ich die Stadt mit dem Dom auf dem Hügel, das Wasserlicht, die Hängebrücke, diese Parabel aus Eisen, und oben die Festung mit ihren Steinflanken.

Am Fluß nahm ich Quartier. Eine weißhaarige Frau, hoch aufgerichtet im schwarzen Kleid mit Rüschen auf der flachen Brust und langem Faltenrock, als hätte sich seit sechzig Jahren die Mode nicht verändert, sagte, als ich nach einem Zimmer fragte: »Das Zimmer können Sie bekommen.« Es hörte sich würdevoll an, zeremoniell. Wir standen in einem dämmerigen Vestibül, die Wände waren holzvertäfelt, und auf einer von schwarzem Schnitzwerk umrahmten Uhr wiesen verschnörkelte Zeiger auf halb sechs; das Zifferblatt war bräunlich. An einem Tisch, dessen Füße altdeutsch durchbrochen waren, saß eine magere alte Frau und faltete Tischtücher mit dickäderigen Händen zusammen. Eine Glaswand hatte bleigefaßte Fensterscheiben, und im Nebenzimmer, dessen Tür offenstand, waren über einer Etagere zwei gekreuzte rostige Rapiere, wie sie einstmals von Studenten benutzt worden waren, über zwei moosgrünen, verblichenen Schirmmützen an der Wand befestigt. Das war also ein modriges Hotel voll krachender und knarrender, voll wurmstichiger Möbel. Hierher paßte ich. Aber ich mußte mich beeilen, weil ich noch vor Dunkelwerden die Stadt sehen wollte, denn jetzt war's schon halb sechs.

Ein Mädchen führte mich hinauf. Hinter der Küche begann eine Steintreppe aufzusteigen. Das Mädchen ging vor mir. Ich dachte: Die Stufen stammen vielleicht aus der Römerzeit. Dann verschwand das Mädchen hinter einer Mauerecke. »Nicht geradeaus, hier rauf!« rief sie; da merkte ich, daß diese Verliesstaffel in einer Rechtskehre sich verengte. Ich kam auf einen Flur mit nachgiebigen Dielen, die so ausgescheuert waren, daß die Astlöcher wie Holzaugen hervorquollen; ich kannte dies aus meinem Kindheitshaus. (Wie lang war's her? Bloß fünfunddreißig Jahre.) Und dann den engen, sonngewärmten Gang entlang (Vorsicht, Stufe!), wo ein Waschbecken mit gußeisernen Hahnen an der Wand befestigt war. »Hier können Sie sich waschen, wenn Ihnen der Krug mit dem Lavoir zu klein ist«, sagte das Mädchen.

Das schiefe Zimmer war eng, aber frisch getüncht. Draußen auf der Donau tutete ein Schiff mit hörnernem Ton, der größer war als alle alten Häuser hier. Grüß Gott, sonderbare Stadt, sagte ich bei mir. Dann sah ich enge Gassenstiegen zwischen alten Gebäuden, von denen eins bis unters Dach mit dick verrosteten Läden neben leeren Fensterlöchern belegt war. Ich fragte ein Kind, was dort drin sei; es sagte: »Nichts.« Dann erfuhr ich, daß es früher eine Zigarettenfabrik oder einen Tabakspeicher beherbergt habe, aber das sei lange her. Ich sah wieder die Fensterläden an, die sternförmig durchbrochene Öffnungen hatten, auch sie vom Rost angefressen. In einem Milchgeschäft grinste aus dem Schlußstein der Gewölberippen ein Fratzengesicht herab, Neonlicht leuchtete fahl und kühl, und ein Mädchen mit braunschattigen Augen begrüßte mich, als wäre ich schon lange hier; sie staunte, als ich ihr erzählte, ich sei mit dem Rad hergefahren; das machte mich dann stolz. »Ganz allein?« fragte sie. »Ja, ganz allein.« »Und da werden Sie nicht traurig? Da würd' ich mit mir selber reden, zum Beispiel: Schau dir das an, gelt, das gfallt dir jetzt.«

Es war, als wäre ich noch jung. Aber dann kam eine Freundin zu ihr, eine mit hohen roten Absätzen, wohl zum Tanzvergnügen aufgeputzt, Schminke auf den Lippen. Sie redeten leise miteinander. Die mit den braunschattigen Augen sagte: »– und das ausgerechnet für mich, wo ich doch nie mitmache bei dem Lauten«, und ich war wieder sechsunddreißig Jahre alt. Hinterm Dom führte eine Gasse am Südhang neben einer efeuüberhangenen Mauer an heißen Gärten vorbei. Dort merkte ich, daß es erst halb fünf war. Die Uhr in meinem Quartier war also tot, wahrscheinlich zeigte sie seit sechzig Jahren auf halb sechs. Ich war lebendig und hatte so etwas wie einen klaren Hauch hinter der Stirn, der alles, was ich sah, groß machte und die Stadt zwischen den Flüssen mit Seltsamem durchtränkte; aus ihren dumpfig-kühlen, überbauten Straßen wehte er mich an, daß ich dachte: Jetzt kommt gleich einer durchs Tor geritten, im silbernen Brustpanzer, den Purpurumhang auf der Schulter von einer Schließe in Schlangenform gerafft. Vor den Fassaden bewegten sich Fahnen und zeigten weißblaue Rauten aus dem Wappen Kaiser Maximilians, von dem's immer noch hieß, er habe sich einmal an einer Felsenwand verstiegen und sei einem Hirsch mit einem Kreuz im Geweih begegnet.

Über einen Fluß, dessen Wasser grünlich zu kochen schien, führte ein Steg. Davor saß ein Mann in einer Art Schilderhaus und sagte: »Bitt schön, zehn Pfennig Brückenzoll miassn 'S zohln.« Das war wie Anno fünfzehnhundert. Ich ging über den Eisensteg und fühlte ihn unter den Füßen zittern. Die nachgiebigen Dielen in meinem Gasthof fielen mir wieder ein. Drüben erhob sich das Ufer; es lag im Licht; gelbe Häuser mit braunen Dächern waren seit langem dort eingenistet, als wären sie eingeschmolzen ins Blättergrün. Ich kam zur Stadtmauer. Dort stand ein rötlicher Turm, angewittert und die Fensteraugen mit grauen Brettern versperrt; die Zipfelmütze des Dachs auf dem Kopf, sah der Turm in sich hinein und döste. Auf dem Weg und in den Mauerecken nisteten Moos und Gräser. Ein Garten war voll Rosen, Pfirsiche waren samtig reif und wie Felle junger Tiere; Glasdächer glänzten auf Gemüsebeeten und hatten zerbrochene Scheiben. Dann trat ich in einen Tabakladen. Ein Mann, das lange und dichte graue Haar über den Ohren zurückgestrichen, saß am Ladentisch und las in einem Buch; die schwarze Hornbrille war ihm auf der Nase vorgerutscht. Er schaute auf, streckte mir die Hand hin und sagte mit hartem, fremdem Akzent: »Guten Tack. Wieder zurück? Sie sind schon lange nicht mehr hiergewesen.« Ich drückte ihm die Hand und sagte: »Ich bin zum erstenmal in dieser Stadt.« Er schüttelte den Kopf, lehnte sich im Stuhl zurück, wobei die Lehne krachte, und sagte: »Waren Sie auf einer Reise?« »Ja. Auf einer langen«, sagte ich. »Ach so«, sagte er dann. »Kein Wunder.« »Aber Sie sind auch nicht von hier«, sagte ich. »Ich bin Grieche«, sagte der Mann. »Ich war aber zuvor im Baltikum. Angesiedelt hierher an den Inn.« Nun veränderten sich seine Augen, und er sagte in einem grauen Ton und so, als wiche er vor mir zurück: »Ja, jetzt sehe ich's. Sie sind ein anderer.« Ich merkte, daß er mich nun schnell aus seinem Laden draußen haben wollte. Er empfahl mir eine Tabaksorte, die ich nicht kannte, die sich aber hernach als besonders würzig erwies.

Ich ging über die Brücke und aß grünliche und geschmacklose Aprikosen. Drüben ging ich dicht am Wasser. Das Wasser spülte flach am Steinrand des Wegs, die Mauer war randvoll, und ein papierdünner Zuwachs an Wasser hätte den Fluß überlaufen lassen. Ein Bursch schwamm herüber, rasch herangetrieben von der Strömung, und stieg vor mir heraus; patschend ging er über die Steinplatten und schlenkerte Tropfen von den Händen. Die Häuser am Hang lagen im Schatten, ihre Fenster waren spiegelnd lebendig. Da winkte mir eine Dame von einem Balkon aus zu und rief herunter. Sie lachte, drehte sich um, und ein Herr kam an die Brüstung, der sich neben ihr herausbeugte; es waren elegante Leute, vielleicht Sommergäste oder ein Schauspielerpaar, das bei den Festspielen mitwirkte, derentwegen überall weißblaue Fahnen hingen. »Der ist es ja gar nicht«, sagte jetzt der Herr, und beide wichen langsam von der Brüstung zurück, als wären sie erschrokken.

Merkwürdig. Aber es paßte zu der Stadt. Zum drittenmal war ich für andere ein anderer gewesen. Das graue Auto fiel mir wieder ein, aus dem ich angerufen worden war, dann der Mann im Tabakladen, der Grieche, der aus dem Baltikum zugewandert war. Man hat bei solchen Erlebnissen das Gefühl, als läge etwas in der Luft. Vielleicht war ich nicht mehr ich selbst, oder es war mir etwas Unsichtbares abhanden gekommen. In meinem Gasthof hörte ich, bei der Überschwemmung vor drei Wochen hätten sie nicht einmal mehr die Tischtücher von den Tischen auf der Terrasse herunterreißen können, so schnell sei das Wasser dagewesen. Wenn das jetzt wieder passierte, würde auch mein Fahrrad überschwemmt. Ich dachte also an mein Fahrrad, das mir wichtiger erschien als ich. Es war feucht und kühl auf der Terrasse. Am Nebentisch saß einer mit knochigem Gesicht und kurzärmeligem, rotem Hemd, an der Backe eine blaue Schramme; er lachte mit einer üppigen Blondine, der ein Ehering am Finger glänzte. »Wenn Sie zeigen so das Dekolleté . . .«, sagte ein Herr mit Brille, dem die Zigarette in tabakgebräunten Fingern hing, über die Lehne seines Stuhls hinweg. Der im roten Hemd flüsterte der Blondine etwas zu, worauf sie scheppernd lachte. Der mit der Brille wurde von einer ältlichen Kellnerin mit »Herr Kapitän« angesprochen. Das Paar stand auf und ging. Der Kapitän fragte die Kellnerin: »Wer ist der Mann?«, und sie antwortete, früher sei er Sportlehrer gewesen, was er jetzt sei, wisse sie nicht. »Seine Frau?« »Nein, Freundin«, sagte die Kellnerin. »Ach so«, sagte der Kapitän. »Sie sind aus Jugoslawien?« sagte ich zu ihm. Er nickte: »Dalmatien ... Fiume, dort unten aus dieser Ecke.«

Wieder kam mir das graue Auto, aus dem ich angerufen worden war, in den Sinn. Ich hätte absteigen und warten sollen, ob es anhielt. Dann hätte sich vielleicht etwas entschieden. Es kam mir vor, als hätte ich etwas versäumt, und ich wurde das Lungenkrebsgespräch mit der ältlichen Kellnerin nicht los. So etwas haftet immer lange im Gedächtnis.

Am andern Morgen fuhr ich weiter. Drei Tage später wurde die Stadt wieder überschwemmt; ich las es in der Zeitung. *(1960)*

Das Flugblatt oder ein Soldatentraum

Gestern traf ich Hofer. Er kam die Treppe im Hotel herauf, schwankte und stützte sich neben dem erhellten Portierfenster an die Mauer: ein großer, breitschultriger Mann, den Hemdkragen offen und den Kopf mit einem schmutzigen Verband umwickelt. Es wunderte mich, daß Hofer, den ich aus dem Krieg kannte und der in Rußland einen Streifschuß am Kopf bekommen hatte, immer noch diesen Verband trug. Stockend, als wäre er betrunken, fragte er den Portier hinter der Scheibe nach einem Herrn Laub, der zu ihm gesagt habe, er solle hierherkommen. – »Wir haben hier keinen Herrn Laub«, erwiderte der Portier, und Hofer sah mich an. – »Aber da steht er doch«, sagte er, drehte sich zur Seite, ging eine Stufe tiefer und bewegte den Arm, als wolle er, daß ich ihm folge.

Ich ging mit ihm. Auf der Straße herrschte Zwielicht; der Himmel war noch hell, grünlich und blau. Gegenüber streckten sich einstöckige Häuser aus, denn dieser Ort war alt; ich hatte den Zug versäumt und mußte übernachten. Daß ich Hofer hier treffen würde, hätte ich nicht gedacht. Seit November dreiundvierzig hatten wir uns nicht mehr gesehen, und ich sagte zu ihm: »Du weißt wahrscheinlich gar nicht, was du mir damals mit dem Flugblatt alles eingebrockt hast.« Er lachte, fuhr sich über den Mund und sagte: »Doch.« Er war stehengeblieben, und neben uns ging eine Gaslaterne an. Dann griff er langsam in seinen Rock hinein, suchte in den Taschen und zog ein zerknülltes violettes Blatt heraus, das er glattstrich und mir vors Gesicht hielt.

Es war das Flugblatt. – »Du weißt also, was drinsteht«, sagte Hofer, »gut ... erledigt!« Er machte eine großspurige Geste, faltete das Flugblatt wieder zusammen und fing an, weiterzustapfen im milchigen Grau der Luft, das sich verdickte. Es war nicht neblig, nur die Nacht schlich rasch voran und breitete in der Gasse Schattentücher aus. Dabei kam es mir vor, als ob die Mauern dieses Orts dünn und von innen her ausgefressen wären, doch mochte daran eine Art grünlicher Glühwürmer schuld sein, die da und dort die Häuser wie durchlöchert erscheinen ließen. – »Vor dir habe ich ein schlechtes Gewissen«, sagte Hofer. Ich sagte, das sei unnötig, denn schließlich seien wir ja beide gut davongekommen. – »Wir schon, da hast du recht. Aber die andern nicht, die auch im Flugblatt stehen«, sagte er und fragte, ob wir nicht in eine Kneipe gehen wollten. Mir war es recht. Wir fanden eine Wirtschaft, wie ich sie gern habe. Der Wirt hatte Hausschuhe an, und am Nebentisch unterhielten sich zwei Taubstumme mit gespreizten Fingern und lautlos auf- und zuschnappenden Mündern.

Wir setzten uns. Hofer zog wieder das Flugblatt aus der Tasche und legte es neben seinem Bierglas auf den Tisch. In fetten Buchstaben traten die Namen aus dem Text hervor, den ich, wahrscheinlich weil die Wirtsstube schlecht beleuchtet war, nicht lesen konnte. Der Text verschwamm, und ich konnte nur da und dort einen Namen lesen, also: ERTELT – GÖSER – HOFER – LEINBERGER und LAUB. Und LAUB, das war also ich.

Peinliche Geschichte ... Ein Wunder, daß du mit dem Kopf davongekommen bist, dachte ich, als ich es wieder las. Und dann kam es mir vor, als sei das Vergangene immer noch da wie Figuren in Glaskästen. Kein Wunder, daß mir heute Hofer begegnet war. Die Geschichte hatte also vielleicht einen Sinn gehabt, nur wußte ich nicht welchen. Schließlich ist nicht mehr dabei herausgekommen, als daß jeder sich selbst der Nächste ist, dachte ich. Wir wollten am Leben bleiben, wie, das war gleichgültig. Aber wie blieb man im Krieg am Leben? Indem man sich still verhielt, sich duckte, alles mit sich geschehen ließ, vorsichtig war und schlau. Freilich, damals in Rußland war ich auch nicht schlau gewesen und trotzdem durchgekommen.

»Du weißt ja, wie es war, warum also darüber sprechen?« sagte ich zu Hofer, aber wir wärmten dann doch wieder unsere Erinnerungen auf und kamen uns achtzehn Jahre jünger vor. Violett schaute mich das Flugblatt neben dem Bierglas an, und ich ging hinaus, um mir aus dem Automaten Zigaretten herauszulassen.

Der Gang in der Wirtschaft war eng und kahl. Ich nahm die Zigarettenschachtel aus dem Automaten, dachte: Du könntest an die Luft gehen, denn die Wirtsstube war stickig und verraucht gewesen. Ich ging also den Gang hinunter, wo am Ende eine Tür offenstand, vor der es hell war, und hörte ein Harmonium spielen. Es war eine klare, strahlende, strenge Musik. Ich horchte, die Klänge waren nahe, und dann sah ich in ein Zimmer hinein, wo hohe Stühle standen, altersbraune, steiflehnige Sessel, die ihre Rücken einem runden Tisch zukehrten. Wieder klang die Musik. Ich ging hinein und sah neben der Tür Leinberger am Harmonium sitzen; er kehrte mir den Rücken zu und spielte versunken, die vorspringende Nase in die Höhe gereckt. Ab und zu war ein fauchender Ton zu hören, als blase jemand durch die Nase.

Leinberger drehte sich um, zog die Augenbrauen hoch und lächelte. Dann schob er Notenblätter auf dem Harmonium zusammen und sagte, während er mir den Rücken zukehrte, wahrscheinlich wunderte ich mich jetzt, daß er hier sitze. Aber das sei nichts Besonderes, denn die andern seien auch hier.

Ich sah mich um. Da saß hinter mir Ertelt, den wir Jussy nannten; er legte den runden, von einer Glatze rosig glänzenden Kopf zurück und lachte. Seine Stupsnase war feucht, er zog ein weißes Schnupftuch aus der Tasche und schneuzte sich. Göser saß bleich, die schwarzen Brauen über der Nasenwurzel zusammengezogen, am Tisch und schob eine grüne Flasche Jussy zu, der den Korken löste und genießerisch am Flaschenhals zu schnuppern anfing. Es war dieselbe Flasche, die ich vor vielen Jahren draußen in Rußland in einem Feldpostpaket erhalten hatte; ich erinnerte mich genau an sie; ihr Etikett war mit zwei übereinanderliegenden Fischen verziert, dem Sternbild, unter dem ich geboren bin.

Jussy räkelte sich im hohen Lehnsessel und sagte: »Gut, daß wir allein sind.« Leinberger spielte auf dem Harmonium, und drei stumme Tasten machten zwischendurch ein fauchendes Geräusch. – »Also, meine Herren, wie lang dauert es denn noch?« sagte Jussy. Leinberger stellte sich neben mich. – »Was meinst du?« fragte ich, und Jussy lachte und sagte: »Der fragt auch noch!« – »Mein Lieber«, sagte Leinberger und legte mir die Hand auf die Schulter, »bekanntlich sind wir immer noch in Rußland.« Dann meinten sie also den Krieg, und ich sagte: »Ach, der dauert noch lang.« Und wir redeten wie damals über den Regierungschef, der uns gezwungen hatte, nach Rußland zu fahren und das Soldatenhandwerk auszuüben. – »Den Krieg müssen wir verlieren, sonst wird's nicht besser«, sagte Göser, und Leinberger legte die Finger an die Lippen. Da schwieg Göser. Ich sah einen Kleinen, der sich am Ofen zu schaffen machte, abstehende Ohren und eine Gesichtsfarbe hatte, die mich an Spülwasser erinnerte. Dann fragte Jussy, ob wir es schon wüßten: Hofer habe einen Streifschuß am Kopf bekommen. – »Der sitzt draußen in der Wirtsstube. Kommt doch mit, wir setzen uns zu ihm. Ja, es stimmt, er hat den Kopf verbunden«, sagte ich, worauf sich die andern anschauten und abwesend lächelten. – »Ja, ist schon gut, beruhige dich nur, wir wissen auch, daß er draußen sitzt, aber zu ihm gehen können wir jetzt nicht. Das mußt du verstehen«, sagte Leinberger. Und ich gab mich zufrieden, obwohl ich es nur halb begreifen konnte. Übrigens merkwürdig, daß sie alle noch hier saßen und ihre alten Uniformen trugen ... Aber ich ließ mir nichts anmerken, schaute auf den Boden und sah, daß ich Schaftstiefel anhatte, unförmige Knobelbecher mit Wülsten auf dem Oberleder.

Ich sah mich um und war allein im Zimmer. Von den hochlehnigen Stühlen stand nur noch einer da, und der Tisch davor war groß und rund und hatte dicke geschnitzte Füße, die in Löwentatzen endigten; die altersbraune Platte war gesprungen.

Ich ging hinaus, wartete unter der Tür und hörte einen leisen Pfiff. Ich ging an der Mauer entlang, schaute um die Ecke und fand Leinberger, der mir winkte. Drüben auf der anderen Straßenseite streckte sich eine rote Fabrikhalle aus, die Fenster lang und schwarz. – »Verbrenne deine Notizen. Göser ist verhaftet worden«, flüsterte mir Leinberger zu, und ich fragte: »Was werfen sie ihm vor? Weshalb haben sie ihn geschnappt?« – »Wehrkraftzersetzung«, sagte Leinberger. »Er hat gesagt: Wir werden unsere Seitengewehre auf den Tisch hauen und dem Regierungschef eine Revolution bieten.«

Sehr unvorsichtig ... dachte ich und überlegte, wie ich's mit dem Verbrennen meiner Notizbücher halten sollte. Ich reiße nur ein paar Seiten heraus, alles andere lasse ich, wie es ist, dachte ich, fragte Leinberger, wer Göser angezeigt habe, und erfuhr: der Kleine mit dem Spülwassergesicht und den abstehenden Ohren. Dann unterhielten wir uns darüber, ob man einem Menschen sein Wesen, sozusagen den seelischen Habitus, am Gesicht ablesen könne, und Leinberger sagte, nach diesem Fall müsse man das wahrscheinlich bejahen, denn dieser Bursche sei doch häßlich; übrigens werde er von allen anderen verachtet, weil er Göser verraten habe. Und er wiederholte das Wort »verraten« und sagte »Judas«, aber wahrscheinlich tat er dies nur, weil er früher einmal Theologie studiert hatte. Oder glaubte er, alle Verräter sähen zu allen Zeiten gleich aus?

Es kam mir dann merkwürdig vor, daß heute ein so ruhiger Tag war. Kein Schuß fiel, und drüben an der Backsteinwand schleppte einer, ohne daß auf ihn geschossen wurde, zwei Wasserkübel vorbei, die an einem Joch hingen, wie ich es bei Russinnen gesehen hatte. Das war doch recht absonderlich, denn an der Front hatte keiner von uns Wasser mit einem solchen Joch getragen.

Ich fand mich dann wieder unter anderen Soldaten, die vor einem Bunker Gewehre reinigten. Einer hatte sein Gewehr zwischen den Füßen auf den Kolben gestellt und zog an der Kette, die aus der Mündung hing. Er strengte sich an, aber es ging nicht, wahrscheinlich, weil sich der Bolzen im Lauf festgeklemmt hatte. Ich nahm ihm das Gewehr ab und zog an der Kette, die sich lockerte und herausglitt, nur hatte ich danach eine blanke Schlange in der Hand, die zwischen meinen Fingerspitzen den Rachen aufsperrte und die Zähne zeigte. Sie krümmte sich, als wolle sie sich um meinen Arm schlingen, aber dann warf ich sie weg. Als ich auf den Boden sah, war sie verschwunden.

Ich gab das Gewehr zurück, und einer sagte: »Es sollen auch noch andere drankommen.« Ich fragte, was er damit meine, aber er schaute auf die Seite und schwieg. Dann sagte er, er sei immer vorsichtig gewesen mit gewissen Bemerkungen über die Regierung; es sei ihm auch gleichgültig, wer am Ruder sei, es komme ihm nur darauf an, Geld zu verdienen und ein ruhiges Leben zu haben. Was für ein Dummkopf sei doch der Göser gewesen, und das habe er nun davon ... »Da sieht man, wohin man kommt«, sagte er, »dem Göser haben sie sechs Jahre Zuchthaus aufgebrummt.«

Das stimmte, Göser hatte diese hohe Strafe bekommen, aber daß es jetzt schon bekannt war, wo ich doch erst vorhin von Leinberger erfahren hatte, daß er verhaftet worden sei, das befremdete mich. Ich ging weg, hörte hinter mir zum zweiten Mal die Worte: »Da sollen auch noch andere drankommen«, dachte: Du bist bestimmt der nächste ... und traf den Sanitäter. Ich wollte ihn fragen, ob einer verwundet worden sei, aber er sagte:

»Die Post wird überwacht. Sie lesen alle Briefe. Also sei vorsichtig, wenn du nach Hause schreibst. Übrigens haben sie den Jussy auch geschnappt.«

Abendlicht glühte. Ich stand in einer hohen Halle. Die Wände wurden von orangerotem Schein flaumig gemacht, als läge eine dicke Schicht darauf, wie auf einem stark gepuderten und geschminkten Frauengesicht. Mein Gruppenführer trat auf mich zu und sagte: »Du sollst zum Kompaniegefechtsstand kommen. Umgeschnallt mit Gewehr.« Ich sah mich nach meinem Gewehr um und griff in die weiche Erdschicht, die unseren Bunker umgab. Ich fürchtete mich, sagte zu mir selbst: Jetzt kommst du dran, jetzt werden sie dich verhaften, du bist der nächste nach dem Jussy ... und zog aus der nachgiebigen, nassen Erde eine altertümliche Flinte mit rostigem Lauf heraus, die statt des Tragriemens einen hanfenen Strick hatte. Aber es eilte, der Zugführer sagte: »Komm, mach schnell ... Vorwärts!« und stieß mich in den Rücken. So hängte ich die Flinte um, stolperte weiter und merkte, daß mein Mantel zu lang war. Bei jedem Schritt trat ich auf die Schöße. Also nahm ich ihn wie einen Rock hoch, stopfte die Zipfel ins Koppel und sah, daß meine Stiefel tiefe Risse hatten. Ich war zerlumpt, der Mantel hatte einen eingetrockneten Blutflecken, und ich stapfte in eine weite und leere Gegend hinaus, in der Regenlachen goldrot glänzten. Weit draußen stand eine niedere Blockhütte, strohgedeckt und schwarz, und ich wußte: die mußt du erreichen, dort ist der Kompaniegefechtsstand.

Ich merkte dann, daß jemand neben mir ging, wagte aber nicht hinzusehen, bis der andere sagte: »Grau bist du auch geworden.« Es war Hofer, breitschultrig und frisch mit blauen Augen, auf dem Kopf statt des schmutzigen Verbands eine Soldatenmütze. Er deutete auf meinen Mantel und sagte, der gehöre doch dem Ertelt. Ja, das stimmte, es war Jussys Mantel, und ich hatte ihn bekommen, nachdem mein alter in der Entlausungskammer am Wolchow verbrannt war. Und ich erzählte Hofer, daß Jussy am Wolchow durch eine eigene Granate getötet worden war und daß auch Leinberger nicht mehr am Leben sei; Splitter eines explodierenden Granatwerfers hatten ihm den Kopf zerfetzt. Ich sei der einzige, der von uns noch lebe, außer ihm, Hofer, natürlich, dem es in den Jahren, die inzwischen vergangen waren, sicherlich recht gut ergangen sei.

Und Hofer sagte: »Ich kann mich nicht beklagen, es war eine angenehme Zeit im Lazarett. Aber zuletzt haben sie dann doch gemerkt, daß ich simuliert habe, trotz meines Kopfschusses.« Und er fragte, wie lang der Krieg noch daure, und ich sagte, in einem halben Jahr könne man viel sehen. Bis dahin seien die Russen in Ostpreußen.

Er sagte:« So ist das also« und fragte nach Ertelt, weil er gehört hatte, daß er lang in Untersuchungshaft gewesen sei. Ja, das stimmte, ich gab Hofer recht und erzählte ihm, daß sie Jussy sieben Wochen hinten beim Bataillonsgefechtsstand festgehalten hatten; er war verhört, angeklagt und schließlich freigesprochen worden, wie sich das für ihn gehörte. Sie hatten ihm vorgeworfen, den Doktortitel zu führen, ohne dazu berechtigt zu sein, die Wehrkraft durch zersetzende Bemerkungen geschwächt und eine auffällige Freundschaft mit einem Soldaten der Regimentsmusik gehabt zu haben. Aber Strafwürdiges hatten sie ihm nicht nachweisen können.

»So ist das also«, wiederholte Hofer und grinste. Dann sagte er: »Servus, ich muß jetzt vor zur Kompanie«, und ging zwischen hohen, rotstämmigen Kiefern weiter, die am Weg aufragten und die ich zuvor nicht beachtet hatte. Aber die Blockhütte, wo der Kompaniegefechtsstand liegen sollte, die sah ich immer noch drüben im flachen Land.

Als ich dort ankam, stand ein Lastwagen hinter der Blockhütte; der Fahrer lehnte am Schutzblech des Vorderreifens und rauchte Pfeife. – »Bist du der Laub?« fragte er; ich sagte ja, und er schimpfte, jetzt warte er schon eine Dreiviertelstunde lang. – »Los, steig ein«, sagte er, »du bist als Schreiber zum Divisionsstab versetzt, oder weißt du das vielleicht noch nicht? Mensch, hast du ein Glück! Beim Divisionsstab bist du doch weit hinten!«

Ich war froh, neben ihm im warmen Führerhaus zu sitzen, und dachte: Wenigstens werden dir auf der Fahrt die Füße und die Stiefel wieder trocken, denn meine Stiefel sahen schlimm aus. Ich schlüpfte heraus, saß in Strümpfen neben dem Fahrer, der den Wagen lenkte, und dachte: Zum Divisionsstab ist's noch weit, und ob du überhaupt hinkommst, weiß niemand. Aber es stimmte, was der Fahrer sagte, denn Anno vierundvierzig war ich zum Divisionsstab versetzt worden.

Ich unterhielt mich mit ihm, und er sagte: »Da passieren ja schöne Geschichten bei deiner Kompanie.« Ich dachte, er meine die Sache mit Göser und mit Ertelt, doch kam's schließlich heraus, daß er den Hofer meinte. Hofer war zu den Russen übergelaufen; als er Posten stand, hatte er das Griffstück des Maschinengewehrs abgeschraubt und die Leuchtpistole mitgenommen, damit ihm keiner nachschießen konnte. Sapperlot, dachte ich, wenn dir daraus nur nichts Schlimmes erwächst.

Wir kamen in ein Dorf, das Waschkowo hieß. Der Fahrer sagte, auf deutsch heiße es Wanzendorf; wir lachten, und ich schlüpfte wieder in meine rissigen Stiefel. Beim Aussteigen war es warm, ich schwitzte und sah, wie neben der Straße ein Haferfeld vom Winde durchwühlt wurde. Haufenwolken zogen aus der Ferne herauf, rechts und links von der Straße standen Birken und ließen ihre Blätter glänzen. Ich trat in ein Bauernhaus. Ein langer Offizier kam in den dämmerigen Gang herein, ein Papierblatt in der Hand, und sah mich durch eine Stahlbrille freundlich an. – »Na, da sind Sie also«, sagte er und ging mit mir in die Stube. Dann sagte er zum Zeichner, der sich hinter ihm über eine Karte bückte: »Der weiß noch gar nicht, daß er im Flugblatt steht. Suchen Sie es ihm einmal heraus.«

Da las ich nun das violette Flugblatt zum ersten Male. In fetten Buchstaben stand oben: »Soldaten der 212. Infanteriedivision!« Dann hieß es, der Gefreite Roland Hofer der 5. Komp./Inf. Rgt. 316 sei übergelaufen und der Unteroffizier Göser von den Hitlerfaschisten zu sechs Jahren Zuchthaus verurteilt worden, weil er die Sinnlosigkeit des Kampfes gegen die Rote Armee erkannt habe. »Soldaten, fragt, weshalb der Gefreite Ertelt, 5./I. R. 316, hingerichtet wurde! Und wie ist es dem Unteroffizier Leinberger in derselben Kompanie ergangen? Alle sind tot, nur der Gefreite Laub ist noch am Leben. Der Gefreite Laub sagt folgendes aus: Die Russen werden bis nach Ostpreußen vordringen, der Krieg wird in einem halben Jahr zu Ende sein. DER GEFREITE LAUB HAT RECHT!« Dieser Satz war fett gedruckt.

Es wurde mir heiß im Nacken, und mein Gehirn spürte ich wie eine Handvoll Nadeln im Kopf; im Bauch hatte ich Glasscherben, so quälte mich die Angst – »Also, das mit dem Ertelt, das stimmt nicht; der ist nicht hingerichtet worden. Den hat eine eigene Granate erwischt, beim Essen im Bunker. Am Wolchow war's, und die Artillerie hat zu kurz geschossen«, stammelte ich, und der Oberleutnant sagte: »Jetzt sind Sie ja beim Divisionsstab und nicht mehr bei der fünften Kompanie; es kann auch ein anderer Gefreiter Laub gewesen sein, oder die Russen haben beim Rückzug alte Kompanielisten erwischt und einfach irgendwas erfunden ... aber ich kann natürlich nichts dagegen tun, wenn Sie das Flugblatt wegwerfen oder verbrennen, falls es wieder einmal zu uns kommen sollte.« Er hob die Augenbrauen, verzog sein mageres Gesicht zu einer Grimasse und zog den Zigarettenrauch gierig ein. Dann fügte er hinzu: »Also, gewöhnen Sie sich bei uns gut ein.«

Jetzt hatte es mich also auch erwischt, denn wer in einem feindlichen Flugblatt stand, der wurde erschossen. Trotzdem dachte ich: Schau, daß du ein solches Flugblatt bekommst, du mußt es zu dir stecken ... Aber was geschieht, wenn du verwundet wirst, bewußtlos ins Lazarett kommst und die Sanitäter deine Taschen leeren? Dann finden sie das Flugblatt, und dann ist es aus mit dir. Laß also die Hände von dem violetten Flugblatt.

Ich saß am Fenster in der engen Stube, und zwischen den Scheiben war weiße Watte auf dem Gesims ausgebreitet; goldene und rote Glanzpapiersterne lagen auf der Watte. Ein kleiner und dicker Soldat erschien, brachte Papiere und legte sie vor mir auf den Tisch. Meine Hände zitterten, ich blätterte und fand einen fingerdicken Packen violetter Flugblätter; mit Rotstift war das Wort »Feindpropaganda« daraufgeschrieben. Ich wartete, bis der Feldwebel, unser Bürovorsteher, nicht mehr zu mir herüberschaute, dann ließ ich die Flugblätter in die Schublade rutschen. Aber wo sollte ich sie verbrennen, denn hier sah mir doch immer jemand zu. Ich rauchte eine Zigarette, sog den Rauch tief ein und dachte: Du wirst das Rauchen anfangen, das beruhigt dich. Still war es in der Stube, nur im Ofen raschelte es leise, und dann kam eine Ratte angetrottet, lief über die Dielen und hockte sich neben meine Füße, die immer noch in den alten zerrissenen Stiefeln steckten. Jetzt besuchten mich bereits die Ratten, und als ich aufstand, gab der Boden unter mir nach; ich sank mit einem Fuß in die Dielen ein, als träte ich in Mehl.

Dann vibrierte der Tisch, die Scheiben klirrten, und draußen über der sonneweißen Straße mit den Birken rauschten unter den Sommerwolken altmodische Eindecker heran; es waren zwei Flugzeuge mit langen Flügeln, die sanft schwankten und rostigen Heuschrecken glichen. Ihre Motoren ratterten, als klapperten Windmühlen. Ich duckte mich an meinem Tisch. Schwere Ballen, eine dicke Last, lösten sich aus den Flugzeugrümpfen und sanken wie dunkle Tropfen nieder. Dann waren die weiße Straße und das Haferfeld auf der anderen Seite mit vielen Flugblättern violett eingeschneit.

Kurz darauf brachten Soldaten dicke Pakete und hohe Papierstapel in die Stube: lauter Flugblätter, auf denen mir bestätigt wurde, daß ich recht hatte. Die Pakete standen zwischen meinen Beinen, ich mußte darüber hinwegsteigen und sie hinausschaffen ins Heu, damit sie niemand sah, denn verbrennen konnte ich sie nicht; es waren allzu viele.

Dann wurde ein armseliger Mensch in zerlumpten Kleidern hereingeführt, und ein dicker Mann kam mit hartem Schritt; er hatte enge und geschmeidige Kavalleriestiefel an und schmale Silberlitzen auf den Schultern; er sah mich von oben herab an und fragte nach dem Oberleutnant. Ich führte ihn zu ihm hinüber. Dabei war's, als trüge ich Hausschuhe, so weich erschien mir jetzt der Stubenboden. Nach einer Weile ging ich hinters Haus, wo eine Pferdedecke an einer Leine im Wind schwankte. Ich setzte mich auf die Holztreppe und sah die Decke an, über die ein violettes Fließen hinwegging, als wäre ein Lilienmuster in sie eingewoben; die Umrisse von Lilienblüten bewegten sich darauf und flossen wie lilafarbene Spiegelungen eines unsichtbaren Wassers ineinander. Dann rief mich der Oberleutnant an, der neben mir auf einem Stuhl saß und mit dem zerlumpten Mann sprach. – »Bringen Sie ihn zum Füsilierbataillon, Laub«, sagte er zu mir. »Das ist also nun ein sogenannter Partisan.« Und der Oberleutnant schüttelte den Kopf, winkte mich zu sich heran und flüsterte: »Und der Dicke, der ihn hergebracht hat, war vor dreißig Jahren Offizier beim Zaren, also auf der andern Seite.« Und noch einmal schüttelte er den Kopf.

Der Partisan ging nun mit mir. Wir stapften durch einen dichten und hohen Wald, die Bäume schwankten wie riesige Farnwedel.

Der andere deutete auf mein Gewehr und jammerte: »Ju sostrelje mi.« So klang's in meinen Ohren, ich dachte: lauf doch weg, dann schieße ich in die Luft, und du kommst wieder zu den Deinen. Aber er klagte nur. Ich setzte mich an den Weg, biß in weißes, wie Watte zerkrümeltes Brot, und als ich ihm davon gab, lag es als goldbrauner Laib auf meiner Hand. Er aber schüttelte den Kopf und sagte wieder: »Ju sostrelje mi.« Hätte ich ihn verstanden, so hätte ich ihm sagen können, ich dächte nicht daran, ihn zu erschießen, denn das meinte er wohl. Und ich versuchte, ihm klarzumachen, daß ich eher als er erschossen werden könne, denn ich stand ja im Flugblatt.

Ich glaubte dann, ich sei mit ihm lange unterwegs und fände aus dem Wald nicht mehr heraus. Die Straße, auf der ich ging, war leer und weiß, als wäre sie gestern gebaut worden, und die Bäume streckten sich dunkel neben ihr, zwei steile, im Winde leise flüsternde Mauern. Es war, als vereinigten sie sich oben zu einem Gewölbe, in dem ich mit dem Partisanen eingeschlossen war. Ich hatte Angst, weil mich die Partisanen von hinten erschießen konnten, aber von denen hatte ich anscheinend nichts zu fürchten. Und mir fiel wieder ein, daß Jussy und Leinberger von eigenen Granaten getroffen worden waren. Die eigenen Geschosse sind für dich gefährlicher als die russischen, aber die Russen haben dir mit ihrem Flugblatt etwas Arges eingebrockt, obwohl schuld daran schließlich nur der Hofer ist, sagte ich zu mir. Hofer war übergelaufen, hatte dort alles erzählt, und nun druckten sie dieses Flugblatt, in dem nichts anderes stand, als daß ich glaubte, wir müßten den Krieg verlieren, was natürlich stimmte. Aber es war eine verzwickte Sache, eine peinliche Geschichte, eine richtige Zwickmühle ... Was sollte ich tun? Auch das Wort »Füsilierbataillon« gefiel mir nicht, weil es nach »füsilieren« klang, und ich beneidete den Partisanen, denn schließlich waren wir jetzt beide gleich.

Ein altes Dorf, ein paar Holzhütten, streckte sich vor der Ebene aus. Der Tag strahlte weit hinaus. Die Felder hatten pulverschwarze Erde, und ich wünschte mir, mich aufzulösen in der Ferne, während ich unter Füsilieren stand, die zu meinem Partisanen sagten, er solle sich vor das Haus stellen. Er stellte sich vor die schwarzbraune Balkenwand und breitete die Arme aus, wahrscheinlich weil er glaubte, jetzt sei's soweit. Aber dann schien er zu merken, daß ihm keiner etwas antun wollte, und aß sogar ein Kochgeschirr voll Suppe.

Auch ich ging zur Feldküche, stellte mich hinter die andern und hielt neben dem Koch mein Geschirr über den Kessel. Ich wartete, bis er mir etwas gab. Dann sagte er: »Mensch, Laub, wir glaubten alle, du seist bei den Russen!« Er kannte mich von früher. Also hatte auch er das violette Flugblatt gelesen, und ich war überall bekannt wie ein roter Hund; denn im Flugblatt war ich ein roter, in Wirklichkeit aber ein armer Hund ... Und ich schlich mich beiseite, aß allein hinterm Stall mein Kochgeschirr leer, wischte es mit Zeitungspapier aus und ging um die Ecke.

Zwischen Gärten, kümmerlichen Gärten, führte ein Weg weiter. Ein Mädchen ging vor mir, eine Schaufel auf der Schulter, und dann sah ich viele Mädchen, alle mit Schaufeln und Pickeln. Ein grauhaariger Feldwebel rief ihnen etwas auf russisch zu; sie stiegen in eine Sandgrube hinab und fingen an zu hacken und zu schaufeln. Das Mädchen, das ich zuerst gesehen hatte, stand in der Nähe. Ein paar Soldaten kamen noch dazu, und dann sprach ich mit ihr, die ein breites Gesicht hatte mit Augen wie Rauch, wie Schiefer oder wie Hauch auf altem Stroh. Die andern sagten, sie sähe aus wie ein Partisanenweib, und sie zeigte mir, was sie in ihren Schaufelstiel hineingegraben hatte; es war ein Netz von schwarzen Kerben, das einem Gefängnisgitter glich. Dann streifte sie ihren Ärmel zurück und zeigte mir überm Handgelenk eine Narbe, die wie eine kleine Sonne aussah.

Das Mädchen wurde rot, und ich sagte meinen Namen.

»Laub?« sagte einer neben mir. »Hast du den Ertelt gekannt? Aber du stehst doch auch im Flugblatt.« Es war ein Soldat mit auffallend dünner, fast durchsichtiger Haut, unter der sich an den Schläfen bläuliche Adern verzweigten. Er sagte, Jussy sei ein guter Kerl gewesen, mit ihm rede er oft in Gedanken. Aber dann kam Hofer, den Kopf mit einem schmutzigen Verband umwickelt, stellte sich vor mir auf und war größer, als ich ihn von früher kannte. Ich fragte, ob er immer noch verwundet sei, aber er schüttelte den Kopf.

Er winkte mir, und ich ging neben ihm. Drüben tauchten die niedrigen Häuser des verlassenen Orts im Zwielicht auf, und der Bahnhof zeigte farbige Signallampen. Hofer trat in ein Haus und bückte sich unter der Tür. Wir kamen in die alte Wirtschaft. Der Wirt hatte Hausschuhe an, ein Pudel umtanzte ihn. Am Nebentisch unterhielten sich immer noch die beiden Taubstummen mit gespreizten Fingern und lautlos auf- und zuschnappenden Mündern. Hofer sagte: «Taubstumm sollte man sein, man würde nichts versäumen.«

(1961)

Schönes Geld

Auf dem Rad fuhr ich in die Ebene hinein; es war an einem Sonntagnachmittag im Sommer; es herrschte eine reine Luft. Ich hatte die Höhenstraße hinter mir, die voll Schotter gewesen war wie ein trockenes Flußbett, und nun herrschte hier die reine Luft. Die Straße war glatt. Ein strohgedecktes Bauernhaus hatte ein moospelziges Dach und ruhte am Bach wie eine Großmutter aus dem Mittelalter oder aus dem Märchen. Der Himmel war weit, früher hätte man gesagt: Der reine Äther herrschte, aber davon spricht heut niemand mehr. Die Hügel glitten zurück, und nun dehnte sich die Ebene im Licht. Das Licht war ein reines Element. Ich sah weit hinaus, und mein Rad schnurrte, das kam von der Dreigangschaltung, die immer leise schnurrt, wenn das Rad von selber läuft. Jetzt bist du glücklich, dachte ich. Wie lange? Jetzt herrschten Luft und Licht. Hier war alles neu, weil ich zum erstenmal hier war. Die Biegung der glatten Straße und der Schimmer, der Schein, das Bernsteinlicht eines Nachmittags um halb fünf Uhr Mitte August und die Baumstämme, die vorbeiflogen, und daß ich allein war: Darin sammelte ich ein Hauch des Glücks.

Dann kam ich einer alten Ortschaft näher. Wenn ich dem Straßenschild geglaubt hätte, hätte ich nicht hineinfahren sollen. Umleitung stand darauf. Ich stieg ab und wartete. Da war eine Mauer und über der Mauer die Kastanienbäume eines Wirtsgartens. Warum sollst du hier nicht rasten? dachte ich. Das war der Puchheimer Gasthof.

Ich lehnte mein Rad an die Mauer und setzte mich unter die Kastanien. Der Boden war dick mit Kies bestreut, aber in der Mitte zwischen den Tischen war ein zementierter Weg wie ein Trottoir. Darauf klapperten die Holzsandaletten einer Kellnerin, und um dieser Kellnerin willen schreibe ich dies auf. Sie ist die Hauptperson meiner Geschichte, weil sie das hatte, was man früher eine üppige Büste genannt hat; heut sagt man von solch einem Mädchen: Das ist eine Kurvendame. Die Maria war aber vielleicht mehr, weil etwas Warmes von ihr ausging. Das war eine aus Tirol, denn sie sprach ein bisserl rauh im Gaumen. Dazu ein rundes, kräftiges Gesicht, großflächig, mit starken dunklen Brauen, die sie rasiert hatte; ihr Haarschopf war blond gefärbt. Ich glaube, die Maria hatte von Natur braunes Haar. An ihr war nichts hüpfend quicklebendig, sie gab sich korrekt, lächelte kaum und legte ihren Kugelschreiber ans Kinn oder streckte den Zeigefinger in die Höhe, wenn sie sagte: »Bachhendl gibt's erst ab halb sieben, aber vielleicht wollen S' Würstel mit Saft?« Sie trug einen zitronenfarbenen Pullover und einen weiten Rock. Dazu an nackten Füßen diese Holzsandaletten, von denen ich schon erzählt habe.

Ich sagte zu ihr: »Kann ich hier übernachten?«

»Ja, das können S' schon ...«, sagte Maria.

»Darf ich mein Rad hereinbringen? Ich bin mit dem Rad da.«

»Jaa ...« Sie sah mich erstaunt an. »Hinten bei der Waschküche können Sie's einstellen«, sagte sie.

Ich schob also mein Rad durch den Kies und über das Trottoir zwischen den Tischen nach hinten unter ein Dach neben zwei Waschböcke. Dann setzte ich mich wieder an meinen Tisch, von dem ich auf die Straße hinausschauen konnte, die hier eine Biegung machte und sich vor Bäumen und blauen Höhen verlor. Gegenüber war ein Plakat an die Mauer geklebt: Eine Hand, die in einen offenen Sack voll goldbrauner Saatkörner hineingriff. Geschrei und Jubel einer unsichtbaren Menschenmenge drang durch die Bäume. Maria kam zu mir und schrieb Ziffern auf einen Rechenblock. Ihre Ziffern standen füllig auf dem Papier, sie sah mich aus großen Augen an, bläuliche Schatten darunter. »Gehen S' doch zum Fußballplatz, dort ist ein Freundschaftsspiel. Sie hören's ja ... Aber es ist eh gleich aus.« Sie zeigte mit dem Kugelschreiber in die Richtung, von wo das Stimmenrauschen herströmte. »Ach«, sagte ich, »ich weiß nicht recht ...« Sie lächelte, aber ihr Lächeln merkte ich nur ihren Augen an, sonst blieb ihr Gesicht ruhig. Wahrscheinlich hab ich's schon gesagt, aber die Maria hatte ein weiches und breites Gesicht, darin war kein eckiger oder krummer Zug. Das gefiel mir, ich dachte: Die ist naiv, etwas Seltenes, das man nicht hoch genug einschätzen kann; der Mensch kann nicht naiv genug sein.

Maria kam und brachte den Block mit den Anmeldezetteln. »Können S' mir das Zimmer nicht jetzt schon bezahlen«, sagte sie, »morgen hab ich wenig Zeit.« »Im voraus?« sagte ich. »Nun, wenn Sie halt wollen.« Die Gute dachte also: Mit solch einem Radfahrer muß ich vorsichtig sein, der ist ein armer Schlucker. Sie hatte mich durchschaut.

Ich war der einzige Gast im Wirtsgarten. Außer mir war nur noch die Maria da. Aber nicht lange, dann kam ein schlanker Bursch mit Bürstenhaarschnitt hereingeschlendert und setzte sich zu ihr, die jetzt eine Zigarette rauchte. Er redete auf sie ein. Maria griff in ihre Schürzentasche und zog ein flaches, gezähntes Schlüsselchen, wohl einen Zündschlüssel heraus: »Ist es der da?« Sie ließ ihn auf den Tisch fallen, rauchte und sah mit leeren Augen, die Unterlippe vorgestreckt, an dem Burschen vorbei. Das war ein hübscher Kerl in seinen engen Hosen und dem schwarz-blau karierten Hemd, ein gebräunter mit schmalem Gesicht. Jetzt ließ er den Zündschlüssel in den Fingern wirbeln. Dann hielt er Maria eine Zigarettenpackung hin. »Danke, ich rauche keine Dreier«, sagte sie. »Gestern, Fräulein, habe ich gesehen, wie Sie eine Dreier geraucht haben.« Sie sah an ihm vorbei und sagte: »Ich hab gedacht, Sie san einer von diesen Burschen . . . Gestern, als ihr weggegangen seid, hat eine halbe Packung Keks gefehlt.« Langsam stand Maria auf, und der Bursch folgte ihr. Sie gingen hinter mir vorbei. Ich hörte ihn sagen: »Ja, Dreier san schlecht« und dann: »Schönes Fräulein« und: »Lauter schöne Blumen. San die von Ihnen?«

Hinter mir klapperte eine Münze in einem Musikautomaten, und dann sang eine Männerstimme zur Gitarre: »Johnny Brown, das war ein Seemann . . .« Das Lied klang, es war hell im Wirtsgarten, die Kastanienblätter rührten sich, und auf den Tischen mit den farbigen Tischdecken standen frische Blumen. Hinter mir redete Maria mit dem Burschen. Ich verstand nichts mehr, hörte aber den kräftigen Gesang und die Gitarrenmelodie: »Juanita hieß das Mädchen / Aus ner großen fernen Welt / Doch es blieb nur die Gitarre / Die er in den Armen hält . . .« Das Lied dröhnte, die beiden flüsterten zusammen. Dann gingen sie an mir vorbei und blieben beieinander stehen. Er wiegte sich auf den Absätzen und rauchte, sie sah ins gelbstrahlige Abendlicht. Er hielt Geldscheine in der Faust und wollte sie ihr geben. Sie schüttelte den Kopf. Er sagte etwas, das ich nur halb verstand, dann sagte er: »Schaun S' nur . . . Schaun's nicht? Sie lachen, ist aber Tatsach'.« Jetzt nahm sie die

Geldscheine und ließ sie in ihre Schürzentasche gleiten. Er sagte wieder: »Schönes Fräulein . . . Dank schön für den Schlüssel. Wiedersehen« und ging. Sie lehnte an einem Tisch, sah geradeaus und lief, als er verschwunden war, mit klappernden Sohlen auf dem betonierten Weg zum Tor, dort blieb sie stehen und schaute ihm, die Hand über den Augen, nach.

Ich ging bald ins Bett. Am Morgen sah ich sie beim Frühstück wieder. Ich kam, als die anderen Gäste schon dasaßen: Zwei deutsche, herbstliche Ehepaare, einer von den Männern in kurzen Hosen. Durchs Fenster sah ich einen dicken Wagen stehen. Sie sprachen lautes Kölnisch und erzählten Witze. Maria saß am Tisch und kritzelte Rechnungen, lächelte aber doch einmal bei einer der derben Witzpointen. Dann gingen die Leute und fuhren fort. Ich fragte den Wirt, ob er mir hundert Mark in österreichisches Geld umwechseln könne, und er sagte mit heiserer Stimme: »Gern. Halt eins zu sechs. Das ist der private Kurs.«

Er ging, und dann kam gleich Maria zu mir: »Das Geld können S' auch von mir haben. Einen Moment, bitte schön!«

Sie kam wieder, brachte mir das Geld. Ich zahlte.

»Fünfzigmarkschein«, sagte sie und rieb eine Ecke zwischen den Fingerspitzen, »hab noch keinen gsehn. Dünnes Geld . . . Schönes Geld . . .« Abwesend sah sie mich an und lächelte. »Haben S' vielleicht auch einen Hunderter? Darf ich den mal sehen?«

»Ja gern. Hier«, sagte ich.

Wieder rieb sie das Papier zwischen den Fingerspitzen und sagte: »Dünnes Geld . . . Schönes Geld . . .« Sie schwieg, immerzu rieben ihre Fingerspitzen. Nach einer Weile sagt sie: »Haben S' gut geschlafen heute nacht?«

»Ja, ich habe gut geschlafen.«

»Haben S' wirklich gut geschlafen? Ach, wissen S', ich komm nie vor drei, vier, manchmal sogar fünf ins Bett. Da ist immer was los.« Und noch einmal rieb sie das Geld und sagte: »Dünnes Geld . . . Schönes Geld . . . Das waren nette Leut, lustige Leut, die vorhin fortgefahren sind.« Und träumerisch fügte sie hinzu: »Und an schönen Wagen haben's auch . . . Hat's Ihnen gut gefallen hier?«

»Ja, sehr gut. Das ist doch der beste Gasthof im Ort.«

»Ja. Da kann man Musik hören, man kann tanzen, fernsehen . . . Haben S' wirklich gut geschlafen? Tja, so ist das.« Sie gab mir meinen Hundertmarkschein wieder, und ich sagte: »Wissen Sie, ich überleg mir, ob ich nicht noch eine Nacht hierbleiben soll. Es ist so schön hier.«

»Ja?«

»Wenn Sie ein deutscher Zwanzigmarkschein interessiert. Der sieht wie ein Zweidollarschein aus, so einen hab ich auch dabei, wenn Sie den sehen wollen.«

»Zwei Dollar? Schönen Dank, den kenn ich.« Sie stand auf, warf eine weiße Münze in den Musikautomaten, und eine Frauenstimme sang: »Jeden Abend im Einschlafen denk ich an dich ...« An der Theke lehnend, sagte sie aufatmend: »Ja, so ist das.«

Ich streckte ihr die Hand hin und sagte: »Also auf Wiedersehen.« Sie sah mich verwundert, ja vielleicht sogar verständnislos oder staunend an. Ich ging hinaus in den Wirtsgarten, trug meinen Rucksack an den Riemen und schnallte ihn aufs Rad. Es war ein klarer Morgen. Ich dachte: Solch eine wie die Maria ist also aufs Geld aus wie die Gans auf den Apfelbutzen. Vielleicht spart sie auf einen Wagen und denkt: Wenn ich dann daheim ankomme, staunen's alle und sagen: »Do schaugt's hin, die Maria ... Weit hot's die brocht ...« Davon träumte sie. Im roten Wagen sah sie sich in ihr Heimatdorf hineinfahren, daß ihr blonder Schopf flatterte. Alte Mutterln, zahnluckige, kamen angehumpelt, legten schwielige, runzlige Hände ineinander und sagten: »Oh, die Maria im roten Wagen ...«

Das war ein schönes Lebensziel, ich wäre froh gewesen, wenn ich's auch gehabt hätte. Und wieder hörte ich sie »Dünnes Geld ... Schönes Geld ...« sagen, während ich aufs Rad stieg und in die Morgenseide hineinfuhr und froh war, allein zu sein. *(1961)*

Ein grüner Hut mit Rebhuhnfeder

Er stützt sich auf den Stock, aber man merkt es kaum. Immer noch geht er leichten Fußes, ein großer, weißhaariger Mann mit Baskenmütze, im grünen Lodenmantel. Er ist achtundsiebzig; sein Gesicht ist frisch. Früher hat er oft einen grünen Filzhut getragen, sein »Grünes Hütle«. Sein letzter grüner Hut, ein abgewetzter mit einer Rebhuhnfeder, hängt neben der Tür zum Souterrain; aber den setzt er nur noch auf, wenn er im Garten schafft oder hinuntergeht, um den Ofen für die Dampfheizung zu schüren.

Er kommt in die Diele, stellt den Stock in den Garderobenständer und sagt: »Grüß Gott, Mäusle. Ja, schön war's.« Denn es scheint so, als wäre für ihn immer alles schön gewesen. – »Ha, die Simpel, die glauben, das Leben sei ein Mist!« sagt er, steigt in seine Hausschuhe und läßt sich in den Sessel fallen, seinen zweiten Sessel seit dem Jahre neunzehnhundertelf. Denn neunzehnhundertelf hat er geheiratet. Sein »Mäusle« ist zweieinhalb Kopf kleiner als er.

Dann greift er nach den Lottozetteln. Er ist ein eifriger Lottospieler, betreibt die Sache wissenschaftlich und hat schon oft gewonnen; allerdings meistens drei Mark fünfundsechzig oder vierfünfunddreißig. Einmal aber wird der große Gewinn fällig werden, und dann bekommen wir alle dreihunderttausend Mark von ihm geschenkt.

Komme ich zu ihm, so empfängt er mich: »Du: einen amerikanischen Dichter, der mit P anfängt ...« Und ich bin stolz, wenn ich's ihm sagen kann, denn der alte Herr käme mit den Kreuzworträtseln aus der Zeitschrift »Pfiffikus« auch ohne mich zurecht.

Er ist Studienrat a. D., Zeichenlehrer, also das, was man heute »Kunsterzieher« nennt. Seine Schüler haben ihn »Vater Lenz« genannt. – »Ja, dein Vater, der war ganz groß«, sagen sie zu mir, wenn ich mit einem von ihnen ins Gespräch komme, und es stellt sich heraus, daß der andere bei ihm in die Schule gegangen ist. »Zeichnen kannst du zwar nicht, aber ich schreibe dir trotzdem ›befriedigend‹ ins Zeugnis«, hat er zu vielen gesagt, die jetzt Rechtsanwälte, Architekten und Regierungsräte sind. Oder er hat ihnen von der Sprungschanze in Baiersbronn erzählt, wo er mit zwanzig Jahren

Ski gefahren ist, nur kommt es mir so vor, als ob im Jahre 1903 noch keine Sprungschanze in Baiersbronn . . .

Aber das ist gleichgültig. Wir zwei sind jedenfalls oft zusammen Rad gefahren, und ich habe seine massive Figur auf dem Sattel bewundert. Das ist ein feiner Kerl, auf den kannst du dich verlassen, habe ich gedacht. Einmal hat er mir eine tiefe Schürfwunde am Knie mit Schnaps ausgewaschen, in einem Gasthof in Sigmaringen vor dem Einschlafen gesagt: »Hörst du die Mäus im Ofen zwitschern?« und sich neben mir nackt in die Nagold gesetzt, als gegenüber der Zug vorbeigeklappert ist; wir hatten damals unsere Badehosen zu Haus gelassen. Und als ich ihm einen Stromer zeigte, so einen richtigen Asozialen mit abwesendem Buddhalächeln im verwilderten Gesicht, und sagte: »Den beneide ich«, hat er mir zur Antwort gegeben: »Ha weißt, Hermann, was der ist, das kannst du immer noch werden. Dafür brauchst du dich nicht besonders anzustrengen.«

Er hat als Volksschullehrer angefangen, ist mit seinem Freund Lindenberger in den Sommerferien mit dem Rad an der Enz hinaufgefahren und hat gefischt. Nachher haben sie in einer Mühle gevespert, er hat Klavier gespielt, und Lindenberger hat gesungen. – »Ha, das war eine Zeit! So was könnt ihr euch gar nicht vorstellen! Mir hätte der Volksschullehrer genügt. Wozu mehr werden? Aber der Großvater hat's gewollt. Dann bin ich halt auf die Akademie gegangen.« So spricht er über das, was man heut »sozialen Aufstieg« nennt, denn er mag nichts Unechtes oder Überspanntes. Über zimperliche Leute mokiert er sich und sagt: »Ein erschrockener Mann ist im Himmel nicht sicher.« Und wenn in Gesellschaft jemand über einen andern schimpft, sagt er: »Ja, gelt, was sind wir für feine Kerle! Aber du kannst nicht verlangen, daß die andern so sind, wie wir sein sollten.« Oder er sieht auf einem Photokalender ein Aktphoto und sagt zu seiner Frau: »Ach was, ein schönes Modell darf man immer angucken!«

Zeitlebens hat er viele Freunde gehabt, nur jetzt werden es weniger. Aber den Wagner Schorsch, den Rektor Schott, den Kurrle und den Kolb, die wird er nie vergessen. Das sind lauter Kollegen, mit denen er des öfteren einen gehoben hat. Dann kam er spät und schwankend heim, lächelte selig und sagte zu seiner Frau: »Mäusle, du hast nix Dionysisches.«

Heut muß das Dionysische ein wenig vernachlässigt werden, aber sein Viertele schlotzt er jeden Tag, und sonntags schmeckt ihm die Zigarre. Früher ging seine Pfeife nicht aus, er hatte immer zwei in der Tasche, damit eine kalt werden konnte. Am liebsten hat er den »Bullbrand« gemocht, einen scharfen amerikanischen Tabak, den wir nach dem Krieg im Gefangenenlager auch geraucht und »Arizonastaub« genannt haben. Aber vor dem Krieg qualmte er abends am ausgezogenen Eßtisch, wenn er seine Holzschnitte mit dem Stichel aus der Birnbaumplatte herausholte oder eine Radierung ins Säurebad legte. Mir kommt's vor, als hätte er mit der Feder, der Radiernadel, der Lithograpenkreide und dem Stichel Besseres gemacht als ich mit meiner Schreiberei. Denn er hat einfache Leute dargestellt: einen Schneider in der Werkstatt, dem ein Star auf der Hand sitzt, ein Mädchen, das sich in einer Dachstube zum Ball aufputzt, oder Winkel aus Dörfern, die Moosbach, Forchtenberg und Heimerdingen heißen. Und Geige hat er auch gespielt, ganz abgesehen vom Klavierspielen am Sonntagvormittag, wo er nach einem Choral immer wieder in das Lied hineinkam: »Steig auf, mein Falk, ins Himmelsblau!« Mit seiner Frau und seinem alten Freund Siegfried Beutter hat er auf der Geige oft das Mendelssohntrio gespielt, den Takt gestampft, daß es wie ein Pumpwerk durchs ganze Haus klang, und hernach gesagt: »Mäusle, da könnten wir es zur Meisterschaft bringen!« Auf die Jagd gegangen ist er auch, er erzählt gern von den alten Keilern, die immer allein herumstreunen, und sagt: »Ich kann die vielen Leut nicht mehr ertragen; früher war's natürlich anders.«

Ein heiterer Mensch, der das ist, was man »glücklich« nennt? Vielleicht. Aber mir kommt's so vor, als hätte ich nur das erzählt, was jeder sieht, der einen andern beobachtet und ihm auf die Haut oder auf den Anzug schaut, denn kürzlich sagte er zu mir: »Ich habe dreimal einen Eid geschworen, jedesmal auf einen anderen Regenten ...« und schüttelte den Kopf. *(1961)*

Frau im Dornbusch

Ein kalter Tag mit funkelndem Himmel. Hinter der Tür hatte die Steintreppe löcherige Stufen, aus denen ein Stück ausgebrochen war; sie machte eine Kehre. In die Ecke des kopfhohen Steinschachts wurden trockene Blätter hereingeweht; die Wände waren rauh. Efeuranken, ein dunkles Gehänge mit schlangenbraunen Ruten zeigte dreizackige Zwergenhände. Grüner Schimmel, ein Belag aus Moos, hatte die Wände verfärbt und schien sich ständig auszubreiten oder zu verringern, zusammenzuziehen und zu langen Fransen zu erstarren, je nachdem, wie das Licht sich änderte; denn das Licht war hier das Wichtigste. Ohne das Licht wäre nichts gewesen; die Leute vergaßen immer das Licht und daß es alles hervorlockte, was es gab. Denn die Geschichte spielt in einer Zeit, da alle Menschen verhängt waren, schwarz verhängt. In unserer Zeit spielt sie, jetzt. Passen Sie auf, wie verhängt die Menschen waren, auch die jungen; aber vielleicht werden Sie das gar nicht merken.

Hinter der Treppe mit den löcherigen Stufen, die in einen Vorgarten führte, war ein hoher, dichter und kahler, ein schwarzer Dornbusch in rotbraunem Erdreich festgewachsen. Schlehengebüsch, werden Sie sagen, ach, das kennt man doch. Ja, ein Schlehenbusch, aber ohne Schlehen; die waren alle abgefallen, denn jetzt herrschte grämlicher November.

Im Schlehenbusch lag eine Frau. Wenn sie sich bewegte, stachen ihr Dornen ins Kleid, rissen Fetzen heraus und kratzten sie. Unter ihrem linken Auge stak im Backenfleisch ein schwarzer Dorn, den sie nicht zu spüren schien; sie hätte ihn doch sonst herausgezogen; aber vielleicht konnte sie sich nicht mehr rühren? Einen Schuh hatte sie verloren, und ihre Zehen unterm dünnen Strumpf waren bläulichrot. Ich sollte einen Brief in dem Etagenhaus abgeben bei einem gewissen Doktor Bitter, Frauenarzt.

»Soll ich jemand rufen? Soll ich Ihnen helfen? Kommen Sie allein nicht mehr aus dem Dornbusch heraus?«

Sie sah mich glasigen Blicks an und sagte: »Nicht fragen ... Sie dürfen mir nicht helfen; es nützte nichts, wenn Sie versuchten, mich herauszuholen. Wenn Sie gingen, fiele ich sofort wieder hinein.«

»Von selbst?«

»Jawohl.«

Ich verstand sie nicht, aber wer versteht schon einen andern, und wenn eine Frau im Dornbusch liegen will, ist's schwierig, sie davon abzubringen. Also ging ich in das Etagenhaus hinein, suchte den Doktor Bitter, fand auch die Glastür im ersten Stock, wo das kahle Treppenhaus auffallend üppig verändert war und nach dem ersten Podest auf halber Höhe statt des wackligen Geländers eine armdicke Samtkordel hatte, die von Messingringen gehalten wurde und sich als dunkelrote Girlande an der mit Marmor verkleideten Wand hinaufwand. Die Stufen waren mit Läufern belegt, an der Glastür nahm mir ein Mädchen, das lila Lidschatten und halblanges schwarzes Haar hatte, meinen Brief ab.

Ich ging weg und fand im Schlehenbusch immer noch die Frau; an ihr war nichts verändert, sie lag auf dem Rücken, und unter ihrem linken Auge steckte der lange schwarze Dorn im Fleisch. Vielleicht, daß die Backe praller als zuvor geschwollen war.

»Bitte, stillsein. Sonst geschieht etwas. Tun Sie, bitte, so, als wäre ich nicht da«, flüsterte sie. Aber das konnte ich nicht, es mußte doch etwas geschehen. Freilich, reden nützte nichts; also irgendwo ein Buschmesser, eine Gartenschere oder wenigstens ein Beil holen, um den Dornbusch umzuhauen und sie herauszuziehen. Und mir fiel ein, im Vorplatz hinter der Glastür des Doktor Bitter über einer Barockkommode zwei gekreuzte japanische Schwerter gesehen zu haben; eines davon hätte genügt, um die Frau zu befreien, aber vielleicht half mir mit dem anderen das Mädchen, das meinen Brief für Doktor Bitter in Empfang genommen hatte. Eine hübsche Person, schlank, schmal, in engen Nietenhosen . . . erinnerte ich mich und dachte, Nietenhosen seien die richtige Arbeitskleidung für ein solches Geschäft.

»Überlegen Sie sich nichts. Gehen Sie weg. Los . . . schnell«, sagte sie und bekam weite Augen, als sähe sie etwas Bedrohliches. Dann machte sie die Augen zu und ließ den Kopf halboffenen Mundes noch tiefer zurückfallen. Ihr Haar, blond mit rötlichem Hauch, auffallend seidiges, glänzendes Haar, war mit dürren Blättern vermischt, erdschmutzig und verwirrt.

Hinter mir hörte ich Schritte, jemand pfiff durch die Finger, und eine Mädchenstimme lachte. Ein großer, breitschultriger Bursche kam aus dem Haus gelaufen und zog das hübsche Mädchen hinter sich her. Als sie mich sahen, wurden beide still und kamen langsam auf mich zu. Der Bursche hatte ein bleiches Gesicht und stellte sich neben mich. Dann fragte er, die Hände in den Taschen und den Kopf vorstreckend: »Sagen Sie, was wollen Sie eigentlich hier? Aber am besten ist, Sie sagen nichts und gehen still nach Hause.«

»Aber man kann doch die Frau nicht hier liegen lassen.«

»Das müssen wir besser wissen; schließlich sind wir ihre Kinder.« Der Bursche zog einen Revolver aus der Hosentasche, eine große und blanke Waffe, und begann die Trommel zu drehen, daß es leise knackte. Ich sah, daß keine Patronen darin steckten, und sagte: »Sapperlot, ein Smith and Wesson! Woher haben Sie ihn denn?«

»Aus der Altstadt. Sie interessieren sich auch für Pistolen?«

Jetzt wußte ich, daß er mich ›angenommen‹ hatte. Weil ich Bescheid wußte über Revolver und Pistolen, nahm er mich, den Älteren, ernster als zuvor. Aber ich kannte nur einen Smith and Wesson-Revolver, den wir in der Schule hatten abzeichnen müssen, erinnerte mich, im Frankreichfeldzug eine neue belgische Pistole für eine alte Reithose mit Lederbesatz umgetauscht zu haben, wußte notdürftig über die Pistole null acht Bescheid und sah eine Mauserpistole meines Vaters vor mir, als sich der Bursche zur Seite drehte und in den Dornbusch spuckte.

»Wundern Sie sich nicht darüber«, sagte die Frau. »Es ist richtig, daß er das tut. Ich bin schuld daran, daß er im Examen durchgefallen ist und Autoschlosser lernen muß. Auch daß er bis vor kurzem Bettnässer gewesen ist, daran bin ich ebenfalls schuld. Ich habe meinen Kindern nicht die nötige Nestwärme geschenkt. Ich bin eine unfähige, eine launische und nervöse Mutter. Ich habe drauf gedrungen, daß ich von meinem Mann geschieden worden bin, und er sagt deshalb immer: ›*Deine* Scheidung hat mich zuviel Geld gekostet.‹ Mein Mann hat recht. Deshalb liege ich im Dornbusch.«

»Heute abend gehe ich wieder mit Erich fort«, sagte der Bursche und wandte sich mir zu: »Dieser Erich ist nämlich mein Freund. Manchmal bleibt er nachts bei mir. Das quält sie arg«, sagte er und zuckte mit der Schulter zur Frau im Dornbusch.

»Aber jetzt kann sie nichts mehr machen. Übrigens: mein Vater gibt mir immer recht, wenn ich ihm erzähle, daß sich die Mama so aufregt. Ach, Sie wissen nicht, was die schon alles angestellt hat, alles wegen mir und Elfi ... Einmal ist sie gar zur Polizei gelaufen, aber das ist nicht das Schlimmste. Wenn sie allein zu Hause sitzt und sich betrinkt, weil wir ihr weggelaufen sind, das ist schon ärger. Was glauben Sie, wie die dann herumtelephoniert und lallend mit ihren Freunden und Freundinnen schwätzt, jammernd lallt sie, mein Herr, stellen Sie sich das bloß vor! Aber sie liebt doch ihre Kinder.«

»Wenn Ihnen das Spaß macht, wenn Sie sich darüber amüsieren, dann lassen Sie sie doch wieder heraus. Als eine, die im Dornbusch liegt, kann sie Ihnen doch wenig Gründe zum Gaudium vermitteln, oder?«

»Sie haben eine Ahnung! Was glauben Sie, was dessentwegen alles passiert ist! Es genügt schon, wenn der Briefträger kommt und sagt: ›Aber, Kinder, jetzt seid doch vernünftig und laßt eure Mutter wieder in die Wohnung!‹ Wissen Sie, der Mann hat einen harten Dienst, seine Tasche zieht ihm die Schulter schief, und trotzdem bringt er Mitgefühl ins Haus! Also, ehrlich gesagt, für mich und Elfi ist das komischer, als wenn uns der Herr Pfarrer ins Gewissen redet. Der macht's doch bloß aus beruflicher Routine, der ist nicht engagiert, und insgeheim hab ich ihn im Verdacht, daß er froh ist, wenn er einen Grund hat, seine Amtswürde auszuspielen. Und das ist, weiß Gott, kein gewöhnlicher Grund. So immer zu alten Jungfern gehen, Betstunden halten oder sich überlegen müssen, ob er einen Selbstmörder beerdigen soll, das ist alltäglich; das langweilt den doch längst. Aber so etwas wie hier ... Das ist eine Aufgabe! Da kann er einen tiefen Blick tun in die grausame jugendliche Seele. Und dieser Blick eröffnet sich doch einem Pfarrer nicht an jedem Tag!«

Der Bursche redete sich in ein seltsames Feuer hinein, er war überzeugt, recht zu haben, und schien sich dabei weder etwas Zynisches noch etwas Grausames zu denken. Und die Frau sagte: »Ja, mein Sohn hat recht. Sie müssen zugeben, daß er im Recht ist. Sehen Sie, ich war eine pflichtvergessene Frau. Oh, Sie können es sich nicht vorstellen, wie sehr ich meinen Kindern geschadet habe durch allzu große Liebe. Ich ließ ihnen alles durchgehen. Und wenn ich beispielsweise meinem Sohn verbot, sein Dolchmesser gegen die Zimmertür zu werfen, daß es dort steckenblieb, lächelte mein Mann und sagte: Mach nur weiter ... So strafte mich mein Mann, der genau wußte, daß es ein Vergehen von mir war, dem Buben zu verbieten, daß –. Aber ich brauche wohl kein Beispiel mehr zu nennen, um Ihnen zu beweisen, wie berechtigt, wie zutiefst in Ordnung es ist, wenn ich hier liege. Also, lassen Sie mich liegen, gehen Sie nach Hause. Sie haben Ihren Beschwerdebrief bei Dr. Bitter abgegeben, aber das ändert nichts an meiner Lage. Wie Sie wissen, bedauerte ich's nur, wenn an ihr etwas anders würde.«

Ich sah mich um. Das Mädchen mit den bläulichen Lidschatten pflückte eine Rose von einem Busch, eine späte Rose; jetzt im November eine Seltenheit. Aber was mich am meisten verwunderte, war dies: das Mädchen brauchte weder eine Schere, um die Rose vom Zweig zu trennen, noch riß es sie mühsam ab, denn Rosen haben zähe Stengel; sie knipste sie mühelos mit ihren langen, an den Rändern wohl geschärften Fingernägeln von der Ranke ab und gab sie mir. »Weil Sie einsichtsvoll sind, weil Sie uns verstehen und Achtung haben vor dem selbstgewählten Martyrium unserer Mutter, das wir nicht stören dürfen«, sagte sie, stellte den Fuß auf den Randstein der zerfallenden Rosenbeete und ließ überm Knie ein Stück Oberschenkel sehen, denn jetzt trug sie einen Rock, der an der Seite tief geschlitzt war.

Ich roch an der Rose, aber sie hatte kaum noch Duft. Dann ging ich fort und dachte, daß die Frau im Dornbusch glücklich sei; denn auch ich war schwarz verhängt.

Zu Hause füllte ich Wasser in eine Vase und stellte die Rose hinein. Da war es keine Rose, sondern ein Knochen. *(1962)*

Die Schlangen haben samstags frei

Ich stand vor dem Fabriktor und sah über der Pförtnerloge eine Schlange in der Dachrinne liegen. Eine Frau wartete hinterm Gitter, schaute her und fragte mich, wen ich hier suche; sie wollte wissen, was ich sei. Also nannte ich ihr mein Gewerbe und sagte: »Ich suche nichts, ich suche niemand. Aber auf dem Dach ist eine Schlange. Ich würde mich an Ihrer Stelle in acht nehmen.«

»Der Schlangen wegen? Die haben doch heut frei. Samstags ruhen sie sich immer aus und verdauen, was sie die Woche über in sich hineingeschlungen haben. Wenn Sie glauben, das sei die einzige ... Ach, du liebe Zeit! Sie brauchen bloß genauer hinzuschauen.«

Ich sah die Fabrik an. Ja, es stimmte. Hinter einem großen Fenster baumelten zwei feiste Exemplare, jede einen dicken Wulst im Leib, als hätten sie Ratten geschluckt.

Die Frau lachte und redete fort und fort: »Am fettesten werden sie beim Direktor. Ja, dort oben, wo die beiden dicken hinterm Fenster baumeln. Das sind die bequemsten Zimmer; so fein ist's dort ... Die anderen Büros sind kahl, doch fühlen sich die Schlangen überall zu Hause. Freilich, in bequemen Sesseln räkeln sie sich auch am liebsten; wie die Menschen. Auf den Gängen liegen sie hinter den Heizkörpern und horchen, was die Damen von den Schreibmaschinenplätzen schwatzen. Außerhalb des Direktorzimmers nisten sie am liebsten in den Gängen oder in den Vorräumen der Toiletten. Die Waschbecken haben sie gern und heben ihre Köpfe aus den Abflußlöchern, um zu lauschen. Sie nähren sich nur von Geschwätz. Am seltensten sind sie in Montagehallen, Warenspeichern und Garagen. Dafür wird die Kantine dann von ihnen desto lieber aufgesucht, und Sie können davon überzeugt sein, daß bei jeder Sekretärin eine Schlange in der Schreibtischlade wohnt. Oder glauben Sie mir nicht? Die andern lachen auch und sagen: ›Die Frau Benner spinnt‹, aber jetzt gibt mir sogar mein Mann recht. Vor einer Woche hat eine auf der Kontrolluhr geschlafen, als er seinen Rundgang gemacht hat. Aber man sieht sie nur über Sonntag, wenn alles leer ist. Dann ruhen sie sich aus, verdauen ihre verschlungenen, ihre geschluckten und aufgeschnappten, ihre aufgeleckten Gesprächs- und Geschwätzbrocken, ihre Fetzen, ihre Krümel, und manche kauen noch an fetten Happen; die teilen sie sich dann, denn untereinander sind sie friedlich. Es kommt nie vor, daß eine Schlange eine andere bekämpft; das überlassen sie den Menschen.«

Wieder lachte sie. Ich fragte, ob niemand die Schlangen zerträte, und sie sagte: »Doch. Manchmal kommt das vor, aber es ist selten. Vor sieben Wochen habe ich eine mit zerquetschtem Kopf beim Prokuristen unterm Teppich vorgezogen. Aber, wer ist schon der Prokurist ... Alle lachen sie über den Prokuristen und sagen: ›Ja, ein guter Kerl ... Ach, was ist der doch für ein gutmütiger Mensch! Und mit jedem meint er's freundlich, ach, herrje, er ist ein Trottel ...‹ Wissen Sie, den boxen sie auch bald hinaus. Und als der Zeichner Dunz entlassen worden ist, hat die Chefsekretärin zu mir g'sagt: ›Gelt, den haben wir weggezwickt ...‹ Wissen Sie, es kann einem grausen. Und wenn ich nicht selber eine Schlange hätte – die unsern liegen immer in der Sofaritze – dann wären wir längst draußen.«

»Was ist Ihr Mann?«

»Portier. Er weiß alles, er sitzt auch am Telephon, verbindet die Leute und kann ihre Gespräche hören. Deshalb hat er eine dicke Schlange. Und ich putze und sehe in alle Ecken. Ich kenne alle Schlangen; sie sind frech und grinsen. Da grinse ich noch schärfer, und sie rutschen weg. Seien Sie froh, daß Sie Schriftsteller sind.«

Ich lächelte. Sie lächelte auch. Wir lächelten einander durch das Gitter an. Dann ging ich fort. *(1962)*

Ein Fräulein aus der Luft

Im Schnellzug. Fahrt ins Weiße. Gegenüber saß ein Mädchen mit langem Haar; die Farbe: nachgedunkeltes Messing mit einem Hauch von Kupfer; eine dünne Spange hielt das Haar an ihrer Schläfe fest. Sie war ungeschminkt und hatte am Kinn zwei rötliche Pickel; dazu blasse Lippen und kleine blaue Augen neben der Stubsnase.

Sie gefiel mir. Sie hatte etwas Dunkelgraues an, irgendeinen schmucklosen Sweater, die Farbe heißt man heute Anthrazit; ihr Rock ließ die Knie sehen. Wenn sie die Beine übereinanderschlug, sah ich sogar mehr. Auch mich, den Angegrauten, berühren Reize, die allenthalben offenliegen, und drum wünsche ich mir oft, das Ideal des unberührten Mädchens möge wieder einmal Anklang finden; aber in welchen Gemütern würde es schon klingen? Beschämt muß ich eingestehen, daß ich romantisch gestimmt bin, ein ganz und gar unzeitgemäßer Mensch, hörig der Vergangenheit und Versunkenem zugewandt, was sich heute nicht geziemt.

Sie hatte ein Kindergesicht. An einer Silberkette bewegte sich ein Medaillon auf ihrer Brust; wahrscheinlich hatte sie es von ihrer Großmutter. Ein Jugendstilmedaillon, eine daumennagelgroße Büchse, für eine winzige Photographie und eine Haarlocke das beste Versteck. Über ihr im Gepäcknetz waren zwei quadratische Koffer in dunkelblauen Leinenhüllen aufeinandergestellt, daneben aber ruhte eine behäbige, abgewetzte Ledertasche mit einem Druckschloß und zwei Metallbügeln, wie meine Mutter eine gehabt hat.

Freilich, mir ist bekannt, daß schicke Mädchen heute solche altmodischen und zerschabten Ledertaschen lieben; sie benützen sie für Einkaufsbummeleien und für kleine Reisen, wenn man über Sonntag im Sportwagen aus der Stadt entwischt. Außergewöhnlich oder überraschend war es also nicht für mich, im Gepäck des Mädchens eine Großmuttertasche vorzufinden, nur dachte ich mir dabei etwas Romantisches aus. Wenn sie das Alte schätzt, sagte ich zu mir, muß sie auch für die alte Zeit ein Faible haben. Also sehnt sie sich nach ein bißchen Wärme, nach etwas Bourgeoisem meinethalben, und will heraus aus diesem eklen Dreh, der sie zwingt, in stickigen Kellern festzuhocken und sich Klagen anzuhören aus hängenden Köpfen, die oft bitten: »Reiß mich doch heraus aus diesem schlappen Leben, ich komm' nicht davon los, immer wieder muß ich mich spritzen. Und der verfluchte Whisky. Und die Hanfzigaretten, ja, Marihuana. Fang nicht das mit den Hanfzigaretten an, ich weiß, wie's ist.«

So lebten manche jungen Leute; sie lebten schlaff, das war's. Und du? Lebst du vielleicht anders? Du läßt dich auch bloß hängen, dachte ich. Aber diese dort, die jetzt mit halboffenem Munde schlummerte, den Kopf an ihren Mantel preßte, die war natürlich anders. Die war gesund. Wenn du im Frühjahr zu ihr sagst: Komm, wir fahren mit dem Rad nach Stettenheim und legen uns am Waldrand in die Sonne, so streckt sie dir die Hand hin und antwortet: Gerne. Sofort. In einer halben Stunde bin ich fertig.

Aber daran sollst du jetzt nicht denken. Deine Frau wird merken, was du gedacht hast, wenn du wieder bei ihr bist. Und deine Frau darfst du nicht quälen. Mute deiner Frau nichts zu. Und unter uns: Wär's für dich ein Honigschlecken? Vielleicht ... Zum Beispiel: wenn sie neben dir auf dem Rad fährt. Das sind so diese Glücksmomente. Oder wenn ihr in einem Wirtsgarten schwätzt, und wenn die Luft warm ist, und wenn der Wein ganz innen ein bißchen nach Heu schmeckt; und wenn du vergessen hast, daß dich hier ein Bekannter sehen kann, der später zu dir und deiner Frau sagt: Da habe ich den Erich doch kürzlich beim Kötschenbauer mit so einem jungen Ding ... Oder wenn sie den Kopf auf den Arm legt und ihr Kupferhaar auf den Holztisch mit dem grünen Moosschimmelbelag fällt. Und wenn sie beim Kötschenbauer mit dem Lichtanzünden im Garten warten, bis die Sonne weg ist, und wenn du ihre Katzenaugen im Zwielicht siehst ... Ja, das sind die guten Augenblicke. Das Spätere, zu dem's heutzutag oft fast gewaltsam kommen muß, das ist gar nicht so schön, wie man's sich immer vorstellt. Da machen sie in den Romanen heute oft so ein Getue des Beieinanderliegens wegen und wie enorm das sei. Alles Schwindel. Die Liebe ist bloß aus der Ferne schön. In der Ferne und in der Luft muß eine Geliebte stehen, sonst ist sie halt auch bloß ein Mensch wie du und ich. Und das kennst du genau. Aus der Nähe erfährst du nichts Neues. Aber hier, mit dem Abgrund des Abstandes von Polstersitz zu Polstersitz im Schnellzugabteil zwischen dir und ihr, und weil du kein Wort von ihr gehört hast: da ist diese Sache direkt abgrundfröhlich; abgrundfröhlich ist der Höhepunkt in Liebesdingen immer. Also stehst du jetzt schon auf dem Höhepunkt? Ja, die Höhepunkte sind am Anfang. Nachher aber ... Und so weiter.

Sie zog eine Illustrierte zwischen Polster und Rock hervor und las; sie las genau. Ich rauchte. Draußen herrschte Schnee. Da wechselten Gehöfte mit Waldgestrüpp ab, Tannen rückten nah heran und zeigten dick bepackte Wedel; dann war wieder die Weite bleich und hatte braune Igelstacheln. Es schwankte kaum, das kam von der geraden Strecke. Gerade Strecke ... dachte ich, kein Hindernis und keine krumme Tour. Sehr angenehm. Du hast ein sauberes Gewissen, du kannst mit dir zufrieden sein. Du bist ein kluger, einsichtiger, reifer Mann ... Wie dumm sind alle, die sich wegen einer, die glatte Haut hat, scheiden lassen. Da müssen sie sich ja auch wieder bloß zusammenraufen. Das bleibt dir erspart ... Und wenn du sechzig bist, ist sie einunddreißig, stell dir das bloß vor ... Dann fängt ja der Zirkus erst richtig an. Du bist ein müder Gaul in der heißen Manege.

Ich war gespannt, ob etwas geschah. Es näherte sich die Endstation. Schon wurden die Menschensiedlungen dichter. Da rückten sie zusammen um die großen Lebenszentren und glaubten, in den Städten läge so etwas wie Glück. Dabei lag's in Weilern, in Gehöften ... Bischofsreut, Philippsreut, Flanitz: das sind die richtigen Ortsnamen für eine Adresse, wenn man neunundvierzig ist. Ein paar krumme Bauernfrauen mit schwarzen Spitzenkopftüchern, die können noch etwas erzählen; die wissen Bescheid.

Das Licht ging an. Ein Bahnsteigdach machte den Wagen dunkel. Nun hielt der Zug. Das Mädchen knüpfte sich ein graues Kopftuch um, schlüpfte in einen hellen, einen rauh zerrupften Pelzmantel, und ich dachte: Schade, daß du ihr nicht hineingeholfen hast. Aber sie hat drei Koffer und zwei Hände. Du hast bloß einen Koffer.

»Soll ich Ihnen einen Koffer tragen?«

»O ja, das wäre freundlich.«

Sie schien froh zu sein. Auf dem Bahnsteig drehte sie sich nach mir um. Ich sagte: »Sie brauchen keine Angst zu haben, ich laufe nicht mit Ihrem Koffer weg.« Sie schüttelte den Kopf: »Ich wollte Sie bloß fragen, ob Sie das Hotel ›Zum Schützen‹ wissen.«

Ich wußte es nicht. Hinter der Sperre stellte ich meinen Koffer zu ihren Koffern und fragte im Reisebüro nach dem »Schützen«. Es war nicht weit. Und als ich wieder herauskam, stand sie drüben wie eine Herangewehte und machte einen schiefen Mund. Wie sie dastand unter ihren Koffern und beiseite schaute, als wollte sie nichts haben oder als dächte sie: Was soll ich denn schon hier? ... das erschien mir eigenartig.

»Sie haben eine schöne alte Tasche«, sagte ich.

»Ja, die ist mein ganzer Stolz.«

»Vom Dachboden geholt?«

»Nein ... Die stand bei einem Trödler ... Und Trödler, wissen Sie, die sind gut. Bei denen riecht es alt, darauf können Sie sich verlassen.«

»Auf sonst nichts?«

»Auf wenig«, sagte sie. Ihr Kupferhaar wischte über die Schulter. Sie sah mich an.

»Dann lieben Sie also das Alte, schon ein bißchen Abgenützte oder Angegraute?«

»Nicht direkt ... Das ist heute so ein Trend ... Ich weiß nicht, ob Sie wissen, was Trend heißt, aber man macht es mit. Man möchte nicht für abgestanden, besser gesagt: für rückständig gelten. Das ist doch das richtige Wort? Also, irgend etwas Originelles muß ein junger Mensch heut haben, und dafür gilt solch eine Tasche; sie beweist etwas Besonderes. Wie oft habe ich sie innen ausgeputzt mit Fleckenwasser und mit Kölnisch; sie hat so moderig gerochen ... Aber außen soll sie fleckig sein und abgeschabt ...«

»So will's der Trend?«

Sie nickte, lächelte. Ich trug ihr den Koffer ins Hotel »Zum Schützen«. Dort zog sie einen schwarzen Handschuh aus und streckte mir die Hand hin. Als sie dann kräftig zupackte, wunderte ich mich und dachte: Schade. *(1962)*

Chef und Schäfer

Auf der Straße hielt das rote Auto und wurde überdeckt von Blättern, die sich ineinanderschoben und zu einem Muster verwoben wurden, daß der rote Lack verwischt erschien von grünen Lanzenspitzen. Der Chef stieg aus, ein kahlköpfiger Kerl mit einem schwarzen Bärtchen auf der Oberlippe; ein Geschniegelter im weißen Hemd, braunäugig und korpulent. Er stand vor dem Auto, die Fäuste in die Hüften gestemmt. Der Schäfer ging auf ihn zu, ein grauhaariger Mann mit Gummistiefeln, der einen grünen Hosenschurz anhatte; auf der Brust zwischen Schurz und Pullover steckte eine Bierflasche, und um den Hals hatte er einen Schal gewickelt; seine Augen waren glasig blau, als wären sie weit weg; er war weitsichtig.

»Neuschmid«, sagte er zum Chef und hielt ihm seine lederige Hand hin, die der Chef kaum berührte. – »Sie sind also der Neuschmid«, sagte der Chef; er war ein kleiner Mann. Neuschmids Hund hob die graue Schnauze gegen ihn; dann kratzte und wühlte er im Gras, schnaubte und schlenkerte den Kopf, als merke er nichts von diesem Chef. – »Der riecht die Mäuse«, sagte Neuschmid und schaute auf den Hund, der seinen ausgefransten Schwanz reckte. – »Wie alt ist der Hund?« fragte der Chef, und Neuschmid antwortete: »Elf Jahre, Herr.« – »Der Hund muß natürlich weg«, sagte der Chef. »Ich besorge Ihnen einen jungen.« – »Wäre schlecht«, sagte Neuschmid, »bei dieser kleinen Herde.« – »Warum?« fragte der Chef. – »Um Vergebung, der Herr, aber ein junger Hund greift die Herde zu scharf an, und dann läuft sie mir« – er deutete mit der Schippe hinüber zu den pflaumenfarbenen Aschenfurther Höhen – »weit weg. Auch Sie kämen nicht mehr nach; denn leider können Sie mit Ihrem Auto nicht quer durch die Felder fahren, Herr.«

Der Chef bewegte die Lippen und sah an ihm vorbei; der Chef hatte Mäuseaugen. Er streckte die Hand aus, hinüber nach den Schafen. Jawohl, die Herde gehörte ihm, dachte Neuschmid und ging hinterm Chef auf dem rissigen, trockenen Pfad. Die Risse in der harten Erde glichen Bienenwaben. Der Weg trennte den Acker von der Wiese; auf ihm ging sein neuer Chef in spitzen Schuhen. Der Chef machte kurze Schritte, sah sich um und setzte dann die Füße weiter auseinander als zuvor, schob auch die kleinen und weichen Hände in die Taschen und ging breitbeinig; aber da stolperte er an dem moosigen Markierungsstein – hier waren sie an der Grenze zur Markung Sendlach – und ging wieder vorsichtig.

»Eine kleine Herde läuft schneller weg als eine große, sagten Sie?«

»Ja, Herr. Weil dann die Schafe weiter auseinander laufen; der Zwischenraum ist größer. Bei einer großen Herde drängen und schieben sich die Schafe; sie sind dichter beieinander und müssen darum langsamer laufen.«

Wieder bewegte der Chef die Lippen und blieb stehen. Der Hund wälzte sich auf dem Weg, ihm war es wohl. Die Schafe schienen sich mit dem Abendhauch zu vermischen, als wären ihre Felle aus demselben Stoff wie der gelbliche Dunst der Luft. Das war natürlich Einbildung, aber schließlich war doch alles aus demselben Stoff gemacht. In der Luft war dasselbe wie im Wasser, und Wasser war in jedem Leib und jeder Pflanze.

Drei Schafe liefen hinaus auf den Acker. Immer noch wälzte sich der Hund. Du wälzt dich und fühlst dich wohl, ich aber muß dich daran erinnern, daß du aufpassen sollst auf meine Schafe, dachte Neuschmid. Ein Mann, eine Frau und ein Mädchen holten Kartoffeln aus der gelbpulverigen Ackererde; ihre Säcke waren schon halb voll. Der Bauer sah hinüber zu den Schafen auf dem Acker. Der ärgert sich, dachte Neuschmid und nahm eine Handvoll Erde auf die Schippe; er warf sie in die Luft, und die Erde fiel auf den Hund, der sich wälzte. Da zuckte er zusammen, sprang auf und trieb die drei Schafe zurück.

Der Chef sah Neuschmid an und rieb sich den Mund. Dann stand er vor der Herde. – »Drei Schafe hinken«, sagte der Chef. Neuschmid streckte die Schippe aus und hielt ein Schaf in der Kniekehle fest; er zog es zu sich her, kniete auf dem Boden und hob ein Bein des Schafes hoch, um dem Chef den Huf zu zeigen. Der Huf war beschnitten, klebrig und roch beißend. »Das ist ein krummes Schaf«, sagte Neuschmid. »Schafe werden leicht krumm. Es ist ein Fußpilz, der dringt unter die Hornhaut. Die Hornhaut wird schmierig und stinkt.« – »Dann verbinden Sie doch diese kranken Tiere«, sagte der Chef. – »Dann dauert's vierzehn Tage länger. Sie müssen die Hufe behandeln; Sie müssen die Hornhaut wegschneiden und die Wunde mit Schmalz einschmieren. Oder Sie nehmen eine Mischung aus Essig und Kupfervitriol, aber das ist mir zu scharf; Schmalz ist milder für die Schafe. Allerdings müssen Sie dann öfter nachbehandeln«, sagte Neuschmid, worauf der Chef, jetzt schon einsilbiger, fragte: »Woher kommt's denn?« – »Daß sie krumm werden? Von ihrem Urin. Wenn der Pferch auf einem Boden steht, in den der Urin nicht einsickern kann, zerfrißt er ihnen die Hufe.« – »Dann suchen Sie gefälligst den richtigen Boden aus, damit so etwas nicht mehr passiert. Compris? Capisco?« – »Schon gut . . . Jedenfalls: ganz schlecht ist eine Wiese. Sandboden kann gut sein, aber es gibt auch solchen, der den Urin nicht aufsaugt. Es ist viel Glück dabei, mein Herr. Man sieht es dem Boden nicht immer an, ob er günstig ist.« – »Aber verbinden können Sie doch die Tiere wenigstens. Oder macht das zuviel Mühe?« – »Die Mühe wäre das wenigste. Aber der Erfolg ist schlecht. Sie zögern die Krankheit mit einem Verband bloß hinaus. Wenn krumme Schafe auf dem dreckigsten Boden herumstapfen, ist es in acht Tagen wieder gut; aber mit Schmalz einschmieren müssen Sie die Schafe, das ist klar.«

»Na schön«, sagte der Chef. »Aber daß die Tiere nicht weit weglaufen sollen, sehe ich nicht ein. Bewegung kann doch auch für Schafe nur gesund sein.«

»Bewegung schon; schließlich gehen sie ja immer . . . Aber Schafe sind empfindlich. Trächtige Tiere verlieren leicht die Lämmer. Wenn sie laufen und über einen Graben springen, dann liegt gleich das Lamm im Gras.«

»Aber der Hund muß weg; das ist doch ein lahmer Bursche. Stellen Sie sich bloß vor, Neuschmid, ich zeige einem Geschäftsfreund meine Herde. Da grinst der schon, wenn er bloß diesen Hund sieht.«

Neuschmid sah ihn an und begann zu erzählen, wie er einmal in der Pfalz gewesen war. »Dort sind die Leute freundlich zu den Schäfern«, sagte er. »Lange Zeit hab ich bloß Schattenfutter für meine Tiere gehabt. Sie sind heruntergekommen, und wenn's gut gegangen ist, habe ich mit ihnen drei Kilometer im Tag gemacht; sie sind geschlichen und haben die Köpfe hängen lassen. Da bin ich ins Rheinhessische gegangen, in die Hackfruchtfelder, wo Rübenstrünke herumliegen, Rübenkraut. Davon sind meine Schafe schneckenfett geworden, und gegangen sind sie: wie die Soldaten! Freilich, drei habe ich stechen lassen müssen; aber lieber drei als dreißig. Das muß man in Kauf nehmen.«

»Und wo haben Sie genächtigt?«

»Im Wald. Auf Laub und Tannenzweigen. Da leg' ich mich im Mantel drauf, dort wo's windgeschützt ist. Sehr gut ist's im Rheinhessischen, aber das hab' ich schon gesagt. Dort lassen die Bauern das Stroh auf den Feldern liegen. Da legen Sie sich nachts hinein, und es fehlt Ihnen nichts.«

Der Chef nickte; er kaute am Zeigefinger. »Wissen Sie, Neuschmid, mir ist natürlich alles recht, was Sie machen. Ich versteh nichts von Ihrer Arbeit. Leider ... Sagen Sie: verheiratet sind Sie nicht?«

»Nein. Wozu auch.«

»Dann können Sie leider nicht mitreden«, sagte der Chef.

»Das kann doch jeder; auch wenn er nichts davon versteht.«

»Na also ... Ich meine: gut ... Sie wissen: er hat eine Frau. Und das genügt«, sagte der Chef.

»Kommt sie einmal hierher?«

»Das ist es nicht. Aber sie sagt: Du mit deinen stinkigen Schafen, du mit deinem Hobby, sag, was willst du eigentlich damit? Und ich sage: Du hast das Haus bekommen, das du gewollt hast; aber das zieht bei ihr nicht.«

»Soll sie doch zufrieden sein mit ihrem Haus«, sagte Neuschmid.

»Das mein' ich auch. Wissen Sie, ich hab' mich arg krummlegen müssen wegen dieses Hauses; aber sie will halt Teppiche und einen Kamin. Sie, Neuschmid, ich habe auch auf der Terrasse einen Kamin einbauen lassen müssen, damit sie Feuer machen kann, wenn wir mit Gästen draußen sitzen. Das heißt: das Feuer muß ich machen.«

»Und kupferne Dachrinnen mußten es auch sein; anders hat sie's nicht getan«, sagte Neuschmid.

»Sie kennen mein Haus?«

»Ich habe es mir angeschaut.«

»Und was haben Sie gedacht? Sie können offen reden.«

»Nun ... halt eine Traumvilla ... Und: wie bist du froh, daß dir so etwas nicht gehört. Das habe ich gedacht.«

Der Chef atmete auf: »Wissen Sie: die Zinsen ... Ich hab' zwar einen Bauplatz für zehntausend gekauft und für hunderttausend verkauft, aber –. Na, ist schon gut.« Er sah auf seine Armbanduhr.

»Und wie geht's den Töchtern?« fragte Neuschmid.

»Sie hungern ... Sie, Neuschmid, die essen abends bloß noch Joghurt. Meine Birgit hat in vierzehn Tagen zwanzig Pfund abgenommen. Und das soll gesund sein ... Aber ich komm' jetzt öfter zu Ihnen heraus, dann erzählen Sie mir von den Schafen. Wir hokken uns auf den Boden und rauchen. Ich bringe meine Pfeife mit.«

Du kannst nichts dagegen machen, es ist sein gutes Recht, daß er dich besucht, und morgen machst du dich ins Rheinhessische auf, dachte Neuschmid und hörte das Laub der Obstbäume wie rinnendes Wasser im Wind fließen. Er schaute auf den trockenen Weg. Die Risse in der harten Erde glichen immer noch Bienenwaben, und die Schmiele spannte ihre grünen Adern aus, ein saftiges Geflecht. Hier wuchs die Schmiele, die von Stiefeln getreten wurde und trotzdem grün war; die Wegwarte war das Licht des Wegs; der Bläuling war sein Geist. Barfuß auf einem solchen Weg gehen und die Erdwärme unterm nackten Fuß haben, das war gut ... und er sagte zum Chef: »Nicht wahr, so weiß wie als Kind sind die Gänse später nie mehr gewesen? Und das Bachwasser – «

»Ach, seien Sie doch still!« sagte der Chef und stieg ins rote Auto. Dann streckte er die Hand heraus, drückte Neuschmids rauhe und rissige Finger und fuhr knallend los. Neuschmid sah ihm nach und wunderte sich, weil wieder das Blattgewebe, dieser dicht ineinander verfilzte Behang, wie ein Tarnnetz oder ein Teppich auf dem Wagen lag, obwohl er beim Wegfahren glatt und rot gewesen war. Dann sah Neuschmid hinüber zum Acker, wo das blaue Kopftuch eines Mädchens wie ein Bläulingsflügel leuchtete. Die Luft war klar. Die Wiese und der Acker wölbten sich zum Tal hinunter, von dem er hier nur jenseitige Hügelkämme sah. Die Herde graste. Der Hund trottete schräg neben dem Weg und schnüffelte am Boden. Ein Lamm lief hinterm Mutterschaf und drängte nach den Zitzen, aber das Mutterschaf lief weg. Das Lamm war mager, faltig und zu leicht. Dir werde ich im Pferch Malz unters Futter mischen, dachte Neuschmid, nahm die Bierflasche auf der Brust hinterm Schurz hervor und trank einen Schluck. Dann bückte er sich zum moosigen Grenzstein der Markung Sendlach. Er sah das überwachsene S und die Jahreszahl 1827 an und setzte sich. Er holte seine Zither hinterm Stein hervor, dachte: zum Glück ist der Chef nicht draufgetreten ... und zupfte an den Saiten; er horchte, stimmte sie mit einem rostigen Schlüssel. Dann spielte er; die Melodie klang hell wie Grillenzirpen. Er hatte eine alte Zither, bloß ein Brett mit Saiten; sein Großvater hatte schon darauf gespielt; der hatte einen weißen Backenbart gehabt. Unterm Spielen freute er sich aufs Frühjahr, aber bis dahin war's noch lang; im Frühling würde er sich wieder einmal eine Weidenflöte schneiden; die Rinde mußte geklopft und der Holzkern herausgezogen werden.

Er hörte auf zu spielen und horchte den Grillen nach. Der Hund lief auf der Straße. Was lief er dort; wenn ein Auto kam, hörte er es vielleicht nicht und kam unter die Räder. Neuschmid stand auf. Er ging zur Straße und klopfte mit der Schippe auf den Asphalt; der Hund fuhr zusammen und lief in die Wiese, weil ihm der Schippenton scharf in den Leib drang. Das weißt du; du kennst deinen Hund und deine Schafe; was geht dich der Chef an. Es gibt einen anderen Chef; nur Der ist wichtig. *(1962)*

Auf der Fahrt nach Paris

Im Luftreisebüro saß ein junger Mann, der die Jacke ausgezogen hatte. Durch sein weißes Hemd war das Unterhemd zu sehen, wie es um die Schultern einen Bogen machte. Umrundet von den Ärmelschlitzen seines Unterhemdes, das ihm am Rücken anlag und die Achselhöhlen frei ließ, unterhielt er sich mit einer Dame, bewegte die Hand, die einen Kugelschreiber hielt, vertieft in sein Gespräch, betäubt von seinen Worten.

Er dachte: Sie fliegt also nach Paris. Was will sie dort? Vergnügungsreise kann es keine sein ... Und er sagte ihr die Abfahrtszeit des Omnibusses, der zum Flugplatz fuhr. Sie schaute aufs Bild eines Prospektes, das Farbphoto eines Standes voll alter Bücher, dessen überhängendes Zeltdach mit Aquarellbildern beflaggt und von Lindenblüten überhangen war; dahinter schwelte blaudunstige Luft, eben so, wie man sich das Pariser Wetter vorstellt, denn für Sehnsuchtreisende muß Paris pastellfarbenes Wetter haben: Juniluft oder Septemberduft, der den Horizont verwischt. Denn in die Weite sehen will in Paris niemand, ihm genügt das Nächste.

»Wollen Sie's verschleiert haben? Ich nicht«, sagte die Frau.

»Vielleicht herrscht jetzt, wenn Sie hinkommen, Schneewind. Im Februar keine Seltenheit.«

»Das bestimmt«, sagte sie.

Ob die weiße Strähne über ihrer Stirne künstlich war? Bei der nicht, dachte er und merkte, daß das Büro überheizt war. Richtig, deshalb hatte er vorhin seine Jacke ausgezogen, jetzt fiel's ihm wieder ein. Nicht ganz korrekt. Er lächelte und fragte:

»Trübe ... und ein scharfer Wind, der von der Seine kommt: Erwarten Sie das von Paris?«

»Ja. Aber ich will's anders haben.«

»Die Wettermeldungen ...« Er griff hinter sich auf die schwarze Glasplatte der Theke und holte Papiere, eine Fluggastliste und eine Wetterkarte. Sie betrachtete die Wetterkarte mit den Kurven der Barometerstände und sagte: »Wenn Sie am Meer spazierengehen, hat der Sand solche Wellenspuren.« Sie war dunkel angezogen und hatte ein langes und bleiches Gesicht mit großen

Augen unter zusammengewachsenen Brauen; dazu einen vollen, schweren Mund, der überraschte; am Handgelenk eine goldene Spange mit altmodischer Gravierung. Ein Spruch war eingraviert, aber er konnte ihn nicht lesen; immer wieder drehte sie die Hand so, daß die Gravierung verdeckt blieb. Kleine Hände, die Finger dünn und vorne zugespitzt. Das war eine Scheue mit einem Gesicht, von dem er glaubte, er habe es bisher nur auf Bildern gesehen, aber nicht auf solchen, wie sie heute gemalt wurden; auf strengen Bildern mit kahlem, schwarzgrünem Hintergrund; und die Frauen darauf trugen steife Halskrausen. Eine befremdende Person, so um die Vierzig. Du fühlst dich unsicher vor ihr, oder besser: unanständig. Hättest du doch wenigstens die Jacke anbehalten.

»Ich fahre auch nicht gerne nach Paris. Lieber gehe ich aufs Land. In Dörfer mit Fachwerkhäusern; die dürfen ruhig ramponiert sein, ich meine: mit altem Verputz«, sagte er.

»Mir gefällt es aber in Paris, weil die Häuser angeschwärzt sind. Schwere, angeschwärzte Mauern, zwischen denen mich der Wind rauh anfaßt, das ist gut. Zwar wünsche ich's mir nicht, rauh angefaßt zu werden –«

Sie bereute diesen Satz; das war gut, denn jetzt mußte sie etwas sagen, das diesen Satz aus seinem Gedächtnis tilgen sollte. Und er wartete auf ihre auslöschenden Worte, während er die Wetterkarte auf die Theke zurücklegte und sich den Arm verzerrte, der in der Schulter schmerzte. Er bewegte den Arm, spürte Kühle in der Achselhöhle und hoffte, daß sie etwas sagte, womit sie sich verriet.

»Soll ich für Sie ein Hotelzimmer bestellen? Das haben wir vorhin vergessen.«

»Hotel ... Dort wohne ich nie im Hotel. Schade ...«, sagte sie.

Er sah sie an, und sie fuhr fort: »Ach ja, schade ... Ich würde dort gerne in einem Hotel wohnen, in einem alten. Ich stelle es mir so angenehm vor, aber meine Freunde wären gekränkt; es ist eine Familie mit Zwillingen. Sie wollen, daß ich bei ihnen wohne, aber vormittags störe ich den Mann ja doch in seiner Arbeit; er sagt's nicht, aber es liegt in der Luft. Da wär' es doch gescheiter, wenn ich im Hotel –. Nun, so ist es halt. Leider läßt es sich nicht anders machen. Wissen Sie, von uns – ich meine jetzt meine Freunde und mich – fühlt sich keiner zu Hause. Und das ist gut.«

»Früher haben Sie sich alles anders vorgestellt?«

»Früher ... sagen Sie. Sie sind gut. Früher habe ich mir gar nichts vorgestellt. Doch ... ich habe mir Stacheldraht vorgestellt, Stacheldrahtspiralen, rostig ... und dahinter eine Mauer, mit Glasscherben bespickt und mit Stacheldraht verziert; in den Mauerecken Wachtürme. Und zwischen Stacheldraht und Mauer geifernde Wolfshunde.«

»Ach so ...«, sagte er. »Ach so.«

»Und einen rauchenden Ofen habe ich mir vorgestellt. Und viele Kanister mit der Aufschrift: ›Vorsicht Giftgas!‹ Das erwartet dich, daran mußt du dich gewöhnen; das habe ich früher gedacht.«

»Ach so ...«, sagte er. »Ach so.« *(1962)*

Ein Dichter aus dem Rauch

Vor dem Alten Schloß war Jahrmarkt, und die Kälte rauchte. Ein Mann schaute zu dem Alten Schloß hinauf, das eine zackig ausgebrochene Mauer hatte, über der Tauben vorbeitrieben, als fielen Geschosse schräg herein. Der Mann hatte einen guten Platz; geschützt von einer Würstelküche, die ihn wärmte, und einem Stand, wo Lodenjoppen und Samthosen hingen, wie sie Viehhändler tragen, stand er vor einem Holzkoffer und hatte einen trockenen Ast aufgestellt; darauf saßen ausgestopfte Vögel. Jetzt streichelte er einem, der nicht größer als sein Daumen war, die schwarz und goldfarben gestreiften Federn; er sagte: »Der kommt von weit her, vielleicht sogar aus Rußland ...« Er schmunzelte. »Oder er kommt über die Mauer in Berlin, von dort, wo ich – war es gestern? – für zwei Mark einen Baumkuchen gekauft habe. Ich esse Baumkuchen so gern, und drüben ist er billig ... Aber wir sprechen ja von Vögeln, und dieser hier ist nur für eine kurze Zeit bei uns. Er ist kleiner als unser Zaunkönig.« Er redete zu zwei Buben und schaute vor sich hin. Dann machte er ein lockendes Pfeifen nach, einen aufschwingenden Ton, und erzählte von der Haubenlerche, die man auch in großen Städten finde, zum Beispiel in Berlin; auf den sandigen Wiesen mitten in der Stadt, wo früher Häuser gestanden hätten, dort komme die Haubenlerche noch oft vor. »Es kann Ihnen passieren, daß eine Haubenlerche mit ihrem aufgedrehten Federzipfel am Hinterkopf vor Ihnen durchs Gras huscht. Und dann sind gegenüber hohe, kahle Wände, wissen Sie: Brandmauern, und in so eine ist manchmal ein winziges Fenster hineingebrochen. Und aus einem solchen Fenster können Sie, wenn Sie Glück haben, Zithermusik hören, denn in Berlin gibt es, seit der Krieg aus ist, viele Zitherspieler.«

So redete er; zwischendurch ließ er Vögel singen. Und dann verkaufte er an Kinder seine Bläschen aus Blech, die man an den Gaumen drücken mußte; und wenn's einer richtig konnte, brachte er eine eigene Melodie heraus.

Am besten gelang ihm die eigene Weise, die noch niemand gehört hat. Er zog den Kopf ein, beugte sich vor, verneigte sich ins

Unbestimmte; jetzt sah er jemand, der für keinen andern existierte. Aus seiner Manteltasche – er trug einen dunklen und dikken, an den Taschen zerfransten Mantel – zog er eine Flasche mit abgegriffenem Etikett und ein Gläschen heraus, das er ausblies, bevor er's vollschenkte und leertrank; dabei schmatzte er sanft. Dann setzte sich ihm eine Eule auf die Schulter, ein Kauz im plusterigen Kleid, das Gesicht wie eine alte Frau, die klagte und viele, die vorübergingen, an ihre Mutter denken ließ. Der Mann aber verriet den Leuten, das sei sein Freund Silberkleid, den hätten sie verbrannt. »Im KZ«, fügte er hinzu. »Er war ein Dichter. Ein Dichter wohnt im Rauch. Und dieser Rauch kann nie weggeweht werden, von keinem Wind. Auch heute abend nicht, hier vor dem Alten Schloß mit der zackigen und grasfransigen Mauer ... Und da ist noch etwas.«

Er stellte einen grünspanigen Messingleuchter neben die Flasche und das Gläschen auf seine schwarze Kofferkiste. »Die Kerze fehlt in diesem Leuchter. Sie werden sagen: Was taugt ein Leuchter ohne Kerze? Nichts. Aber ein Dichter ist ein Leuchter ohne Kerze, der trotzdem brennt. Meine Herrschaften, Sie sehen eine Eule, einen Mann mit eisenfarbigem Haar, ohne Krawatte, nicht auffällig gewachsen, am Kinn graue Stoppeln, aber er kennt die Eule. Sie heißt Silberkleid und ist ein Dichter aus dem Rauch.« Und er holte aus einem roten Päckchen eine Zigarette, fing zu rauchen an und sah abwesend in die Kälte. *(1962)*

Die Waldlaterne

Die Dörfer haben rostige Blechdächer, die gleißen, wenn sie neu sind; es gibt auch mit Farbe bemalte, grün- und rotstumpfe, und Schindeldächer, die wie ein Mauspelz glänzen; das sind die silbergrauen oder braunen Dächer, alle aus Tannenholz. Der Wald ist kilometerweit schwarzgrün, er hat moosflechtenrauhe Felsen, deren Gestein gefleckt ist und im Bruch glimmerig glitzert. Die Straßen sind gelbsandig, die Wege wie mit grauem Salz belegt, die Pfade unter Riedgras versteckt, das zäh ist und Schmele heißt, ein uraltes Wort.

Schmelen und Silberdisteln gehören zur Laterne, die aus Tannenholz gemacht ist und ihre Scheiben als eine Zierliche spiegeln läßt. Holznägel halten sie zusammen; unterm Weidenrutenhenkel hat sie eine Blechkappe, damit die Finger vor dem Biß der Kerzenflamme geschützt sind, und früher war sie bei Herrn Schmöller in Freyung/Bayrischer Wald daheim.

Schmöller wohnte damals nicht weit vom Schloß Wolfstein in einem einstöckigen Haus, das sich behäbig streckt und vor hundertzwanzig Jahren gebaut worden ist. Nach hinten zu hat das Haus eine Galerie und Treppen, die zum Garten mit Hasenställen und einem Schuppen führen. Dort roch's an heißen Tagen nach durchwärmtem Holz, und wenn man auf den Klingelknopf im Gang gedrückt hat, ist Schmöller von unten heraufgekommen, ein Mann mit schwarzem Schnauzbart, das Schläfenhaar weißstruppig. Er hatte sich in der Nachmittagswärme hingelegt gehabt und war drum zunächst wortkarg; aber dann sagte er: »Ah, der Wandersmann . . . Woher kemman 'S heut? Von Hinterschmieding? Ah so, von Grainet.«

Er führte mich in die Zimmer nach der Straße, wo Spinnräder von der Decke hingen und die Fenstergesimse mit Lampen und hinter Glas gemalten Heiligenbildchen verstellt waren. Zur Stube mit den Pfeifenköpfen, den Jagdmessern, den Stiletten ging's zwei Stufen tiefer; dort gab es auch noch abgewetzte Gebetbücher, und Schnupftabaksdosen hielten auf dem Tischchen unterm Kruzifix eine Tagung ab. – »So eine«, sagte Schmöller, »haben früher die Rekordschnupfer in einem Tage leergemacht.«

Er strich sich über sein kurzgeschnittenes Haar. Mir fiel ein, wie es gewesen war, als ich zum erstenmal zu ihm gekommen bin. Auf der Bank vor dem Haus hatte eine Hirschhornspitze mit rauchender Zigarette gelegen. Ich läutete an der Tür, über die in schwarzer Schnörkelschrift »Schmöller« gemalt war. Schmöller kam nicht. Ich ging nach hinten und klopfte. Dort saß dann eine dicke Frau an einer Nähmaschine und war bis zur Brust mit einem weißen Vorhang zugedeckt. Sie sagte, ich solle vorne rechts klopfen, die Leute wüßten, wo er sei.

Vorne rechts lag eine magere Frau mit großen dunklen Krankenaugen brettflach auf einer Couch, und ein Mann, der Schmöller glich, saß neben ihr am Tisch. Das Wachstuch auf dem Tisch war an den Kanten abgewetzt; darauf waren Tarockkarten in gerader Reihe ausgebreitet. Auf dem Radioapparat stand die Photographie eines jungen Mannes in Heeresuniform, wie ich sie auch einmal getragen habe. Dunkel und langsam sagte die Frau: »Bitte, nehmen Sie doch Platz.«

Vor Schmöllers Haus geht die Straße nach Herzogsreut, Philippsreut und Bischofsreut. Sie kommt vom Heldengut, von Grainet und von Hinterschmieding. Als ich heuer im Juni vom Wald herunterkam, war's heiß, und überall klapperten Mähmaschinen. Hühner liefen farbenfederig im Gras beim holzverwitterten und leeren Hofe unterm Wald, der dunkel hersah; dazu der Ausblick in die Wiesenweite mit ihrem dunstigen Französischgrün, das verwischt und wie von unten her durchschienen aussah, sanft und warm gedämpft. Oberhalb Grainet war ein Haus im Rohbau fertig. Ein Mann fingerte sich eine Zigarette aus seiner blauen Leinenhose, schaute mich, wohl meines Rucksacks wegen oder weil ich kurzbehost war, kurios von der Seite an und fragte, woher ich sei. – »Aber ganz z'Fuaß herglaafe von Stuckart san 'S doch net? No, olsdann ...« Und er blinzelte und zog die Nase hoch, er wischte sich die stoppeligen Lippen, schob mit dem Handrükken den Hut aus der Stirn und erzählte von einem Fräulein, das beim Schneeschaufeln vom Dach gefallen und seitdem gelähmt sei, demselben Fräulein, für das dieses Haus hier gebaut werde. Zwei Burschen kamen dazu, er sagte: »Jo, nach Groanat, do gehn S' jetzt obi, dann kemman S' beim Gutsmiedl außi, und nocha gehst nach Groanat eini. Also fehlgeh kennan S' net.« Und ich hörte hinter mir sein Lachen sich mit dem Gelächter der zwei Buben mischen.

In Grainet stand dann »Huf und Wagenschmiede des Max Gutsmiedl 1688-1950« an einem Haus, vor dem klares Wasser aus einer Eisenröhre in einen Granittrog rann. In der Werkstatt zischte ein Schweißbrenner, Mopeds drängten sich beim Brunnen, und ein junger Mann im blauen Monteurskittel kroch unter einem Lastwagen hervor. Auf einer Bank saßen zwei Mädchen und hatten blonde Zöpfe ...

Aber nun brachte Schmöller die Laterne, und ich fragte, wieviel er dafür haben wolle. – »Sagen Sie doch was. Dann sehn mer schon, ob mer weiterkemma.« – »Vielleicht zehn Mark?« – »Also, da sind wir ganz genau beisammen.« Er wiederholte diesen Satz und fragte, woher ich sei. – »Ah so ...« sagte er und erzählte von Weilimdorf, wo er gewohnt, und vom Stuttgarter Bahnhofsplatz, an dem er gearbeitet habe: »Das Schloßgartenhotel haben wir dort gmacht. Und sonst noch viel in Stuttgart.« Er wiederholte das Wort »viel« und deutete mit dem Arm hinaus, als zeigte er mir eine weite Fläche. Er hatte dort auf dem Bau geschafft. Ich dachte, jetzt könne er nicht mehr bei Wolfer und Goebel schaffen, weil er eine Herzgeschichte oder sonst etwas habe, doch blieb dies ungesagt; ich reimte es mir nur zusammen, weil er mich wissen ließ, daß ihm dies Haus gehöre und er mit seinem Auto bis ins Österreichische hinunterfahre, um alte Sachen aufzukaufen: »Das wird gebraucht für Bauernstuben, die sich die Leut einrichten. Viel geht an den Starnberger See.« Und ich stellte mir vor, wie er mit seinem Wagen, einem »Schnackerl«, herumfuhr, auf die Dachböden stieg und abgelegten Hausrat sammelte.

Später ging ich zur Omnibushaltestelle nicht weit von der frisch vergoldeten Maria des Marktbrunnens, und hielt die hölzerne Laterne wie ein Kind im Arm. Ich stand unter den Leuten, die den Omnibus erwarteten, während in der Straße Autos rappelten. Eine Frau, der unterm Kopftuch graues Haar klebte, stand im schwarzen Kleid bis zu den Knöcheln neben mir und sah mich an. Sie machte ein Gesicht, als ob sie etwas Widerliches sähe, bis sie sagte: »So an olts G'lump ... Wia mer dees bloß kaafe ko ... So ane Latern hob i in Wold außig'schmissn.«

Im Omnibus suchte ich meine Seh-Freundin vom letzten Mal. Auch heute war sie da und schwatzte bereits mit dem Fahrer. Sie hatte Haar, schwarz wie ein Teerpappedach, und schmale Augen, die aus den Lidspalten glitzerten, als wären's Silberpapierschnitzel; dazu einen festlippigen Mund. Eine Böhmische, die auf dem Polstersitz hin und her ruckte, die Beine übereinanderbog, die Ärmchen hob und den Kopf auf die Seite legte, damit sich der Pullover über ihren Apfelbrüsten spannte. Im Nacken waren ihre Haarschwänze feucht, und ich erwartete, daß sie auf die Haut abfärbten. Doch hielt die Haarfarbe den Schweiß aus. Ihre Kopfhaut stellte ich mir hitzig kalt vor. Eine Laufmasche im braunen Strumpf ließ eine weiße Hautrille durchscheinen. Die Gesichtshaut war unter einer gelblichen Creme-Maske versteckt, ihre magern Händchen hatten um die lackierten Nägel einen schwärzlichen Belag, und die Nagelhäute waren so scharf ausgeschnitten, daß die Ränder wund erschienen. Sie kramte in ihrem weißen Kunststofftäschchen und sagte zum Fahrer, einem massiven Kerl: »Am Sonntag fohr i zu aner Hochzeit. Im Goggomobil.« – »Jo schamst di do net: im Goggomobil?« – »Jo scho. Do wern mer uns dann halt zwerchs außi drucka zum Dreisessel.« Der Chauffeur sagte, am liebsten gehe er zu Fuß; wenn ihn sonntags einer mitnehmen wolle, sage er: »Naa, dank schön.«

In Herzogreut stieg ihr Bursch zu, ein Hübscher, das Haar angepappt, der Anzug städtisch dünn. Sie setzten sich zusammen. Sie legte ihm ein Bein über das Knie und schlang den Arm um seinen Nacken. Ich wußte, daß sie die Tochter des Schlosser-Nikl und Friseuse in Freyung war, eine, die so stark rauchte, daß sie, wenn der Omnibus hält, »außi geht und sich a Zigarettn ozünd. Immer hot's an solchen, der olleweil a andre hot.« Also eine Praktikale.

Ich schaute im Fahren hinaus. Ich dachte an die kleine Graineter Kirche und sah ihre frisch verputzte Gestalt. Nicht weit von der Seitenpforte, wo es hinausging in die Hitze, war ein hoher Glokkenblumenstrauß auf den Steinplatten gestanden, und ein heiliger Sebastian hatte seine Pfeilwunden gezeigt. In der Sakristei war ein Missale aus dem Jahre 1931 aufgeschlagen gewesen, ein Kleiderbügel hatte aufs Meßgewand gewartet und ein Waschbecken ein frisches Handtuch gehabt; durch ein Spitzbogenfenster hatte der Friedhof hereingesehen, der ebenerdig sich ausstreckte und in den der Chor der Kirche eingesenkt war. Ich dachte an den Wiesenpfad, den ich, von Sonne durchglüht, abwärts gegangen war und wo Erdbeeren zwischen graumoosigen Steinen warm geschmeckt hatten. In Hinterschmieding hatte ich eine Laterne mit einem Petroleumbrenner hängen sehen, und das Dorf war durchleuchtet gewesen. Ich ging zum Heldengut, legte meinen Rucksack, der im Lauf der Zeit verschwitzt und speckig geworden ist, an die Straßenböschung und wartete, während Kühle herkam und Kreuzberg mit seiner Kirchturmspitze vom Kegelberg herunterschaute, auf den Omnibus, der mich zum Wald hinauftrug.

Dunkelblau kam der Wald her und hatte grüne Feuer. Der Omnibus bohrte sich in die Fichtentiefe. Baumspitzen waren mit Licht belegt, und wenn ein Waldrücken hereinsah, drängte ein Wolkengebäude hinter ihm herauf. Es wurde hell, Wiesen legten grüne Wogen aus, und eine Siedlung hatte rostige Blech- und graue Schindeldächer. Mit drei bleichen Gesichtern schaute eine Häusergruppe her. Der Omnibus hielt vor Fenstern, die mit Holzlegen ummauert waren, und hinter einem Fenster sah die weiße Röhre eines Bettgestells heraus. Das war in Philippsreut. Es ging nach Schwarzental hinunter. Die Straße stieg, ich sah den Weg zum Schnellenzipf abbiegen, wo ich auf dem Bulldog geschüttelt worden bin, als wir vom Heuen heimgefahren sind. Ich sah nach Böhmen. Die Höhen waren aufgebaut und machten einem nebelblauen Tale Platz. Das Licht war unvermischt; es ruhte in der Höhe und es glühte hinterm Steinkopf, diesem Granitgebäude, wo Rosa und Gold heraufwuchs, ein Belag, wie eingeschmolzen in das Blau, dessen Ränder sich eisiggrün veränderten, während Tannen und Steinklötze wie eingepreßt ins Gold aussahen. Noch einmal schauten Täler her, als wären sie aus grünem Silber. Ein schindelbraunes Haus duckte sich an der Straße, und hinter ihm floß Nebelmilch zwischen den Böhmhängen, wandelte sich in blinde und ovale Schalen oder Schüsseln, und der Kubany zeigte in der Ferne seinen Wisentrücken.

So sah ich es in Bischofsreut, so spiegelte es sich in der Laterne, die ich ins heuduftende Haus des Schneidermeisters Madl trug. Madl hatte einen Zigarrenstummel in den Lippen und ein maliziö-

ses Lächeln in der linken Backe; nein, ein belustigtes. Ich erzählte von der alten Frau in Freyung, die über die Laterne gesagt hatte: »So an olts G'lump«, und Madl sagte: »Dees denk i aa.« Wir lachten. Er tippte auf die Blechkappe unterm Henkel: »Aha, damit's ihm net z'hoaß wird an der Hand, wann d' Kerzen hoch is!« Und zu seiner Frau: »Do hot er aber hamisch ei'kaaft heut, wos, Annerl?«
(1966)

Einer erinnert sich

Josef wusch das Geschirr, putzte Gänge, Toiletten, war in seinem grauen Arbeitsmantel immer ein bißchen zu liebenswürdig und beinahe unterwürfig, ein Hagerer, der ängstlich lächelte. Woher er kam und was er früher getan hatte, das wußte der Hotelbesitzer nicht. Seine Frau sagte: »Der Mensch ist mir unheimlich.«

Das Weihnachtsgeschenk, einen Fünfzigmarkschein, hatte Josef schon am Vormittag bekommen. Milly war auch weggegangen, Milly, die Kellnerin aus Südtirol, eine im schwarzen Minirock mit durchsichtiger Bluse und Spitzenmanschetten; eine, die das Deutsche mit metallischem und wie brüchigem Tonfall sprach und deshalb etwas an sich hatte: also eine Fernwirkung gewissermaßen. Die fand leicht Kontakt, wahrscheinlich, weil sie sich die Gäste vom Leib halten konnte, oder weil ihr Mann auch elegant war, dieser schlanke Sergio. Milly gehörte zum Geschäft, sie paßte gut herein und war, wie es sich heut geziemte, eine, die an ihrem freien Tag ›groß‹ ausging und sich ›ganz groß‹ anzog, obwohl sie nur einsdreiundsechzig maß; dann kostete der Abend im ›Balzac‹ und in der ›Bohème-Diele‹ für zwei Personen hundertfünfzig Mark, und es war alles inklusive. Milly und Sergio brauchten dies, weil sie in einem engen Dorfe mit vielen Geschwistern aufgewachsen waren und zu dritt in einem Bett geschlafen hatten.

Kinder hatten Milly und Sergio keine. Und weil sie beide sich tagsüber freundlich, zuvorkommend, heiter, liebenswürdig und korrekt den Gästen zeigen mußten (Milly konnte es besonders gut und durfte deshalb reichliche Trinkgelder einkassieren), leisteten sie sich's, an jedem ihrer freien Tage zu den Kellnern im ›Balzac‹ und in der ›Bohème-Diele‹ hochmütig zu sein.

Der Hotelbesitzer, ihr Chef, ein beweglicher Mann, eilte über Treppen, sagte zu dem Hund: »Los, Platz!«, damit sich der unter dem abgewetzten Jugendstil-Schreibtisch verkroch. Photographien waren mit Reißnägeln an die Wand geheftet, unter anderen die einer Kabarettistin aus Wien, die den Mund spitzte, die Augen rollte und den Zeigefinger hochhielt.

Die Rechnungen waren quittiert und die Bestellungen erledigt. Das kleine Hotel stand bis zum einunddreißigsten Dezember leer. Er schloß die Tür des Restaurants und schaute auf die Straße, die im weißen Bogenlampenlicht drüben beim Wohnblock eine Biegung machte und vom Regen glänzte. Er merkte, daß er jetzt, im dreiundfünfzigsten Lebensjahr, die Stille leerer Straßen gerne hatte, wenn sein Lokal, gelüftet und gesäubert, zu einem Raume wurde, in dem Erinnerungen sich ausdehnen konnten und er, hinter der Brüstung mit den Eichenpfählen sitzend, so für sich war, wie er es sich wünschte.

Jetzt wollte er allein sein, und warum? Wohl lediglich der Jahre wegen und weil noch immer dieser Krieg hereinsah, auch wenn man es nicht wünschte. Eine abgelegte Sache, dieser alte Krieg, obwohl der alte Krieg von dieser neuen Zeit, die jetzt stillstand, nur wie durch eine Haut getrennt war.

Er saß hinter den Eichenpfählen, die rissig waren (so hatte man es heutzutage), einer Palisade glichen und zum tadellos renovierten Innenraume dieses dämmerigen Restaurants gehörten, dessen Brüstung an die Eleganz feiner Lokale, etwa in Brüssel, denken ließ; dann aber auch an die Holzmauer eines Hauses, damals am Wolchow, etwa zwischen Grigorowo und Ljubino Pole; oder an eine kilometerlange Flechtwerkmauer, vor der ein Waldstreifen abgeholzt war. Die erschien ihm jetzt uralt, als stamme sie aus Cäsars Zeiten und wäre hinten in dem Buch ›De Bello Gallico‹ abgebildet gewesen, damals auf dem Gymnasium; denn bis zur sechsten Klasse bist du aufs Gymnasium gegangen ... Jetzt aber dachte er an einen Weihnachtsabend, damals im Krieg, als Regen und Schnee durcheinandergewirbelt worden waren und er, nach einem Urlaub, zum Bahnhof ging, wo seine Stiefeleisen auf dem nassen Beton des Bahnsteigs knallten, indes er an die Hirten dachte, von denen es geheißen hatte: »Und sie fürchteten sich sehr«; denn nur, daß sie sich fürchteten, war ihm aus der Weihnachtsgeschichte in Erinnerung geblieben; und Erlösung gab es keine.

Der kahle nackte Bahnsteig mit dem Zug; und sonderbar, daß er in dem Abteil alleine war. Da fuhren also jetzt nur wenige zur Front, und er war unter diesen wenigen und sah ins Sudelwetter und wurde gefahren; sah auf schwarze Wellblechdächer und auf Dampf. Wie sich die Städte glichen, wie die Siedlungen zusammenrückten, alle unterm niedrigen Himmel, diesem Wolkendekkel, schmutzig wie ein Löschblatt aus der Kinderzeit. Hohe und grünliche Mauern stützten eine Straße, und darüber waren die Gebäude backsteinstumpf. Zwielichtig immer, und es dunkelte am Vormittag. Auf einem Bahnsteig brannten neben einer Holzbaracke Kerzenlichter.

Er stieg aus, ging wieder auf nassem Beton, bekam Punsch ins Kochgeschirr gefüllt und drückte sich mit einer Handvoll Zigaretten in den Wagen. Dann reichte ihm durchs Fenster eine grauhaarige Frau einen Karton mit grün angestrichenen Brettchen, die er zu einem Weihnachtsbäumchen hätte zusammenstecken können, das kaum höher als seine Hand gewesen wäre, doch hatte er jetzt keine Lust dazu. Seine Mutter hatte dasselbe Weihnachtsbäumchen aus dem ersten Weltkrieg, eines, dessen Ecken von herabgebrannten Kerzenlichtern verkohlt waren. Weshalb also behauptet werden konnte, die Zeit zwischen den Kriegen sei von hölzernen und grün angestrichenen Weihnachtsbäumchen sozusagen überwunden worden; und wenn die Menschen lange genug aus sauberen Tellern gegessen hatten, wollten sie mal wieder aus einem Kochgeschirr essen; als ob es ihnen sonst zu langweilig geworden wäre.

Jetzt sangen draußen helle Mädchenstimmen. Es ruckte dieser Zug, er ratterte und stieß und schlug. – Zu eilig ... allzu eilig. Schneeig rückte schon der Osten näher, doch war noch Deutschland da mit seinem Weihnachtsliedersingen, fast als sähe er es auf dem Bild einer vergilbten illustrierten Zeitung, weit dort hinten, wo sein Vater jung gewesen war.

Dann der Bahnhof von Kraßnogwardeisk, das wiederum Gatschina hieß, wie's in der Zarenzeit geheißen hatte, während Kraßnogwardeisk ›Der Rotgardist‹ bedeutete. Vor einem Jahre hatte hier ein Leutnant zu einem Popen gesagt, seit die Deutschen in Rußland seien, habe er es sicher besser; worauf der Pope gefragt hatte: »Wer ist besser?«

Also Kraßnogwardeisk. Die Mäntel vieler Kinder waren an den Ärmeln ausgefranst, hingen über die Finger, daß es schien, als hätten sie Armstümpfe. Sie fuhren Gepäck auf ihren Schlitten und wollten dafür Brot. Aber was nützte ihm der Schlitten eines Russenkindes, er hatte doch nur einen Wäschebeutel und mußte sein Gewehr selbst tragen; denn was wäre gewesen, wenn er einem

Russenkinde sein Gewehr mit Patronen im Magazin und die Gasmaske auf den Schlitten geladen hätte? Ein Offizier oder ein Unteroffizier, die hätten ihn dann angepfiffen; also vermeidest du's. Und er schenkte einem Buben einen durchsichtigen Beutel voll Pfeffernüsse, die er auf der Fahrt bekommen hatte.

Nein, so war's nicht gewesen. Es fiel ihm ein, daß er damals zuerst in einen andern Ort gekommen war; allerdings bist du nicht sicher. Doch, so mußte es gewesen sein, und er sah sich, wie er als der einzige dort ausstieg, und meinte sich an einen leeren flachen Marktplatz zu erinnern, an ein Schloß, das höher als die Stadt gelegen war. Aber was hieß hier hoch und höher; hier war doch jeder sanfte Hügel schon ein Berg. Und er erinnerte sich dieses Hügels mit dem Schlosse, obwohl es freilich wenig nützte, wenn er daran dachte.

Später dann also Kraßnogwardeisk, wo Kerzen auf den Tischen brannten und alles wie altmodisch aussah, doch gehörte es zum Winter hier in Rußland, wo Petroleumfunzeln selten waren. Das Kerzenlicht war orangefarben, und in der Zimmermitte saß ein langgesichtiger Soldat mit grauem Schnauzbart und einem Goldknopf im Ohrläppchen, griff in zwei Kartons und gab jedem, der an ihm vorbeiging, Zigaretten und Gebäck. In einer niedern Stube, wo Kerzenflammen vom Luftzuge bewegt wurden, gingen Offiziere einer spanischen Legion vorbei; doch ›Legion‹ war nicht ganz das richtige Wort; es hatte damals doch anders geheißen, aber wie? Richtig: ›Blaue Division‹ . . . und diese Spanier waren wilde Burschen an der Front, hier hinten aber und im winterlichen Rußland gingen die seltsam gekleidet, altmodisch mit schwarzen Lacktschakos, langen Säbeln und olivfarbenen Uniformen, an denen Goldknöpfe glänzten; eigenartig, diese fremdländischen Herren unter lauter Grünen, unter Männern, deren schwere Stiefel ihre Schritte unbeholfen machten, während jene dünnsohlige Schuhe trugen und in andern Uniformen, die sie für den Urlaub angezogen hatten, so geschmeidig wirkten, als wären sie nicht mehr dem dämmerigen Kraßnogwardeisk zugehörig, wo er später zwischen niederen Holzhäusern ging und einen bärtigen Mann im Pelz sah, der Pfeife rauchte. Dann schlenderte vor ihm ein Hagerer im weißen Lammfellmantel, einer in Reitstiefeln. Eine Tür stand offen, über Stufen ließ ein Grammophon mit geschweiftem Trichter heisere Stimmen hören, und eine grauhaarige Frau, deren Kopf breit wie der einer großen Katze war, nahm zwischen vermummten Männern einen Schluck aus einer dünnrandigen Tasse.

Am andern Tage duckte sich im scharfen Schneelicht dieses Grigorowo, und du findest dort das breite Holzhaus mit den beiden lackierten Löwen rechts und links vom Gartentor. So hoch verschneit war diese lange leere Straße, an der das Holzhaus stand. Zäune aus Ästen steckten tief im Schnee, als habe sich ein Brauch erhalten aus den Zeiten, da weitab im Westen jener Cäsar in Germanien ... Und in dem Haus mit dunkelroten Löwen an der leeren Straße, welche Birken säumten, saß er dann auf einem Strohsack und schnitt sich eine Scheibe Rauchfleisch (Marschverpflegung) ab. Ein Mädchen sagte: »Oh, Germania groß ... Germania reich«, denn sie gehörte zum Soldatenheim im Löwenhaus, dessen er sich später in der Stellung und in Filzstiefeln, die wie Hausschuhe weich waren, als einer verlassenen Wohnung von weit her entsann. Der Birkenholzfeuerrauch roch wieder süßlich, und er merkte hinter dieser Flechtwerkmauer, die wie zu Cäsars Zeiten aussah, jene Stille, von der er wußte, daß sie nicht lang halten werde, was sich bald als richtiges Gefühl erwies, weil bald danach ...

Es weglassen und fortwischen, weil jetzt nur das Restaurant und das Hotel galt, von dem sie sagten, es sei so intim; aber die Zimmer waren bloß bequem. Dein blauer Opel Kapitän, und daß es dir nicht friedlich genug sein kann ... Das Zimmer mit den grünen Polstersesseln, die Fernsehtruhe aus afrikanischem Holz (wie es heißt, weißt du nicht) und daß du manchmal eine Pfeife rauchst: das steht doch alles da, als ob's an einem Faden hinge. Wenn's bloß einmal ein bißchen wackelt, ist's schon wieder Staub und kalte Luft. Es sitzt dir im Genick ... Und wieder fiel ihm dieser Satz aus der Weihnachtsgeschichte ein: »Sie fürchteten sich sehr.« Das überhörten dann die Leute immer. Leider überhörst du's nie.

Im Gang Gelächter. Türenschlagen. Da kam nun seine Tochter mit ihrem Mann aus Genf. Die hatten alle nichts Gespreiztes an sich. Du bist froh, weil deine Kinder nicht gespreizt sind ... Und der vierjährige Eric in seiner roten Pudelmütze, der begrüßte ihn: »Allô, monsieur, ça va?« Gut, daß der nicht Opa zu ihm sagte, und kein Wunder, daß er nur Französisch sprach, weil sein Vater aus Marseille war. Da hatten die also ein Berghotel zu verwalten, einen ausgedehnten Kasten, in dem zuweilen sogar das Bolschoi-Ballett gastierte. Und seine zweite Tochter Zita, die eigentlich Franziska hieß, hatte jetzt ein Baby. Wie frisch die aussah, und wie gern sie lebte. Hoffentlich wurde die niemals von verschlungenen Erinnerungen heimgesucht, dafür aber gestreichelt (von einfachen Erinnerungen). Daß es jetzt noch so ging (so leicht, trotz dieser Mehrwertsteuer), das war ihm fast unheimlich. Und er sah den Josef, wie sich der im Gange vorbeidrückte.

»Josef, komm heut abend zu uns rauf. Wir wollen doch alle zusammensitzen an Weihnachten«, sagte er zu ihm, und dieser Josef bekam einen Schein in sein Gesicht, als ob die Lampe im Gang heller brenne; zugleich verriet ihm dies, daß er, dieser Hotelbesitzer, sich als guter Mensch erwiesen hatte, weil er den Hausburschen in seine Wohnung einlud. Milly und Sergio kamen auch dazu, aber was Milly anging, so war da irgend etwas nicht in Ordnung, weil er die Milly gerne sah; übrigens war's kein Wunder; besonders dieser durchsichtigen Bluse wegen, weil ihre Haut wie Alabaster ... und auch noch ein bißchen verschleiert. Aber zu beichten hast du nichts, weil du für so etwas im Lauf der Zeit zu schlau geworden bist. Komplikationen kannst du dir ersparen; auch weißt du von dem Paragraphen, der dich als Chef hinter eine Schranke drängt; die Milly war ja verheiratet und gescheit. Eine Beobachterin, und so ironisch ... Aber liebenswürdig, enorm liebenswürdig. Und wieder hörte er ihr zu (dieser metallische Tonfall, sapperlot), wie sie von ihren Schwierigkeiten mit der Ratenzahlung für die Möbel redete, und daß sie jetzt farbig fernsehen müsse, also unbedingt; da wurde ihre Stimme fast ein bißchen scharf.

Seine Frau machte ihren Bruder nach und sagte, der sei ein Intellektüller; sie lachte drüben auf der Couch. Zita erzählte der Schwiegermutter, dieser Ur-Omi, wie sie kürzlich Spanferkel fürs Geschäft eingekauft hatten. Dabei war der Korb mit den toten Schweinchen auf dem Fußboden gestanden, und die Schweinchen hatten ihre Hufe über den Korbrand gestreckt; weshalb sich dann die Damen an den Hufen ihre Seidenstrümpf' zerrissen hatten. Zitas Mann, dieser Otto mit dem starken Händedruck, prostete der Ur-Omi ganz korrekt zu. Die Ur-Omi trank ein Gläschen

Sekt. Mit einundachtzig und trotz ihrem Schenkelhalsbruch vor fünf Jahren war die so, wie es sich jeder wünschte, daß er mit einundachtzig auch noch sei; die trank jetzt gerne Wein, anders als vor zehn Jahren, wo sie immer ans Glas gedeutet hatte: »Mir, bitte, nur sooo viel . . .« Und langweilig war all dies nicht, wenn man genau hinschaute; obwohl es dir doch vor zehn Jahren manchmal langweilig erschienen ist; wahrscheinlich, weil du nicht so genau hingeschaut hast, wie du jetzt hinschauen kannst.

Der Hund schlug an. Josef kam: Lang, hager, aufgerichtet und eine Platzwunde unterm Auge, die Kleider verdreckt, als ob er mit Fußtritten traktiert worden wäre. – »Herr Chef, ich sage Ihnen jetzt die Wahrheit«, sagte Josef. »Und Sie passen auf. Damit Sie wissen, wen Sie an der Spülmaschine haben. Einen, der zu fünfundzwanzig Jahren Zuchthaus verurteilt worden wäre, wenn . . . Einen mit einer Hirnverletzung aus dem Krieg. Einen, der von seiner Frau geschieden ist. Einen, der nicht mehr hat als zwei Koffer. Einen . . .«

»Ja, schon recht, Josef. Setz dich her.«

Er nahm ihn beiseite, bot ihm eine Zigarre an; sie rauchten, stießen mit Sekt an. Und er versuchte zu erfahren, wie es Josef früher ergangen war, erfuhr aber nur Ungenaues; daß er niemand mehr zu Hause angetroffen habe; die ganze Gegend um das Haus, der Stadtbezirk also, drüben in Ostberlin, sei jetzt eine Schafweide; auch sein Onkel, dieser Junggeselle, ein Beamter bei der Stadtverwaltung – also, auch den gab's nicht mehr. »Dann eben so dieses Hinunterrutschen, wissen Sie, und daß es allen andern gutging. Und daß . . .«

»Ja, schon recht, Josef.«

Jetzt flimmerte der Fernsehapparat. Ein Schauspieler war effektvoll angeleuchtet und las das Weihnachtsevangelium. Hinter ihm hatte ein Stück vom Christbaum elektrische Kerzenlichter. Du wartest, bis der Satz kommt: »Sie fürchteten sich sehr.« Und der Satz kam, und danach kam: »Fürchtet euch nicht.« Aber das Zimmer mit den grünen Polstermöbeln, der Weißtanne, dem Sekt und so weiter, war trotzdem eine dünne Haut, die platzen konnte.

(1969)

Eine Tote

Die Karbidlampe brannte auf dem Tischchen und spannte ihre doppelflügelige Flamme wie ein Schmetterling aus weißem Licht neben dem Telephon, indes er in den abgewetzten Schafspelz schlüpfte und grünwollene Ohrenschützer über den Kopf stülpte; dazu die Mütze. Er nahm den Stock und zündete sich an der Karbidlampe eine Zigarette an, während vor dem vergitterten Fenster, das zur Hälfte in der Erde steckte, Stiefel auf dem knirschenden Schnee trappelten.

Er klemmte eine Sperrholzplatte vor das Fenster, verließ den dumpfen Raum und trat ins Freie. Der Schnee schimmerte bläulich. Am Rand des toten Gartens stand die Schloßruine, und vor dem rostigen Gerippe eines gepanzerten Wagens hockte ein im Feuer eingeschrumpfter Mensch wie eine Puppe, ein ledernes Wesen, kleinköpfig, mit winzigen Händen und Stummelbeinen. Eine Katze huschte davon. Hinterm Schloß ragten die Riesenleiber zweier nackter Tritonengestalten, die vergoldet waren und auf Muscheln bliesen.

Er warf den Zigarettenstummel weg, betrachtete das im Nebel starre Meer und stapfte weiter. Holzhäuser duckten sich und hatten leere Fensterlöcher. So sieht es in dir selber aus ... Ein Mann im abgeschabten, braunledernen Schafspelz, ging er durch die leere Gasse und war froh, daß ihm niemand begegnete. Im Park wurde Holz gehackt, und jeder Schlag drang scharf herauf.

Er kam in eine Straße zwischen Bäumen. Sie knarrten leise, das Gewehrfeuer fing an, dies abendliche Brodeln, das die Zuckungen des Lebewesens Front verriet, das hektische Pulsieren eines unsichtbaren Leibes, der im Fieber lag. Himbeerrote Leuchtspurgeschosse irrten im Geäst. Ein Kiosk, wo früher Eintrittskarten verkauft worden waren, wurde von einem braun gefrorenen Toten bewacht, der gesunde Zähne zeigte. Dann suchte er den Pfad, der zwischen Gebüsch und schwarzen Stämmen in den Park hinunterführte, in diese unbewegte Baumversammlung, der's gleichgültig war, was sich ereignete oder wie sich Gegenwärtiges mit

Zukünftigem mischen werde, während es für die Menschen schwierig war, dies hinzunehmen.

Bist du gleichmütig? Er, der Hauptmann, bemühte sich, unbewegt zu erscheinen. Wahrscheinlich dachten alle andern, ihm sei es gleichgültig, was geschehe. Und deshalb bist du, wenn nicht gerade unbeliebt, so doch kein Mann, der von der Mannschaft für einen Kerl gehalten wird, mit dem man etwas haben kann. Sagst du etwas, dann wissen die nie, wie sie es aufnehmen sollen ... Aber vielleicht fühlten sie, daß er sich selbst gleichgültig war oder so tat, als ob er sich gleichgültig wäre.

Steinerne Trümmer lagen im Schnee, ein Gebälkstück wurde von einem Pfeiler gestützt. Vor einem Säulenstumpf, der ihn an Grabmäler erinnerte, standen Soldaten um ein Bündel, das von der Dämmerung verwischt zu werden schien. Unter ihnen ragte ein Kerl hervor, ein Mann mit rundem Schädel und einer beginnenden Glatze, der ihm auffiel. Komischer Bursche, der dort mit seiner Stupsnase und den angegrauten Schläfenhaaren ... Und er blieb stehen, stützte sich auf seinen Stock. Bei Tageslicht wird er dir gewöhnlicher erscheinen ... Die Arme vor der Brust verschränkt, stand dieser da und lächelte, während sich andere über das Bündel neigten. – »Unsinn«, hörte er den Langen sagen, »wir machen doch in dem harten Boden kein Grab. Verbrennt sie auf einem Scheiterhaufen.« Und er lachte leise und schien unbeteiligt, indes die anderen durcheinandersprachen.

Der Hauptmann näherte sich ihnen, ohne daß sie ihn bemerkten. Dann fragte er: »Was habt ihr da?«

Sie drehten sich rasch um. Der Lange rührte sich nicht. Ein gedrungener Mann, dem das Haar wie gefrorenes Stroh über der Stirne stand, machte Meldung, verhaspelte sich und blieb stecken, worauf der mit dem kahlen Schädel hinzufügte, man stehe hier, um eine weibliche Leiche zu betrachten. Dann zuckte er mit den Schultern nach dem Gedrungenen, als ob er sagen wolle: Schweig.

Der Lange tat nicht unterwürfig. Er fragte ihn nach seinem Namen und seinem Beruf. Der andere antwortete, als träfe er den Hauptmann nicht in einem verwilderten Park, sondern in einer Gesellschaft, wo man beieinandersteht, raucht und plaudert. Es war, als kenne er ihn seit längerer Zeit. Und als der andere sagte, einen Beruf habe er nie ausgeübt, wozu auch, man habe doch schon lange geahnt, daß ein Krieg kommen werde, und weshalb hätte man sich dann für »so etwas« anstrengen sollen – auch da gefiel ihm dieser Ungewöhnliche, und seine Art zu reden ließ ihn denken: Wahrscheinlich kommt er aus einem ähnlichen Stall wie du selbst.

»Was machen Sie, wenn Sie den Krieg überleben sollten?«, fragte er und erhielt zur Antwort: »Dann wird sich auch was finden.« Der Lange nickte und wies mit der Hand, an der ein goldener Ring glänzte, auf das braune Bündel zu seinen Füßen: »Sie ist dieser Sorge ledig . . . Und dafür lernt man einen Beruf.«

Im fahlen Licht sah er ein Mädchen mit blondem Haar in einer Khakijacke und einer wattegefütterten Hose im Schnee liegen; Hose und Jacke waren aufgerissen. – »Ihr verbrennt sie also?« sagte er. »Dann müßt ihr sie auf einen hohen Holzstoß legen und trockenes Holz nehmen, das gut brennt.«

Nach einer Weile fragte er: »Wie ist sie hierhergekommen?«

»Übers gefrorene Meer. Vielleicht aus Kronstadt. Sie hat sich im Stacheldraht verfangen, und einer hat geschossen.«

Er holte eine Zigarette aus seinem Pelz und hörte den Langen, der ihm Feuer gab, sagen, Mediziner zündeten sich in der Leichenkammer auch gern eine Zigarette an. Dann fragte er, ob der Hauptmann einmal zugesehen habe, wie Zigeuner tote Stammesgenossen verbrennen; in Ungarn habe er einer solchen Zeremonie beigewohnt. »Interessant«, fügte er hinzu. »Allerdings wird dort die Leiche zuvor nicht entblößt, wie es hier geschehen ist«, worauf der Hauptmann fragte, ob er nicht finde, daß so etwas selbstverständlich sei, denn die Mannschaft habe schon seit langem keinen Urlaub mehr bekommen. »Sie müssen sich an so etwas gewöhnen. Ihre Kameraden sind deshalb nicht schlecht.«

Er ging weiter, bog in die Gräben ein und dachte an die Begegnung vor der Mädchenleiche zu Füßen des Säulenstumpfes wie an etwas längst Vergangenes zurück, dem er, vielleicht nicht einmal als derselbe, der er heute war, beigewohnt hatte. Dabei kam es ihm vor, als schwebe nun die Tote in der Luft.

Er ging zwischen schneebestäubten Erdwänden. Süßlicher Birkenfeuerrauch wehte heran. Sterne glitzerten, und dick beschneite Maulwurfshügel waren mit Rauchbändern wie beflaggt, ein System fleißiger Erdtiere, von dem niemand gedacht hätte, Menschen hätten es angelegt. Wahrscheinlich sank hier jeder in das Frühere zurück, als nähere er sich dem Barbarischen. Das Mädchen mit aufgerissener Wattejacke, das neben einer Säule verbrannt werden sollte, paßte zu den Erdwohnungen.

Doch weshalb dachte er darüber nach? Du bist allein in der Stellung, die Kälte beizt dir das Gesicht. Er sog die Luft ein, über sich die Nacht, von Leuchtspurgeschossen geritzt. Im engen Graben ging er weiter, über sich die Dornranken des Stacheldrahtes, alle dick bereift. Drüben eine Trümmerwand, als leuchte sie von Löchern, eine schrundige, narbige Mauer, grünlich wie Verwesung. Nein, keine Verwesung. Die Grüne Fabrik, dir wohlbekannt, aber in der Nacht ins Seltsame verändert, wie weiter oben das Englische Schloß, dem Lehnstuhl eines Riesen gleichend, von dem nur noch der Kopf zu sehen war, der Mondkopf, den Ästebüschel mit einem schwarzen Adernetz durchzogen.

Geh nach Hause, dachte er und erinnerte sich, daß er zu sagen pflegte, er sei ohne jeden persönlichen Anhang. *(1969)*

Sieben beim Vatertag

Ein modernes schwäbisches Märchen

Es waren einmal sieben Schwaben, die galten als dynamische Persönlichkeiten, jeder in seinem Fach. Sie besaßen und bewohnten Villen rings um Stuttgart und beschlossen am Feiertag, der früher Christi Himmelfahrt geheißen hatte, jetzt aber Vatertag hieß, zur Feier ihrer Freiheit von Kindern, Weib und Amt eine Spritztour durchs Ländle zu machen. Brausten also los und ließen die Vergaser fauchen, daß es eine umweltverschmutzende Art hatte, wobei jedem Lebenslust aus Mund und Augen lachte.

Die sieben sangen, indes sie dahinschnurrten, und in ihren dikken Köpfen glänzten breite Gebisse.

Der Spiegelschwab, von Beruf Oberstudienrat, hatte Hosen an, die am Hintern glänzten (daher sein Spitzname), besaß kein Auto und war Junggeselle. Zuweilen spotteten die anderen über ihn, obwohl sie als Väter unleidlicher Kinder auf seine Nachsicht angewiesen waren, weil Oberstudienrat Spiegelschwab dafür sorgte, daß die Untaten ihrer struppigen Söhne und ungewaschenen Töchter vertuscht und die Sprößlinge in die nächste Klasse versetzt wurden. Und wenn ihn einer fragte, warum er ledig sei, gab er zur Antwort: »Ich brauch nur euch anzugucken und weiß schon, daß i nix versäum.«

Jetzt schnaubten alle sieben ins Strohgäu hinein, durchstießen Ditzingen, gerieten hinter Schwieberdingen in einen Autostau und drückten sich von der Autobahn weg. In Münchingen hielten sie, einer Kirbe oder eines Kirchweihfestes wegen, und schlenderten zwischen Zelten, Buden, Luftballons und einer sogenannten Teufelsschaukel. Dann sah der Knöpflesschwab nicht weit von den Aborten eine zusammengerollte Schlange auf der Treppe eines Wohnwagens liegen, schlich näher, zog eine Stahlrute, die er zu seiner Verteidigung immer bei sich hatte, aus der Hosentasche und schlug kräftig zu, daß dem Reptil der Kopf beiseite flog; doch war's dann kein Reptil, sondern ein menschlicher Exkrementenhaufen.

Der Knöpflesschwab wischte die Stahlrute am Gras neben der Teufelsschaukel ab, indes der Blitzschwab hinter einem alten

Grabstein den Mantel eines Kreisleiters der Nazizeit fand, in den die zugehörige Schildmütze eingewickelt war. Beides warf er in den Kofferraum seines Mercedes zweihundert hinein und sagte: »Das gibt eine Überraschung für mei Kätter.«

Nun muß man wissen, daß der Blitzschwab in Hemmingen eine Geliebte oder eine Liebschaft, also ein sogenanntes schlampiges Verhältnis in Gestalt eines Fräulein Katherina sitzen hatte, die Chefsekretärin seines Karosseriewerks war. Wie sich's versteht, durfte von seinem schlampigen Verhältnis seine Frau nichts wissen, obwohl die seit langem alles wußte. Und Kätter bewohnte im elften Stock eines jener Hemminger Hochhäuser, die ob ihrer Häßlichkeit im Ländle berüchtigt sind, eine Eigentumswohnung, die ihr der Blitzschwab geschenkt hatte.

Im gelben Hosenanzug, den kleinen Finger neben der Bernstein-Zigarettenspitze abgespreizt, empfing Kätter die Sieben und sagte: »Ihr seid jo no net amol bsoffa.« Da trat der Blitzschwab, die Schirmmütze tief in die Stirn gerückt und im Kreisleitermantel hinter den anderen hervor, als wäre die Nazizeit wieder ausgebrochen; worauf Kätter weglief und die Tür hinter sich zuschlug, denn schließlich war der Blitzschwab einmal Amtswalter gewesen.

»So isch's no au wieder«, brummte er und schlich belämmert weg, denn vor Kätter nahm er sich in acht. Er ging watschelnd, sozusagen aus dem Hintern heraus, und stopfte Mantel und Schirmmütze hinter eine Kiste mit leeren Bierflaschen, wo das senfbraune Zeug von weitem einem Bärenfell ähnlich sah.

»Jetzt aber vorwärts!« mahnte der Allgäuer und stapfte hinterm Knöpflesschwaben her. Vom Allgäuer ist bisher nur bekanntgeworden, daß er Hotelier war und als Spezialist für sogenannte Mieter-Hinausschmiß-Praktiken galt, weil er Leute, die fünfundzwanzig Jahre und länger in einem Hause gewohnt hatten, hinausekeln konnte, auch wenn es der eigene Schwager war. Ihm folgte der Leichenschwab, der seines Arztberufes wegen so genannt wurde, indes ein Schriftsteller Kulturschwab hieß, weil er immer wieder sagte, er suche nach Kultur und finde keine. »Eigentlich schade«, pflegte er hinzuzufügen, und der Spiegelschwab bemerkte, es sei töricht, heutzutage so was zu verlangen. – »Was verlangst dann du?« wollte der Kulturschwab wissen, und der Spiegelschwab antwortete, er verlange nichts, denn etwas wie Kultur werde nicht mehr gebraucht.

Der Gelbfüßler kam herbeigelaufen und erzählte, eine Handgranate sei im Wirtshaus zur ›Sonne‹ unter einer verschlossenen Klosettkabine herausgerollt, als er dort gewesen sei. – »Nix wie fort!« rief der Knöpflesschwab und beschwor die anderen, wegzufahren, weil sich hier ein Terrorist rumtreibe. Der Spiegelschwab lachte ihn aus und überredete die anderen, wenigstens noch ein bißchen feldeinwärts zum Kaiserstein zu schlendern. »Schließlich sind wir Männer, die gewohnt sind, der Gefahr ins Aug' zu blicken«, sagte er und wunderte sich, weil die anderen Angst hatten. Es war ja auch noch nichts passiert. Und sie lachten zusammen, schämten sich ein bißchen und redeten über den Vatertag vor einem Jahr. Damals war der Gelbfüßler, der ein Schuhgeschäft auf der Königsstraße hatte, aus lauter Lebenslust barfuß über eine Wiese mit vielen Löwenzahnblüten gerannt. Vom Blütenstaub bekam er gelbe Füße, und erschrocken fragte er den Leichenschwaben, ob dies ein Zeichen für Gelbsucht sei.

Dieser Gelbfüßler sah dann unter der Dorflinde bei der Kirche einen Polizeibeamten sitzen, der ein Sprechfunkgerät neben sich auf der Bank hatte, was ihm verdächtig vorkam. Und er fragte: »Wollt ihr einen fangen?« – »Vielleicht haben wir ihn schon«, erwiderte der Polizist und schaute den Gelbfüßler von oben her an.

Da drückte er sich mit den andern weg, flüsterte: »Macht bloß, daß ihr abhaut!« und stolperte in die Felder hinaus, dem Kaiserstein entgegen. Der Knöpflesschwab, der den Krieg als Sanitätsgefreiter in Tuttlingen verbracht hatte, nannte den Spaziergang einen leichtsinnigen Vorstoß, weil der Anarchist und Bombenleger jederzeit aus dem Hinterhalt ... Und so weiter. Der Kulturschwab sagte, für ihn sprängen, wenn es so weitergehe, bei dieser G'schicht vielleicht fünfzehn Zeilen im Lokalteil raus, falls ihn nicht gar eine einmalige Konstellation zum Augenzeugen eines Brennpunktes von Gegenwartsspannungen mache, so daß er heute abend bei einer Pressekonferenz die Öffentlichkeit informieren und aufklären könne. – »Ja«, sagte der Knöpflesschwab, »so ist's. Deshalb gehst du voran.« Und sie gingen, einer hinterm anderen, dem Kaiserstein entgegen, einem sanften Hügel, wo drei junge Eichen mit den

Blättern raschelten und eine Plastiktüte ins Feld geweht wurde, dorthin, wo es weit und hell war.

»Da!« sagte der Allgäuer, deutete geradeaus und griff sich an den Mund. Neben einem Busch lag ein Kerl mit struppigem Haar, enorm breit. Sie sahen ihn von hinten, und der Blitzschwab warf sich auf den Boden. »Hinlegen!« zischte er wie ein Soldat, weil er im Kriege Zahlmeister gewesen war. Der Knöpflesschwab hatte seine Stahlrute freigemacht, und alle krochen mutig dem Subjekt entgegen, um es unschädlich zu machen, wie der Blitzschwab flüsterte.

Als der Spiegelschwab aufstand, erhoben sich auch die andern. Und sie näherten sich weiterhin vorsichtig, Gesichter und Muskeln gespannt. Dann aber war's ein Liebespaar, das sonnte sich nahe dem Kaiserstein. *(1974)*

Relevanz

Im Winter des Jahres 1897 schaute meine Großmutter auf dem Bahnsteig des Ulmer Hauptbahnhofes dem Koch des Bahnhof-Restaurants beim Belegte-Brötchen-Machen zu und beobachtete, wie derselbe Semmeln durchschnitt und mit Butter bestreichen wollte, welche zu hart war; weshalb er jedes abgeschnittene Butterstück in den Mund steckte, darin aufwärmte und schmelzend machte, bevor er's auf die zerschnittene Semmel spuckte, um es glattzustreichen. Seitdem aß meine Großmutter nie mehr belegte Brötchen, sei's in einer Bahnhofs- oder in einer sonstigen Wirtschaft. *(1974)*

Metamorphose

Hinterm Balkongitter eines Kaffeehauses schlug ein Hund sein Wasser ab, wobei ein Spritzer in die Tasse eines Gastes fiel, der unterm Balkon auf der Terrasse abgewendet saß und Zeitung las.

Der Gast trank seine Tasse leer, bezahlte und ging auf allen vieren weg. An der Kaffeehausecke verweilte er, hob ein Bein und trottete weiter, bis er sich vor der Garagentüre wiederum zu menschlicher Größe aufrichtete und seine zeitweilige Verwandlung vergessen hatte oder sich derselben wie durch Schatten eines Traumes entsann. *(1974)*

Mein Nächster

Mein Nächster ist jedermann, und ich bin für die anderen der Nächste.

Im Krieg, wenn einer verwundet wurde, war es selbstverständlich, daß jeder ihm half. Aber diese Hilfe geschah mit dem Gedanken: auch du kannst verwundet werden, und dann bist du froh, wenn dir jemand beisteht.

Also herrschte eine Art Magie der Angst. Jedenfalls half, auch im Krieg, keiner dem andern aus freien Stücken, uneigennützig oder wie man das nennen will. Weshalb es mir so vorkommt, als sei Hilfsbereitschaft eine Art von Trieb.

Heutzutage wird ein Begriff wie »Mein Nächster« wahrscheinlich von vielen belächelt. Er erscheint veraltet und sentimental. Man redet vom Partner oder vom Genossen, mit dem einen dieselben Interessen, meistens geschäftlicher Art, verbinden, auch wenn es sich um Ideelles oder Ideologisches zu handeln scheint. »Mein Nächster« aber ist – im biblischen Sinn – sozusagen ein zweckfreier Begriff.

Was mich betrifft, so komme ich nicht darum herum, zu gestehen, daß auch für mich in Augenblicken, da etwas auf dem Spiel steht, das Wort gilt: »Jeder ist sich selbst der Nächste«, obwohl ich mich selten danach gerichtet habe. Und wenn ich in meiner Erinnerung nach Ereignissen suche, die vielleicht mit dem Begriff vom »Nächsten« in Verbindung gebracht werden können, fällt mir eine Tagebuch-Notiz vom Dezember 1957 ein, die ich kürzlich gefunden habe. Sie lautet:

Mit H. und R. verließ ich das Haus. Es war Nacht. Wir gingen durchs überfüllte Café und verließen es. H., schmal, mit von Höhensonne gebräuntem Gesicht, das mich mit dem weißen Haar an einen Widderkopf erinnert und mir derb imposant erscheint, sagte: »Jetzt müssen wir wieder über die Straße ... das ist ja schrecklich. Ich gehe nur über Zebrastreifen.« – »Jawohl«, beruhigte ihn der kugelköpfige R. mit den knitzen Augenfältchen, der glänzenden Knollennase und der vorgerutschten Brille, »ich bringe Sie dort hinüber. Da kann Ihnen nichts geschehen. Sehen

Sie, hier ...« Und wir gingen übers schwarze Pflaster, dort, wo es wie von weißen Leitersprossen leuchtete.

Nun sind wir gleich auf der Steininsel, es ist nur noch ein Schritt. H. macht sich los, geht rascher als wir beide, stolpert am Randstein und liegt, die Stirn auf der Straßenbahnschiene, vor mir. Sein weißhaariger Hinterkopf ... die gleißende Schiene ... Wir heben ihn hoch. Er stöhnt: »Uah ... uah ... uah ... Furchtbar.« Blut tropft ihm von den Lippen, er speit immer wieder handbreite Blutteller auf die gepflasterte Insel, ich nehme sein Brillengestell aus der Straßenbahnschiene, wo noch ein Glas blitzt, das ihm R. aufhebt. H.s Mantel ist mit Blut bespritzt. Eine Dame kommt zu uns herüber: »Soll ich Ihnen helfen? Sie müssen einen Arzt aufsuchen.« – »Nein, das kommt nicht in Frage. Unsinn! Ich fahre nach Hause, dort bin ich mit dem Arzt befreundet!« sagt H. Das kleine und runde Gesicht der Dame leuchtet im Dunkeln, ihre leise Stimme dringt herüber in mein Entsetzen. Dann geht sie weiter, langsam, auf hohen Stöckeln. Neben den blutbespritzten Mantelaufschlägen des Verletzten sehe ich die hellen Knöchel und die schwarzen Schuhe der Dame auf dem mit kleinen Steinquadraten gemusterten Boden. Ich spüre eine warme Achselhöhle in der Hand. R. sieht mich unterm Hut an. Er hat einen lippenlosen Mund und große dunkle Brillenränder.

Wir führen H. über die Straße. Die entgegenkommenden Leute sehen uns verärgert an, weil wir zu dritt daherkommen und nicht ausweichen. So kommen wir zum Bahnhof. Im Zug ein Abteil, wo wir eng sitzen. Neben R. ein Mädchen, das in einem Lehrbuch liest. Photographien ausgespannter Tierfelle unterbrechen die Kolumnen der Buchstabenreihen. H. dreht seine blutbespritzten Mantelärmel nach innen und versucht, den braunrot beschmierten Kragen umzudrehen; er klappt immer wieder auf. Ein junger Mann geht durch den Wagen und schaut H. spöttisch an. Dicht gedrängt stehen die Leute. Ich will einem alten Mann mit gelblichem Wachtmeisterschnauzbart, der am Türrahmen lehnt und die Augen schließt, meinen Platz anbieten, aber R. sagt: »Bleiben Sie doch!«

In W. steigen wir aus. H. geht, seltsam elastisch, in eine Wirtschaft hinein. Seine Gestalt wendet sich in der Helligkeit hinter der Tür. Er kommt wieder und sagt: »Ich habe meinen Schwager angerufen; der ist ja eine treue Seele. Und es ist rührend, daß ihr beide mitgekommen seid.« Der Mercedes-Wagen fuhr vor. Am Steuer saß ein jüngerer Mann im grünen Pullover. In der spitzen Vase hinter der Scheibe steckten frische Blumen. H. stieg ein und wurde weggefahren.

Wieder im Zug, sagte R.: »Ich wollte mit ihm nicht ins Café, weil es dort so voll war. Er spricht doch immer so laut. Das ist mir unerträglich.« Ich gab ihm recht. Ob er meinte, H. wäre nicht gestürzt, wenn wir im Café geblieben wären? Und ob er sich schuldig fühlte? Dann wäre auch ich schuldig gewesen. *(1977)*

Der Abend

Blechdächer hatten braune Flecken, und der Rost, genährt vom Regen, ätzte sie. Da und dort wurden sie geschützt von roter oder grüner Farbe, die sich dunkel milderte und, nachdem sie hell wie junges Moos gewesen war, jenes Grau bekam, das Schindeldächer so ansehnlich macht; die sehen dann allmählich wie Altsilber aus. Und solche gab es hier noch manche, einige sogar aus neuer Zeit, wie jenes Dach des Forsthauses, neben dem die Hirsche nächtigten und im Nachsommer scharfen Bocksgeruch auf ihren Liegeplätzen, diesen eingewühlten Nestern, im vergilbten Grase zurückließen.

Dort war ein warmer Winkel zwischen dem herabsteigenden Walde und dem Ausblick zum Dreisesselberg, wo sich nun, umflossen von Septemberwärme, eine weiße Wolke staute und über einem stählernen Tablett zu schweben schien; denn heute mischte sich schon Bläuliches ins Weiße, weil die Wolke unten fürs Licht undurchdringlich blieb. Das Licht jedoch war ausgebreitet als ein ungehindert eindringender Schein, als Glanz und Strahlung, die im Walde, wo die Wege sandig waren, als ob Salz verschüttet worden wäre, alle Tannen schwarz dastehen ließ und Buchenlaub hell machte, daß es wie geputztes Zinn erschien. Auf dem Boden pochten Schritte, und zuweilen klang's, als ob darunter Höhlen lägen, Kammern, in denen Wasser so durchscheinend floß, wie's dann herauskam auf schwarz-braunem Boden, kalt und scharf. Der Wind ließ den Wald rauschen, verschwand und kam wieder herauf; er näherte sich und strich vorbei.

Der Mann, der hier sein Rad schob, ein neues Fahrrad, blau und weiß lackiert, merkte von alldem nichts, weil's ihm seit über vierzig Jahren bekannt war; einer in Gummistiefeln, der sieben Tagwerk Grund an die staatliche Forstverwaltung verkauft hatte und von der Arbeit im Wald heimging. Dort hatte er die Motorsäge jaulen lassen, das Stahlseil um Bäume gelegt und sie mit dem Bulldog herausgerissen, obwohl's verboten war; aber der neue Forstmeister sah es nicht und sagte, ihm sei es gleichgültig, wie sie ihre Arbeit machten, ob mit der Säge oder mit dem Seil. Mit der Säge sei's ihm freilich lieber, und seitdem nahmen sie nur selten das stählerne Seil; denn diesem Forstmeister tat jeder gerne etwas zu Gefallen, indes der frühere ein Schreibtischmensch gewesen war, der nur zugeschaut hatte. Am andern Tag aber bekam der Vorarbeiter einen Brief, und darin stand, wenn noch einmal das Stahlseil benützt werde, koste es laut Paragraph soundsoviel zweihundert Mark Strafe. Der neue Forstmeister jedoch, der war ein Jäger. Und dem Mann Alois, einem hageren und zähen Kerl, gefielen nur die Jäger.

Übrigens seltsam, daß das Wild die Jäger roch. Wenn er im Winter Heu und Hafer zur Futterstelle ins Holz fuhr, folgten Rehe und Böcke seinem Karren und rupften unterm Fahren schon vom Futter. Tauchte ein Jäger auf, dann waren sie nicht mehr da. Und so war auch der Mensch; nicht anders als das Wild zog es den Menschen zu den Futterstellen, denn was gab's sonst noch außer Essen? Das Geld, das man verdienen mußte und das ihm, Alois, nie ganz reichte. Kam er in die Wirtschaft »Zum Goldenen Steig« und sagte zu den anderen: »Ich fress' fünfundzwanzig Eier und zehn geschwollene Würst!«, schlugen die anderen ein, bezahlten ihm die Eier und die Würste und schauten zu, wie er die fünfundzwanzig Eier in der Pfanne briet und aß, schließlich das Fett mit einer Brotkante wegwischte und auch die geschwollenen Würste noch vertilgte. Dazu mußten sie ihm drei Halbe kommen lassen. Er trank das Bier, zerschnitt die Würste und verleibte sie sich ein, bis er zuletzt seinen Bauch zeigte, der ihm unterm Wollhemd dick geschwollen war. Mit ihren rauhen Händen strichen sie darüber, lobten Alois und lachten, sagten: »Guat hosch's gmacht!« Nur einer, und das war der Schneider, schmunzelte und schüttelte den Kopf, zündete sich eine Zigarre an und ging. Wahrscheinlich grauste es dem jetzt.

Sollten sich doch alle vor ihm ekeln ... Aber nein, das wäre schlecht gewesen, denn er wollte, daß alle andern staunten, ihn bewunderten und für einen »hamischen Mann« hielten, was er nicht war; und das wußte er selbst. Oder er roch es aus den Worten der anderen heraus, wenn sie zu ihm sagten: »Toll. Alois! Also fressen kannst! Da bist uns allen über!« Auch der Schneider sagte dies zu ihm und zwinkerte mit einem Auge.

Der Schneider hatte vielleicht also noch etwas, das mehr war als bloß Trinken, Essen, Geld. Der Schneider sagte: »Der Mensch muß einen Glauben haben, und wenn er den nicht hat . . .« Aber, was nützte dem sein Glaube? Und was der Glaube war, wenn man bloß werkeln und sich umschauen mußte, daß was z'ammging? Dafür bist du zu blöd . . . Und Alois Nigl schob sein Rad zur Straße, wo er aufsaß und nach Hause fuhr.

Wie es nun weiterging mit ihm? Er fuhr zur Arbeit in den Wald, er kam nach Hause; er schlief mit seinem Weibe, das er mitgebracht hatte aus Polen, damals Anno fünfundvierzig. Die Kinder aßen viel, und winters riß er seinen Stadel ab, verheizte ihn und sparte Geld fürs Brennholz. Die trockenen, in hundert Jahren ausgedörrten und von scharfen Wintern gehärteten Balken brannten gut und machten seine Stube warm, während durch kleine Scheiben Dämmerlicht eindrang, weil Schnee mauerhoch draußen stand und fast das Dach berührte. Es glitzerte und stäubte, es sauste der Wind und ließ das Weiße wirbeln, während er den Schmutz anschaute, der seit langem in die Dielenbretter eingedrungen war. Und dieser braune Boden, ein Belag aus Erde, Holz und Alter, ließ ihn den Boden Rußlands wiedersehen, damals, als sie eingerückt waren in eine neue Stellung und der Wald zerrissen und zerrupft gewesen war, eine Ansammlung von Löchern, Kratern, überall mit verwesenden Leibern ausgelegt und ausgepolstert, denn manche der aufgedunsenen Leiber sahen wie Kissen aus. Und du hast darauf achten müssen, keinem Toten ins Gesicht zu treten . . .

Das war doch so, daß man sich selbst vor den eigenen Füßen liegen sah oder sich vorstellte, vor einem lägen die Frau oder die Kinder, alle tot. Das Tote griff seitdem herein und redete ihm ein, es lohne sich nicht, etwas anzufangen. Du kannst nur weitermachen und die Tage mit Schritten totklopfen beim Herumgehen im Wald. Wie lange so etwas nachwirkte. Sonderbar.

Aber es nützte nichts, und wieder sickerte und rann Schneewasser, speiste die Bäche, ließ die schwarzen und die braunen Bäche im Wald quellen, daß es klang, als ob das klare Wasser redete. Vielleicht war alles anders, als er's sah, er mit seiner Erinnerung an Rußland, die immer wieder angeschlichen kam. Dann sah er im Traum eine graulederig vermoderte Eidechse, so lang wie sein Unterarm, eine geschrumpfte Hülle, in die sich ein Zwerg eingefressen hatte; der lag im ausgehöhlten Eidechsenleib wie in einem Futteral. Alois wußte, daß der Zwerg zum Ungeziefer gehörte, das hier ausgerottet werden mußte, und wunderte sich, weil dieser Zwerg so lang gewachsen war, denn für gewöhnlich war ein solcher milben- oder fliegengroß; manchmal allerdings wurde er so lang wie ein Fingerglied und glich der Puppe eines Schmetterlings. Er zertrat dieses Gezücht und wußte: das mußt du jetzt tun.

Er wachte auf, sah seine Frau, die klein war, eine Braunhäutige, die vor dem gesprungenen Spiegel ihr Haar strählte, goldglänzende Ohrringe neben dem Hals hängend und wieder angetan mit dieser schamlos tief ausgeschnittenen Bluse und einem Spitzenschurz über dem rotseidenen Rock. – »Ich geh zum Ami, und mich siehst du nie mehr«, sagte sie. Da sah er wieder die Gestalt des dicken Mannes in schwarz-grüner Uniform, desselben, der oft zum hohen Berg hinauffuhr, dorthin, wo alles übersät war mit Felsbrocken, die der Teufel aufgeschichtet hatte. Der Amerikaner fuhr im Jeep hinauf und hatte Apparate dabei, die er aufstellte, um zu hören und zu sehen, was hinter der Grenze vorging. Mit dem ging sie jetzt fort, und er, der Alois, blieb zurück in diesem Haus, dessen Blechdach mit Steinbrocken beschwert war und hinter dem sieben Küken, die hier Bieberln hießen, ihre gelbflaumigen Steiße schüttelten und mit der Bruthenne im Gras pickten.

Er schaute ihnen zu, als seine Frau davonging, dachte, daß es verständlich sei, wenn sie dieses verschlampte Haus verließ, hinter dem statt eines Stadels nur Holztrümmer durcheinanderlagen, ein silbergrauer Haufen, von dem der Hahn herunterkrähte. Aber vielleicht gelang's dem Alois, seine Frau wieder hierherzubringen, wenn er ihr Geld oder Essen, eine lange Kette geschwollener Würste auf den Tisch warf; denn sie aß gerne geschwollene Würste. Und er kratzte sich unter der Kappe, fing Bruthenne und Küken ein und band sie in ein zerrissenes Kopftuch, das seine Frau zurückgelassen hatte. Trug sie zum Schneider, den er an der Straßenkehre traf vor seinem Haus, das, mit Eternitplatten sauber belegt, glatt und weiß leuchtete, die Fenster nickelblechumrandet. Der Schneider stand neben dem Gaul, dessen schwarzes Auge sich Alois zuwandte und dessen rotbrauner Leib prall strotzte. Der Schneider warf einen Sack Wintersaat auf seinen Leiterwagen, wo die Kitz lag, dieser Sämannsschurz. Und Alois stellte sich vor, wie dieser Schneider draußen auf seinem Feld die Saat auswarf. Das tust du nicht mehr, du gehst bloß noch ins Holz und sägst Bäume ab.

»Du, ich verkauf dir meine Bieberln mit der Henne. Was gibst mir denn?« sagte er zum Schneider.

»Zwanzig Mark.«

Er ging mit dem Schneider ins Haus, wo der Ölofen auf dem Parkettboden stand, der glasiert glänzte. Fleckerlteppiche waren farbig, und die Sonne schien durch weiße Vorhänge herein. Der Schneider brachte ihm die zwanzig Mark, nahm vor dem Haus die Zügel und klapperte mit seinem Leiterwagen durch die Straße, während der Gaul stampfte und den Kopf überm Kummet reckte. Alois aber ging zum Metzger, kaufte eine Kette geschwollener Würste, hängte sie sich um den Hals und ging neben grauen Steinbrocken, die von Heidelbeergebüsch umwuchert waren und hinter denen, als er in den Wald eintrat, eine schwarzgrüne Schlange über den Weg rutschte. Über Tannen wuchs eine hohe weiße Wolke. Der Weg tat sich weit auseinander, und nun sah er hinaus auf die Wiese, wo ein zerrissener Baum stand und die Böhmhänge in der Ferne gestreckt waren, abendblau bis zum Kubany. Es fügten sich die Höhen ineinander, alle groß und still. In der Ferne ruhte der Wald wie ein Tier, dessen Rücken goldfarben glühte, während der Himmel weißlich wurde, einen Schein von Grün ansaugte und sich in klares Blau verwandelte. Alois schaute weg, und oben stand dieses Gebäu aus Wolken, rosafarben angeschienen. Es stieg und stufte sich, es wurde hochgewölbt zum Abendstern.

Der Forstmeister kam aus dem Wald und sagte: »Gfallt dir's, Alois?«

»Ja.« *(1980)*

Bella

Er erinnerte sich, wie er sommers in ein Dorf gekommen war und auf eine Holzbeige zwischen Scheitern eine Krähenfeder eingeklemmt gefunden hatte, eine mit weißem Flaum am Kiel. So hätte heute ihr Haar ausgesehen, wenn er ihr jetzt begegnet wäre. Aber alles war doch längst verschwunden und in Rauch verwandelt. Eiswüsten und tropische Zonen, Meeresweiten und das Hinausschauen in hellblaue, dunkle, nebelige oder helle Täler; so war vielleicht die Zeit, wenn man sie überblickte; doch wer überblickte schon die Zeit. Und er erinnerte sich, wie er neben Bella bei einer Holzbeige hinterm Haus gestanden war und wie sie auf weißfederige Hühner gezeigt hatte. Draußen waren weite Höhen und Berge gelegen. Oder sie war beim Hoftor gestanden, auf dessen eisernen Zieraten sich gespiegelte Sonnenlichter von den Fenstern des Nachbarhauses geregt hatten, während er, ein gewisser Karl Michalski, durch einen Fensterladen in die Gasse geschaut hatte.

Der Fensterladen hatte dunkle Sprossen, zwischen denen es hell war, als sähe er eine Photographie, auf der Bella die Arme vor ihrem weißen Sweater übereinanderlegte und ihr Kopf im Profil wie ein blauschwarzes Ei erschien.

Das Lager der Eisenhandlung Stern war neben diesem Hof. Wenn er ins Haus hineinkam, fühlte er sich weit entfernt, als wäre er im Freien. Hier hatte ein Flur glatte Fliesen wie poliert, und darauf stand eine Kommode mit glänzenden Ringen um die Schlösser der Schubladen; an den Ringen konnten diese Schubladen herausgezogen werden.

Sie ging daran vorbei und sagte: »Zum Vater muß ich hineinschauen, warte, bitte.« Sie machte eine Doppeltüre auf, die Lederpolster hatte; dahinter war's halb dunkel. Bellas Vater saß am Schreibtisch und schaute nach der Tür, sagte, Karl solle hereinkommen. Dann zeigte er ihm eines der schwarz gebundenen Bücher, die hinter ihm in einem Regal standen und von denen er sagte, darin stehe alles, was er außer seinem Geschäft wissen wolle; daß er Eisenhändler sei, das komme lange hinter diesen Büchern. Er sei bloß Eisenhändler, um Zeit zu haben für die Bücher.

Karl schämte sich, weil Bücher ihm damals lästig erschienen waren; etwas für die Schule halt. Und Bella sagte: »Wie mein Vater ist, so sind von uns viele.« – »Was steht in diesen Büchern?« – »Hebräisch. Alles steht auf hebräisch drin. Es steht drin, wie man leben soll.«

»Weißt du das jetzt schon?« fragte er, denn ihm kam's vor, als wüßte sie es längst. Er aber wär' am liebsten nur herumgeschlendert und hätte zugeschaut, zumindest jetzt, im Sommer.

Nun standen überall die Fenster offen, und er sah hinein: zum Schuster, der eine Kugel voll Wasser neben einer Glühbirne hängen hatte, oder zum Schmied, der ein Hufeisen in einer Zange heraustrug und es einem Gaul an den Huf preßte, daß es nach verbranntem Horn roch. Der Mann, der dem Gaul das Bein hielt, mußte aufpassen, daß er nicht von ihm geschlagen wurde. Erst, wenn das Hufeisen kalt war, wurde es angenagelt. Oder Karl ging ins Freie, sah hinüber zum Altvater, diesem Berg, und der war so, wie hier nirgends ein Berg war, hier in dieser sanften Gegend.

Es gefiel ihm hier, aber die Erinnerung an seine Heimat, dort in Schlesien, die gehörte zu ihm, der wieder einmal stehenblieb und zurückschaute.

Eine Fernsicht des Verfalls, sonst nichts ... sagte er zu sich selbst und dachte, daß es dann auch wieder nicht so schlimm sei. Freilich, er lebte allein, aber er lebte. Du hast eine Beschäftigung, die man jetzt Job heißt ... Ob er mehr erwartet hatte, früher, damals in Salzbrunn? Eigentlich nicht.

Ein Kiosk hatte schmale Säulen; der war übriggeblieben aus der Zeit, als der König um die Ecke gewohnt hatte. Hinterm Kiosk stand der Vierröhrenbrunnen, und auf seiner Wasserhaut schwammen Flaumfedern. Tauben umflatterten ihn, und Buben kletterten in Badehosen auf ihm herum. Ein Mädchen hatte schwarzes Haar und dünne goldene Ohrringe.

Wenn du hier Bella einmal begegnen würdest?

Und wieder sah er sie hinter einem grauen Stadel stehen und auf weißfederige Hühner deuten, während draußen Berge und Hügel hell und dunkel, blau und weit waren; vielleicht sogar erhaben ... Und er meinte, damals neben einem Maulesel, von dem ein Sack herabgehangen war, einen Mann gesehen zu haben, der Händler gewesen war und den auch Bella gekannt hatte. Der brachte Bürsten in den Ort, sein Maulesel war behängt mit Bürsten, und im Sack hatte er Wäsche, Brot und eine Zither. Er spielte abends in einer Herberge und schlief im Heu. Und als er nicht mehr kam, erzählten sie, der sei bei einem Brand in einer Scheune umgekommen; nur seine Zither sei noch da.

Oder die verwitterte Holztafel, die an einem alten Gasthaus gehangen war. Der Name eines Dorfs, das es seit langem nicht mehr gab, war darauf nur noch verwischt lesbar, halb ausgelöscht die gotischen Buchstaben, als ob sie unter Wasser lägen.

So kam ihm seine Erinnerung an die Heimat vor, wo er Bella Stern durch den Fensterladen angeschaut hatte. Wenn um Ostern der Pessach gefeiert worden war, hatte er von ihr Matzen bekommen. Die hatten gereinigt geschmeckt und zum Torgitter des Sternschen Hauses gehört, wo die Mauer der Eisenhandlung grau gewesen war. Im Giebel hatte ein Balken herausgeragt, und auf ihm war ein Schwalbennest gewesen.

Einmal war er Freitag abends bei Bella gewesen. Da hatten sie den Anfang des Schabbath gefeiert. Bellas Vater deutete auf einen Stuhl, wo Karl sich setzen sollte. Jetzt durfte nicht geredet werden. Er saß am Tisch mit Bella und mit ihren Eltern. Der Hausvater sprach ein Gebet, streute Salz auf vier Brotstücke und gab jedem sein Brot. Dann sangen sie zu dritt ein Lied. Wieder beteten sie und sangen. Und dann wurde gegessen.

Weil sie bedroht wurden, war bei denen noch alles, was sie glaubten, stark. Sie waren doch die Wenigen und Einzelnen. Ihre Gebräuche erschienen den anderen fremd. Bellas Vater hatte gesagt, wenn die andern sehen wollten, wie sie lebten und ihre Feste feierten, bräuchten sie bloß zu ihnen hereinzukommen. Freilich, die Juden hätten Angst und schlössen sich ab, aber Wunder sei es keines: »Früher ist's uns allen viel schlechter gegangen, und ich meine, daß dies einmal wiederkommt. Manche von uns glauben mir, andere aber wollen nichts davon wissen. Es haben sich ja auch schon viele angepaßt und angeglichen. Aber hilft es denen etwas?«

Er hörte Bellas Vater reden, als säße er neben ihm und meinte, er träfe ihn und Bella wieder, anderswo, in einem anderen Bezirk.

(1980)

Hilde

Ich kam zum Alten Steinhaus in der Grabenstraße. Wie ein Turm sah's aus und hatte spitze Fensterbögen, auch schon an die siebenhundert Jahre alt. Dort ging ich hinein und sagte zum Gotthilf »Grüß Gott«, der, seine Käze auf dem Rücken, langsam die Stiege herunterkam. – »So, willst's wieder einmal packen«, sagte ich, und Gotthilf sagte: »Ja, packen wir's«, denn jetzt ging er zum Lumpensammeln. Ich fragte, ob Hilde oben sei, und hörte: »Ja. Allein ist sie aber nicht.«

Die Treppe war breit und dunkel; sie krachte unter meinen Füßen. Oben war grünlicher Schein; der kam von der Wand im Flur, wo Sonnenlichter sich bewegten, weil durchs Fenster nach dem Hof das Wasserfaß des Küfers spiegelte.

Übers Treppengeländer sah ich in die Küche, die in einem oben offenen Holzverschlag war. Reisigfeuer knisterte, die Flammen machten jede Ritze zwischen den eisernen Ringen auf dem Herd rötlich und gelb, und in der Ecke war ein Fenster so dicht vor der Wand des Nachbarhauses, daß eine Mauer aus splittrigen Steinen wie ein Kamin schwarz und mit Lichtflecken betupft war. Hilde schaute dort hinaus und hatte ihr kurzes Gazeröckchen mit fleischfarbenen Trikothosen an. Das Röckchen war gefältelt und stand ab wie bei einer Tänzerin der alten Zeit, die eine Pirouette macht. Und Hilde Eisele – so hieß sie – war beim Theater Balletteuse; übrigens die Tochter eines der beiden Fräuleins, die Geschwister waren und oben wohnten.

Ich sah Hilde aus dem Fenster schauen und sich verneigen. – »Komm, zit – zit – zit«, sagte sie, als locke sie einen Vogel an, und hatte nackte Beine. Ein Topfdeckel klapperte, und Wasser blubberte, lief über, zischte auf der Ofenplatte. Ich erinnerte mich, als Bub bemerkt zu haben, daß Wassertropfen auf einer heißen Ofenplatte wie Quecksilberkügelchen wegrollten, und hörte Hilde summen, trällern, eine Melodie aus »Don Pasquale«, wenn mir recht ist; und daß sie ausgetretene und abgewetzte Hausschuhe an den Füßen hatte, das fiel mir auch auf.

Sie goß das Wasser in die Kanne, und es roch nach Kaffee. Leise ging ich weiter und kam in den oberen Flur, wo ein altes Männlein ein Rädchen schnurren ließ; das war der Bortenmacher, der mir zunickte und sagte: »Sie ist in der Kuchel.«

Dann klopfte ich an eine hohe Tür und ging hinein zu den zwei Fräuleins, die in der Fensternische saßen und Vorhänge nähten. Auf dem Tisch standen Kaffeetassen.

Beide sagten, daß Hilde gleich kommen werde, und die eine, die mit dem »sündigen Mund«, eine Vollschlanke, die auf der Straße immer hochgereckt und, den Popo schwenkend, ging, erzählte, die Gustel von unten habe Schläg' bekommen.

Die Gustel gehörte dem Schneidermeister Schatz, und ich fragte: »Warum?« – »Weil sie bei uns gewesen ist. Wir sind doch fragwürdige Leut', eine Bagaasch«, sagte die Dralle, die abends an der Theatergarderobe saß und zuweilen vom Besitzer der Opernkantine besucht wurde. Dann schickte man Hilde weg, und sie traf sich mit mir oder einem anderen, aber das ging mich nichts an.

»Eine Bagaasch« und »fragwürdige Leute« hatte Fräulein Eisele gesagt, und ich hätte gern gewußt, von wem sie dieses Wort »fragwürdig« hatte. Ihre Schwester konnte es nicht sein, denn die war immer still zu Hause, als ob sie sich fürchte; fast lautlos ging sie herum und sah durch eine dickgläserne Brille zu mir her, als bemerkte sie mich nicht. Die las alles, was sie bekommen konnte, und sagte manchmal: »Was alles passiert ... Verwundert Sie's eigentlich nie?«, worauf ich zu antworten pflegte, es sei halt so und es sei da; und wenn es da sei, müsse man's wohl lassen, wie es sei. – »Aber es muß eine Ordnung sichtbar werden oder etwas, daß man merkt, wo es hinauswill.« – »Ja, wo's hinauswill ...«, sagte ich und dachte, es wolle auf den Tod hinaus, sagte aber nichts.

Hilde kam mit schleichenden Schritten, was mich verwunderte, weil eine Balletteuse sozusagen tänzelnd hätte gehen müssen. – »Ja, weißt du«, sagte sie, »zu Haus ruh ich mich aus.« Und von dem stillen Fräulein sagte sie, eigentlich gefalle ihr Tante Luise besser als Tante Isolde: »Weil die Luise es doch weiß. Die Isolde aber weiß es nicht. Und zu beneiden ist, wer es nicht weiß.«

»Was sagt die Luise?« – »Sie sagt mir's nicht, aber ich spür es.« Ich hätte gerne gewußt, was sie damit meinte. Ging's nur darum, wer von den beiden ihre Mutter war? Im Haus wußte es niemand, auch mir war's unbekannt. Ich dachte: besser ist, wenn du's nicht weißt. Wozu sollte ich es auch erfahren, und wenn ich's gewußt hätte: geändert hätte es sowieso nichts.

Verheimlicht wurde es, und mir kam's vor, als ob auch Hilde im Unsicheren gelassen würde. Wie einen unsichtbaren Vorhang, so ließen sie es in der Schwebe hängen, und ich stand außerhalb, auch wenn ich hier war; aber so war es mir recht. Es gehörte zu dem Alten Steinhaus, wo mir alles wie sorgfältig zurechtgestellt vorkam, als ob jeder dächte: hoffentlich bleibt's so, und er (damit war ich gemeint) fragt nicht danach.

Hilde brachte einen Kuchen und sagte, den habe sie beim Bäkker Nast verdient, weil sie dort putze. Sie setzte sich neben mich und fragte, ob mir's schmecke. Tante Isolde sagte: »Ihr wäret jetzt lieber allein« und machte einen Luftkuß mit den Fingerspitzen. Luise sah uns durch die Augengläser an, die spiegelten.

Hilde nahm einen Schluck Kaffee und hatte feuchte Lippen. Dann stand sie auf, stellte sich vor die Tür und nahm von der braun glänzenden Kommode mit dem ovalen Drehspiegel etwas Glänzendes, das zusammengerollt war; ließ es wie eine Schlange blitzen, die sie hochhob und zwischen zwei Fingern hielt, vielleicht am Kopf. Und dann war's eine Borte, eine mit Goldstickerei. Sie sagte: »Der Achatz hat sie mir geschenkt« und meinte das graue Männlein, das im Gang ein Rädchen hatte schnurren lassen, diesen Bortenmacher. Die Borte legte sie um ihre Hüfte, drehte sich, und Tante Luise sagte, fürs kurze Röckchen sei die Borte viel zu breit; am neuen blauen Kleide aber, unten herum, mache sie sich gut; dort sei sie schön.

Hilde ging ins andere Zimmer, kam wieder herein im blauen Kleid; es reichte an die Knöchel. Rasch nahm sie einen Schluck Kaffee, nähte sich die Borte an und sagte: »Nur so provisorisch, weißt du.«

Sie nähte aber recht sorgfältig. – »Schließlich soll es länger halten. Und wir haben ja auch Zeit . . . Heut, am Samstagnachmittag«, sagte sie und fügte hinzu, der Samstagnachmittag sei ihr am liebsten. »Nachher müssen wir die Gassen sehen um die Stiftskirche herum und vielleicht bis zu den Weinbergen.« Gekehrte Gassen sähen doch wie graue Seide aus, und graue Seide sei besser als festliches Blau; Festliches passe halt nur auf die Bühne, sozusagen. Und die Bühne . . . die gehöre zum Geschäft: »Mein Arbeitsplatz, gewissermaßen.« Und ich dachte, diese Wörter »sozusagen« und »gewissermaßen«, die verrieten, daß ihr alles nicht geheuer vorkam, sozusagen.

»Und verlassen kannst du dich auf nichts.« – »Doch, auf dich selber«, sagte ich. »Auf dich kann ich mich nicht verlassen?«

Sie lachte, stand im blauen Kleide vor der weißen hohen Tür und verneigte sich, als danke sie für einen Applaus, der nicht zu hören war. Dann sagte sie: »Ach, komm, wir gehen in den Rittersaal!«

Der lag zum Hof hinaus, und ein Photograph hatte dort hinter Bretterwänden seine Werkstatt. Jetzt war er nicht da. Kulissen standen in dem Rittersaal, auch eine Bank aus Birkenästen und daneben eine Leinwand, auf die der Weg in einen Park gemalt war. Es sah aus, als öffne sich die Wand. Oben verzweigten sich Netzgewölbe mit blauen und goldenen Farbflecken, und eine Weinranke hatte Trauben; sie war nur noch verwischt zu sehen, denn all dies war sehr alt, beinahe wie in einem Schloß. *(1980)*

Die Nähe des Herrn von G.

Es war in den Flußauen hinterm alten Wirtshaus an einem nassen Abend. Der Herr ging außerhalb des Reitweges und zog sein Pferd hinter sich her.

»Heute überschauen Sie's, obwohl Sie jung sind«, sagte ich zu ihm, denn er ging neben mir als junger Mann.

»Und Sie?« fragte er mich. »Erzählen Sie von sich. Wie ich selber bin, das weiß ich.«

»Wenn ich zurückschaue, denke ich, du hast dich immer an die Kandare genommen«, antwortete ich ihm, worauf er fragte, ob ich dies bereue.

»Wenn ich mit mir allein bin, denke ich nur Finsteres. Ich halte dies für ein Vergehen am Licht, denn ohne das Licht gäb' es nichts Lebendiges.«

Wer dies von uns beiden gesagt hat, weiß ich nicht mehr, erinnere mich aber, daß wir über Leute redeten, mit denen uns Zwiespältiges verband oder verbunden hatte. Und er bemerkte, damals sei's bei ihm nicht mehr weitergegangen, damals vor seiner Italienreise: »Überall diese Dornenhecken aus feinen Gefühlen ... Und die engen Wege, alle abgezirkelt wie ein Labyrinth der Zopf- und Puderzeit.« Er fügte hinzu, er habe mit dem Pferd darüber hinwegspringen müssen, sozusagen.

Ja, sein Pferd ... Ich war nie geritten und dachte: Deshalb kennst du die Freiheit nicht. Ich hörte ihn sagen: »Freiheit ... Ich hab' sie mir genommen. Es mußte sein. Sie sagen, ich sei egozentrisch, weil ich mich nicht zu ihrem Besitz machen ließ, als wäre ich ein Haustier. Tut mir herzlich leid, daß ich es nicht sein konnte, aber ich habe ihrer doch dankbar gedacht. Schmerzhaft war ich mit allen verbunden.«

Er wandte sich ab, lockerte das Zaumzeug seines Pferdes, flüsterte an seinem Ohr: »... damit du hernach leichter wegkommst«, und lachte. Dann fügte er hinzu: »Ich weiß schon, daß ich Glück gehabt hab'. Aber ohne Glück wär's auch bei Ihnen nicht gegangen ... Tiefer drunten waren Sie als ich. Und einen Diktator brauchte ich auch nicht zu überstehen. Immerhin ...«

Und er schwieg, vielleicht weil er an Napoleon dachte, den er, wenn nicht verehrt, so doch geachtet hatte, wahrscheinlich gewisser dämonischer Bezüge wegen; denn er hatte, was »die Deutschen« anging, Zwiespältiges im Sinn. Wobei ich mich daran erinnerte, daß ich mir nach dem Krieg abgewöhnt hatte, von »den Deutschen« zu reden. Schließlich war ich selbst einer.

»Ohne den Krieg wär' aus Ihnen nichts geworden«, sagte er zu mir, und ich stimmte bei. Er hatte keinen Krieg gebraucht, um zu sich selbst zu kommen.

Jetzt riß er eine Wegwartenblüte ab und fragte: »Wie ist das eigentlich mit Ihnen? Es heißt, Sie würden nun gewissermaßen toleriert? Schließlich trägt man doch in Ihrer Zeit – ich meine jetzt: als Autor – wenn nicht eine Jakobinermütze, so doch einen Revoluzzerhut?«

»Man nähert sich allmählich wieder dem Persönlichen«, bemerkte ich und fügte nach einer Weile hinzu, ich wolle schreibend mit der Welt ins reine kommen, denn in mir sehe es recht unrein aus; wobei er mich anschaute, als ob er etwas hinter mir bemerke, das ich nicht sehen konnte.

Ich dachte, jedes seiner Bücher könnte ein anderer Mann geschrieben haben, und schwieg, weil ich spürte, daß er nichts Literarisches hören wollte. Wahrscheinlich hatte er auch schon genug von dieser Rückkehr in die Gegend hier am Fluß.

Er sah beiseite, streichelte den Hals des Pferdes, flüsterte mit ihm in einer fremden Sprache, vielleicht, daß es Persisch war.

So kamen wir zum Weg neben dem Fluß. Dunkel dehnte sich das Wasser, und im Geäst niederhängender Bäume, das der Fluß umspülte, bargen sich Enten. Sie schnatterten und schwammen weg, als wir uns näherten.

Dann ritt Herr von G. am Ufer abwärts und tauchte in den Fluß, als ob er langsam tiefer schritte und das Wasser nicht beachte. *(1982)*

Begegnung mit dem alten Faust

Nachmittags, bei klarem Wetter, wollte ich zum Stadtrand kommen, nahm das Fahrrad und fuhr westwärts. Es dauerte lange. Dann wurde der Himmel da und dort über Schrebergärten niedriger, ein silbergrauer Schimmer, auf dem sich Bäume kahl abzeichneten. Ein Seitenpfad endete vor Wiesen, und dort war eine Ahnung von Weite, trotz einem neuen Häuserblock, der schäbig dastand.

Ich schob mein Rad auf dem vergrasten Weg, als hinterm schwarzen Gestrüpp einer blätterlosen Schlehenhecke ein Mann hervorkam. Ein hagerer Mensch in einer abgewetzten Samthose mit einem verwegenen Gesicht. Er lächelte im Näherkommen und sagte, als wir nebeneinander standen: »Ja, ich bin's.« Er hatte kurzgeschorenes graues Haar und war ungefähr so alt wie ich. – »Heinrich!« sagte ich, und er nickte. »Wo bist du hergekommen?«

Er antwortete nicht, und ich erinnerte mich seiner als eines hochfahrenden Studenten, der auf mich herabgesehen hatte. Ich war ihm als ein Spießbürger erschienen. Mit den Worten »Schlaf gut weiter« hatte er sich einmal von mir verabschiedet, nachdem er über Gespräche mit Arbeitern berichtet hatte, die den politischen Umsturz kommen sahen, übrigens wie ich. Nur haßte ich den Umsturz, weil ich eine friedliche Natur bin, während Heinrich für den Umsturz war, allerdings von der linken Seite.

»Dann machen wir also heut wieder unseren Osterspaziergang wie vor dreiundfünfzig Jahren«, sagte er und schmunzelte. Mir kam alles unwahrscheinlich vor, hatte es doch geheißen, Heinrich sei beim Trockenlegen von Sümpfen umgekommen, irgendwo im Fernen Osten. Oder er habe unter Mao Tse-tung ein Regiment geführt. Jedenfalls habe er Deutschland rasch verlassen müssen, damals unterm Hitler. »Weißt du, in Gedanken bin ich immer hier gewesen. Und was hinter mir liegt, weitab ... Ach du liebe Zeit«, sagte er. Ich fragte nicht, was er erlebt hatte, er aber sagte: »Und du ... als Schriftsteller? Sapperlot.« Jetzt lachten wir beide.

Ich erlaubte mir anzumerken, vielleicht werde man überhaupt nicht alt, weil am Alter der Welt gemessen ein Menschenalter so gut wie nichts sei. – »Doch«, erwiderte Heinrich, »dein Leben kommt jedenfalls in Betracht. Du mußt nur etwas getan haben.« Er betonte das Wort »getan«. Dann fügte er hinzu: »Wenn du wüßtest, wie oft ich dich beneidet habe.« – »Das gibt's doch nicht! Verachtet hast du mich, gib's zu! Ich bin für dich doch bloß so ein Introvertierter.« – »Du hast immer noch keine Ahnung.«

Wir sahen auf die falbe Wiese mit dem grünen Hauch. Dann sagte er zu mir: »Wahrscheinlich bewirken wir beide nichts. Was mich betrifft zum Beispiel ... Schließlich weißt du selber, daß Mao Tse-tung gesiegt hat. Er hat die Menschen zu etwas gezwungen, das sie nicht wollten.« – »Was wollen sie?« fragte ich, und er antwortete, indem er zu Boden schaute: »Ihren Reis anbauen.« Im Weitergehen fügte er hinzu: »Na also ... Über Rußland bin ich zurückgekommen. Und jetzt weiß ich, daß alles gleichbleibt.« – »Meinst du die Triebkräfte?« – »Ja.«

Darin stimmten wir überein. Die Triebkräfte der Welt hatten sich trotz allem nicht verändert. Und Heinrich war so liebenswürdig, mir zu sagen, durch meine Romane, Geschichten und Gedichte stärke ich die Menschen: »Allerdings nur solche, die so ähnlich wie du veranlagt sind. Aber heutzutage sagt man statt veranlagt programmiert.«

Er lächelte abwesend. Ich dachte: Der ist milde geworden ... Er ging, etwas vorgeneigt, auf dem grasigen Weg, während er lächelte und zu Boden schaute, wahrscheinlich auf seine staubigen Stiefel. Er trug ausgebeulte Soldatenstiefel, vielleicht amerikanische. Dann bückte er sich und pflückte ein Gänseblümchen, denn sonst blühte noch keine Wiesenblume. Heinrich blieb stehen, sagte: »Im Alter entdeckt der einstmals himmelstürmende Doktor Heinrich Faust die Lebenskraft der Gänseblümchen.« Und er fügte hinzu: »Bewundernswert. Nicht umzubringen. Auch im Dezember blühen sie.« Und er steckte sich die Blume ins obere Knopfloch seines schilffarbenen Hemds, dort wo weiße Härchen hervorschauten.

Es war warm, auch noch im schrägen Licht. Wir gingen zurück in die Vorstadt. Dort war's auf der Schattenseite kühl, und ich zog meinen Anorak an. Heinrich sah von der Seite her. Ich hätte gern gewußt, was er jetzt dachte. Immer noch schob ich mein Fahrrad.

Vor dem Postamt saß ein dicker Mann am Boden, die Beine ausgestreckt. Ein Stück Pappkarton lag neben ihm, und darauf stand:

»Arbeitslos. Bitte um eine kleine Hilfe.« Heinrich sah ihn an, sagte: »ein subventionierter Bettler . . .« und warf ihm ein Markstück in die Mütze. Zwei Mädchen, die Arm in Arm gingen, blieben stehen und schauten Heinrich an. Dann flüsterten sie etwas, lachten, gingen weiter, drehten die Köpfe und sahen großäugig her.

»Weißt du, ich gleiche einem amerikanischen Filmregisseur, komme aber im Moment nicht auf den Namen«, sagte er verlegen und ging in ein Espresso-Café hinein, wahrscheinlich weil's ihm zu kalt wurde.

Dieses Café war vollgestopft mit jungen Menschen. Wir hatten Mühe, darin einen Platz zu finden. Neben uns hockten die beiden Mädchen, die sich nach Heinrich umgesehen hatten, ihn jetzt aber nicht beachteten. Sie redeten laut, während die Luft von Rauch grau war. – »Ich hab ihm einmal die Schuppen vom Mantelkragen gebürstet. So hat's zwischen uns angefangen«, sagte die eine. Beide waren fein gekleidet und hatten rot lackierte Fingernägel. »Arbeiterinnen kennst du heutzutage nicht mehr von Studentinnen weg«, sagte Heinrich und fügte hinzu: »Das ist jedenfalls etwas Neues, wie?«

Es schien, als ob er's zum ersten Mal sähe. Ich erzählte von dem Spenglermeister, der mein Klosett repariert und über seine Töchter gesagt hatte: »Freunde haben sie alle, aber verheiratet ist keine.« – »Weil die Scheidung so teuer ist«, sagte Heinrich. »Aber das ist nicht der Grund. Sie wollen sich halt nicht mehr binden. Meine Töchter sagen: ›Weil wir die Töchter vom Doktor Heinrich Faust sind, heiraten wir nicht. Der war ja auch nie verheiratet.‹ Was willst du darauf antworten?«

Ich sagte, vielleicht hänge es mit der Wegwerfgesellschaft zusammen. »Deine Töchter glauben halt, auch Sympathie oder Liebe verbrauche sich schnell. Und wenn der andere Mensch keine Sympathie mehr einbringt, wirft man ihn weg. Läßt ihn liegen und vergißt ihn. Wundert's dich?«

Heinrich sah abwesend aus. Früher war er mir menschenverachtend vorgekommen, aber jetzt: gewissermaßen milde. Und er fügte hinzu, wir beide seien in einer Zeit des Mangels groß geworden: »Deshalb hat damals jedermann eine Philosophie der Sparsamkeit und des Verzichts praktiziert. Der Mangel ist zur Tugend hochstilisiert worden.« Und auf schwäbisch fügte er hinzu: »Au net schlecht . . . Aber jetzt giltst du für tugendhaft und wirst bestaunt, wenn du alles immer wieder neu anschaffst: Möbel, Autos, Frauen und so weiter.«

Er mußte schreien, weil das Café von Musik und Menschenstimmen widerhallte. Eines der Mädchen am Nebentisch erzählte von ihrem neuen Kleid, deutete mit Handbewegungen weite Blusenärmel, einen engen Gürtel und einen gebauschten Rock an, während hinter uns Männer beisammensaßen und laut redeten. – »Wie hoch ist die Gewinnspanne?« fragte einer. Die Frauen dieser Männer schauten ins Leere, als wären sie nicht da. Wie alte Ehepaare, die sich alles gesagt haben, dachte ich. Die hier waren Ende Dreißig.

Als ob's eine ferne Welt sei, all dies ringsherum, und niemand gehöre ganz dazu, so kam's mir vor. Auch Heinrich schwieg, sagte aber dann: »Emanzipiert sind die jedenfalls nicht. Es gibt alles nebeneinander, und du kannst dir's aussuchen.« Dann fügte er das Wort »Pluralismus« hinzu und schaute an die Decke. Erzählte auch von einer seiner Töchter: »Die ist spezifisch für ihre Generation. Die ist Kinderärztin, und ihr Mann ist Chefarzt, aber verheiratet sind die beiden nicht, obwohl sie zusammenleben. Gerade ist das zweite Kind gekommen. Eine triste Wohnung in einem Etagenhaus haben die. Und darin darf ja nichts schön sein, weißt du. Alles streng spartanisch.«

Dies erschien ihm merkwürdig. Mich wunderte es, daß er sich wünschte, seine Tochter möge verheiratet sein und schön wohnen. Das paßte nicht zu ihm, diesem umgetriebenen Kerl. Eher hätte man's von mir erwarten können. Und ich fragte ihn: »Sag mal, bist du auf deine alten Tage eigentlich solid geworden?« – »Nein, das nicht. Herumgestoßen bin ich worden, und jetzt verwundere ich mich nur noch. Ist das vielleicht ein Wunder? Na also.«

Ich sagte: »Du hast vorhin von Ärzten gesprochen. Mein Arzt sagt, ein Arzt sei ein Mensch, der eine unbekannte Flüssigkeit in einen unbekannten Leib hineingießt. Und am Stammtisch reden seine Kollegen nur davon, wie sie die Krankenkasse noch mehr als bisher schröpfen können. Oder sie schweinigeln.«

»Au net schlecht«, sagte er, und ich dachte: Merkwürdig, daß für dich alles interessanter als für ihn ist.

Ich durfte dann Heinrichs Zeche bezahlen. Er ließ es großmütig zu und übersah es. Dann gingen wir hinaus und waren froh, weil sich die Straßenluft rein atmete nach diesem stickigen Café. Vom späten Licht wurden die Straßen weit. Als junger Mensch hatte es mir vor allem gegraust, was mir bevorstand, doch dies war verständlich. Heinrich hatte sich um derlei nicht gekümmert. Er wollte das Leben anpacken. Und jetzt blieb er stehen, atmete auf und sagte: »Sauerstoff schmeckt halt doch besser.« Der Straßenprospekt hier hatte blaue Schatten und etwas Bedrohendes mit jagenden Autos, roten und grünen Ampeln.

»Bin nicht mehr dafür zu haben«, sagte Heinrich. »Stille brauche ich.«

»Des Seltenheitswertes wegen«, erlaubte ich mir anzumerken, und Heinrich erwiderte, merkwürdig sei's schon, daß wir uns jetzt gewissermaßen glichen: »In der Jugend waren wir ja schroffe Gegensätze: Du als der Zurückgezogene wolltest Abstand haben von den anderen, während ich alles in mich hineinfressen mußte wie der Vogel Bienenfresser.« Und Heinrich wollte etwas über Schriftsteller erfahren, sagte aber dann: »Nein, lieber nicht.« Er griff mir an den Arm und fügte nach einer Weile hinzu: »Übrigens, der Mann meiner Tochter, dieser Kinderärztin, hat sich mühsam drogenfrei gemacht. Ohne sie hätte er's nicht geschafft.«

Wir blieben vor einem Schulhaus stehen, auf dessen Mauer gesprüht war: »Lieber high / Als Pershing 2«, und Heinrich sagte: »Wir müssen in einer schönen Zeit leben, wenn man so was an die Mauer schmieren darf.« Er machte eine Handbewegung, eine weltmännische, wie mir schien, und ich dachte, diese Geste erinnere an den jugendlichen Faust. Auch daß es ihm in seinem olivgrünen Hemd immer noch nicht zu kühl wurde, ließ mich an früher denken, weil er damals ab und an sogar im Schnee hemdsärmelig gegangen war. Und ich sah sein Gesicht von der Seite, dieses faltenzerschnittene mit Lippen, die locker waren, nicht verhärtet von den Jahren, den Jahrzehnten.

Er zeigte in einen schmalen Weg, der schräg abzweigte und hohe Hecken hinter hölzernen Zäunen hatte. Als wir in ihm gingen, hatte ich das Gefühl, weit weg zu sein. Es war kein Haus zu sehen, nur Wiesen mit kahlen Obstbäumen rechts und links. Und hier kam ein junger Mann heran, der lächelte, als er Heinrich sah.

»Das ist der Valentin«, sagte er und legte dem jungen Mann den Arm um die Schultern: »Du hast also Urlaub über Ostern? Wie geht's im Dienst?«

Valentin war Oberleutnant der Panzertruppe und antwortete, wenn Urlaub in Aussicht sei, gehe es im Dienst immer gut. Am schlimmsten sei der Montag. Dann müsse man in den Soldaten ganze Blöcke unsichtbaren Widerstands beiseite räumen: »Schlimm ist's. Sie wollen nichts tun, und wissen tun sie auch nichts mehr. Als hätten sie über Sonntag alles vergessen.« Und ich erinnerte mich, daß zu meiner Zeit beim Militär montags »großes Wecken« stattgefunden hatte und wir an diesem Tag besonders sorgfältig herumgejagt, schikaniert und angebrüllt worden waren. »Die wollen in uns alle Gedanken an Zuhause totschlagen mit ihren Schikanen«, hatte mal einer zu mir gesagt. Und Valentin sagte, je näher man dem Samstag komme, desto besser gehe alles. Am Freitag herrsche in der Kompanie eitel Harmonie.

»Warum haben Sie nicht den Wehrdienst verweigert?« fragte ich und bekam zu hören: »Weil ich zu mir gesagt habe: wenn du etwas verändern willst am Kommiß, mußt du mitmachen und dafür sorgen, daß es anders wird.«

»Da staunst du, wie? So etwas gibt's also heute auch«, sagte Heinrich, blieb stehen und legte den Zeigefinger auf den Mund.

Hinterm Zaun unterhielten sich zwei Männer. – »Den Russen in Afghanistan geht der Arsch auf Grundeis«, sagte einer, und der andere: »Das glaub ich nicht.« – »Aber die gefangenen Russen müssen doch zum Islam übertreten«, widersprach der erste. – »Ja. Und warum nicht? Tritt man halt zum fremden Glauben über, wenn man schon Soldat sein muß. Dann bekommst du ein besseres Essen.« – »Ich tät das nie!« – »Nun ja, uns in unserem Gärtle kann's gleichgültig sein. Ich geh' jetzt Kaffee trinken.«

Heinrich hatte recht, wenn er behauptete, der Mensch bleibe sich zu allen Zeiten gleich. Nach einer Weile fügte er hinzu, außerdem gehe ihn dies alles jetzt nur noch wenig an. »Auch damals in China hat keiner den rechten Weg gekannt. Außer Mao Tse-tung natürlich . . . Aber nur, weil er gesiegt hat. Das ist der Sinn der Geschichte.«

Dann gab er Valentin die Hand. Der junge Mann ging allein weiter. Hernach sagte Heinrich: »Vor dem habe ich Achtung. Der will's besser machen als solch ein alter Schikaneur wie ich. Und er macht's auch besser. Leider ist er zu gescheit und darf drum nicht mehr lange bei der Truppe bleiben. Solch einen holt sich doch der Kommandeur in seinen Stab.«

Wir gingen den Weg weiter, der zu einer Mauer führte. Dahinter lag ein alter Friedhof, und neben ihm war eine Tiefgarage angelegt. Heinrich nickte mir zu, als sähe er in mich hinein. Wieder kamen wir auf die Hauptstraße mit ihrer Schattenzone unter hohen Häusern und gingen in eine U-Bahn-Station hinab.

Dort deutete Heinrich auf zwei alte Frauen, die zwischen Fahrkartenautomaten standen und die Zeitschrift »Der Wachturm« vor der Brust hochhielten. – »Was glaubst du, was sich die anhören müssen! Welche Schmähungen«, sagte er und führte mich hinter einem Kaufhaus in einen alten Bezirk. Dort standen niedere Fachwerkhäuser, manche mit Vorgärten, die gelbe und lila Krokusblüten hatten. Das Abendlicht schien klar herein. Hinter den niederen Häusern streckte sich die Stadtmauer aus, und ihr Wehrgang führte vorbei. Auf ihm waren Holzscheite gestapelt.

Mit einem schweren Schlüssel schloß Heinrich ein Pförtchen auf. Dahinter umtanzte ihn ein weißer Spitz, bellte mit hoher Stimme und sprang an ihm empor. Dann lief er voraus über eine Wendeltreppe, an deren Mauer ein speckiges Seil ausgespannt war, als Ersatz fürs fehlende Geländer.

Oben traten wir in eine helle Stube mit Bett, Schrank, Tisch und Stuhl auf frisch gescheuerten Dielenbrettern. Die Einrichtung war altmodisch und karg. Auf dem Tisch lagen Bücher, und durch frische weiße Vorhänge mit Spitzen drang helles Licht. Heinrich schob die Vorhänge beiseite, und wir sahen in den Stadtgraben hinab, wo Gärten mit Obstbäumen lagen. – »Der hier gehört mir«, sagte er und deutete auf den Garten unter uns. Es klang, als ob er sich freue. Die Beete waren sorgfältig gerecht und hatten Furchen. Ein Forsythienbusch in der Ecke bei der Mauer hatte gelbe Blüten.

Heinrich erzählte, daß er sich hier sein Obst und sein Gemüse ziehe: »Weißt du, alles was man halt so braucht . . . Und du wunderst dich, weil so ein Stürmer und Dränger von ehemals nun hier angelangt ist.«

Der Spitz sprang auf den Stuhl und schaute neben uns durchs

Fenster, die Ohren steif. »Sag, hast du früher nicht einen Pudel gehabt?« fragte ich, und Heinrich lachte. – »Ach, du meinst den, in dem der Teufel gesteckt ist . . . Ja, das war einmal.« Und schmunzelnd deutete er auf einen abgewetzten Ledersessel in der Ecke: »Setz dich bitte.«

Er nahm auf dem Bett Platz und sagte wie zu sich selber: »Was ist am wichtigsten?« Dabei sah er auf die Dielenbretter, während Licht seinen Kopf berührte.

Wir schwiegen beide. Der Spitz wurde unruhig, kratzte an der Tür, bellte und lief hinaus. Heinrich folgte ihm. Dann hörte ich ihn unten sagen: »Ja, bitte. Kommen Sie herauf. Es stört Sie doch nicht, wenn ich Besuch habe?« Es war ein Mann in korrektem Anzug, hochgewachsen und beherrscht. Es kam mir vor, als wäre ich ihm schon einmal begegnet, wußte aber nicht mehr wo. Vielleicht auf einer Abendgesellschaft, über die ich für eine Zeitung berichtet hatte.

»Und Sie wünschen?« fragte Heinrich. Der Mann hatte ein Buch dabei, von ihm selbst geschrieben. Nun redete er über dieses Buch, als wäre er entrückt, sähe in die Ferne und erkenne dort seine Gedanken. Seine Art zu reden war mechanisch, als missioniere er. Er wollte aufmerksam machen auf seine Lehre, eine Verbindung von Vernunft und Glauben an das Gute.

Heinrich fragte, wie er sich vorstelle, daß die Menschen heutzutage überzeugt werden könnten von seiner Botschaft. Der Mann antwortete: »Ich muß daran glauben.«

Es war dunkel geworden. Mir fiel ein, daß ich mein Fahrrad vor dem Café in der Hauptstraße hatte stehenlassen. Hoffentlich war es noch dort. Ich mußte mich beeilen, und Heinrich führte mich hinunter. Auf der Wendeltreppe flüsterte er: »Der weiß, worauf es ankommt. ›Ich muß daran glauben‹, hat er gesagt.«

Ich lief zur Hauptstraße und fand mein Fahrrad vor dem Café. Gegenüber stand eine Kirche, die ich zuvor nicht beachtet hatte. Und weil die Straßenlampen noch nicht brannten, leuchteten durchs geöffnete Tor der Kirche die Lichter aus dem Innern.

(1984)

Das Glück im Stein

Alois Kremer, ein Hausierer, fuhr mit dem Omnibus, einem schwerfälligen Gefährt, das eine breite Metallschnauze hatte, in den Marktflecken hinein. Der war eine Versammlung grauer Häuser mit moosigen Ziegeldächern, die aussahen, als steckten dumpfe Gesellen die Köpfe unter Pelzmützen zusammen. Der Wagen hielt, Kremer zog seinen abgewetzten Koffer übers Trittbrett und spürte jene dünne Art Regen im Gesicht, die näßt und auf der Haut haftet, als wären feuchte Spinnennetze ausgespannt. Er sah zu Boden und glaubte, Igel hockten am Straßenrand beisammen. Das waren handrückengroße Moospolster, vom Dach gefallen und am Weg niedergesessen, wo sie sich festzusaugen und weiterzuwachsen schienen, um den feuchten und feinkörnigen, jetzt vom Regen olivfarbenen Boden mit einem Pelz zu überziehen, der aus braunen und grünen Flecken zusammengestückt war. Dann versänke diese Siedlung langsam unter einem dicken Mantel und würde zur Bodenwelle wie drüben die Römerschanze, die sich am Hang unterm Grasmantel abbildete, als wäre sie eine knochige Schulter.

Kremer war ein kleiner Mann, dreiundsechzig Jahre alt und kaum beleibt. Er trug einen schwarzen Gummimantel, der am Ärmel mit Leukoplast geflickt war. Sein Koffer zog ihm die Schulter schief.

Langsam stapfte er in den Ort hinein, stellte den Koffer ab und sah sich um. Draußen hing Regen schräg durchleuchtet, tropfenglitzernd, eine Schraffur aus Licht vor hellen Hügeln. Du wünschst, der Schleier soll sich emporheben und dahinter etwas zeigen, das du noch nie gesehen hast.

Er ging weiter und kam unter einem Durchhaus rechter Hand in ein leeres Wirtshauszimmer, wo ihn der Glasschirm eines Fernsehapparats anglotzte, ging nach hinten in die dunkle Tiefe einer Küche und traf dort eine Frau, nicht viel größer als er und ungefähr gleichaltrig. Sie legte auf einem kalten Herd Pfirsiche in Gläser und gab ihm eine feuchte Hand. Kremer sagte, er suche ein Zimmer, und die Frau fragte: »Darf es ein einfaches sein?« – »Gewiß«, antwortete Kremer und machte eine Handbewegung, wie um anzudeuten, daß es sich nicht lohne, seinetwegen zu überlegen, welches Zimmer zu ihm passe.

Die Frau sah auf seine Hand und schien zu lächeln. Nun, in seinem Alter verstand man sich auch ohne Lächeln. Vielleicht war er ihr früher mal begegnet, damals in seiner glücklichen Zeit, die fünfzehn Jahre gewährt hatte.

Sie nahm einen Schlüssel, an dem eine Schnur mit hölzerner Fadenrolle hing, vom Haken und ging in den Gang hinaus. Kremer schleppte seinen Koffer nach. Vor ihm ging die Frau über eine knarrende Treppe aufwärts, und Kremer sah ihre Knöchel über zu weiten Schuhen unter einem langen schwarzen Rock hervorkommen, dessen Saum mit einer sogenannten Besenlitze eingefaßt war. An einer Tür stand: »Wartezimmer Doktor Kidaisch«, und neben einem gedrechselten Geländer schloß die Frau, die Malek hieß, eine Tür auf und sagte: »Das wär's.«

Sie gab Kremer den Schlüssel. – »Ich habe das Bedürfnis, mich zu erfrischen«, sagte Kremer und wunderte sich über seine gezierte Redeweise, die ihm vor dieser Frau angebracht erschien.

Das Zimmer – dumpf und hoch – ging auf den Hof des Durchhauses hinaus. Vor dem Fenster war eine Brücke, die zwei Häuser über den Hof verband und Fenster hatte. So sah er durch das Fenster auf andere Fenster, die angelehnt waren. Dahinter wimmerte ein Kind. Es roch nach Abort; aber vielleicht war es ihm zuträglicher, wenn er dachte: es riecht nach der Toilette. Ein schwarzes Ledersofa mit hölzernem Aufbau reichte bis an den weißen Marmorwaschtisch mit Krug und Schüssel. In der dunkeln Zimmertiefe standen zwei Betten, und unterm Fenster stand ein drittes Bett.

Ein mulmiges Quartier, so paßt's zu dir, dachte Kremer und zog seinen schwarzen Gummimantel aus. Dann wusch er sich Gesicht und Hände, schaute auf das grauseifige Wasser in der Schüssel und wußte nicht, wo er es ausschütten sollte. Also balancierte er die Schüssel durch die Tür, überquerte den Gang und kam zur Toilette, die verschlossen war. Endlich fand er ein abgelegenes Kämmerchen mit röchelnder Wasserspülung, wo er sein Schmutzwasser los wurde. Froh, dies vollbracht zu haben, ging er zurück in die Stube, wo nun wiederum Frau Malek stand und, die Hand überm

Kopf bewegend, sagte: »Oh, der Dunst, der Dunst.« Damit meinte sie wahrscheinlich den Geruch der Toilette. Kremer bestätigte: »Jawohl, der Dunst . . .«, und Frau Malek sagte, sie habe noch ein zweites Zimmer, übrigens zum selben Preis. Kremer sagte: »Da bin ich aber froh«, und merkte, daß ihn die Frau wieder ansah, als dächte sie etwas Erfreuliches.

Ein sickerndes Rinnsal, das glänzte, glaubte er in sich zu sehen und zu spüren; es wärmte ihn. Aber dann sah er sich und Frau Malek im breiten Spiegel der Waschkommode, der an der Ecke hinterm Glas einen grauen Belag wie Schimmel hatte. Im Spiegel war ein bärtiger Mann zu sehen (der Bart, so dick wie ein Bienenschwarm), die Augen verdeckt von runden Brillengläsern, dazu eine alte Frau, die wie ein Kind rotbackig war und blauäugig lächelte. Sie trägt sicher lange Nachthemden bis zu den Fußknöcheln. Auch du schläfst nur in langen Nachthemden, und wenn wir uns in solchen langen Nachthemden begegneten (sie wahrscheinlich in einem mit Spitzenborte), müßtet ihr laut lachen. Womöglich fiele dabei einem von euch auch noch das Gebiß heraus. Und Kremer grub, um sich abzulenken, denn er hätte am liebsten gelacht, in der Rocktasche nach Pfeife und Tabaksbeutel.

»Kommen Sie, ich zeig es Ihnen. Das Zimmer meine ich«, sagte Frau Malek.

Er nahm seinen Koffer mit. Das Haus hatte hinten hinaus einen langen Gang, der nun hell war vom schrägen späten Licht. Dort stand ein Holzverschlag offen, und in seiner dämmerigen Tiefe ragten über gestapelten Lumpen zwei Besen heraus, von denen einer struppig abgewetzte Haarfransen hatte, indes der andere mit üppig wallenden Stoffschlangen wie ein Medusenkopf ausgestattet war.

Kremer blieb stehen, betrachtete die Besen und schnupperte ihren moderigen Geruch. – »So etwas gefällt mir«, sagte er. Das Licht fiel durch die Scheiben, draußen lagen tropfenbesprengte Gärten, das Land dunstete in der Ferne, als würde es zu Licht.

»Dorthin müssen Sie noch gehen, dorthin führt ein Weg«, sagte Frau Malek und deutete hinaus. Durch ein offenes Fenster flog eine Schwalbe herein und zwitscherte, daß es hallte. – »Die schimpft . . . Ach, jetzt hat sie wieder . . .« sagte Frau Malek und schaute auf den Boden, wo eine Zeitung ausgebreitet war, neben der die Dielen mit weißen Kottröpfchen besetzt waren.

Nicht weit von Kremers neuem Zimmer war das Schwalbennest in die Kehle unterm Plafond gebaut. Das war ein gutes Zeichen. Mit Frau Malek sah er zu, wie die Rauchschwalbe ihrer Brut (es war die zweite) etwas in die Mäuler stopfte, das ihr als winziger Schnauzbart aus dem Schnabel hing.

Kremer ging in die Kammer hinein, die hell war von Sonne und nach erwärmtem Holz roch; das war ihm eine Weile ein lieber Geruch.

Als Frau Malek gegangen war, setzte er sich in einen Korbsessel mit zerschlissenen Samtkissen. Jetzt war er allein. Frau Malek erinnerte ihn an ein Mädchen aus der Zeit vor dreißig Jahren. Jawohl, so lange mochte es her sein ... Vielleicht war sogar Frau Malek das Mädchen von damals, aber danach wollte er nicht fragen. Jetzt war er Hausierer, nachdem er früher Artist gewesen war, Zauberkünstler. Und das Mädchen von damals war eine von den Nymphen gewesen, die in Wien die Arme emporgestreckt und lila Flügel unterm rosigen Lichtspringbrunnen entfaltet hatten. Und Frau Malek (falls sie es war) stand damals als dritte von links in der zweiten Reihe und hatte Paillettengeglitzer im Schoß und auf den Brüsten. Die zweite Reihe trat dann flügelwedelnd vor, und die erste mit zusammengeklappten Flügeln zurück. Aber das war nicht wichtig. Wichtig war, daß er sich neben diesem Mädchen in einer nachtschwarzen Straße sah, das Köfferchen mit seinem Zauberkram in der Hand, denn er hatte in derselben Revue gezaubert, wo auch diese Springbrunnennymphe getanzt hatte. Er ging neben ihr, sie redeten nichts, und dann schob sie ihre kühlen Finger unter seine Hand, die das Köfferchen trug.

Ja, damals. Übrigens hatte ihm am Morgen nach dem Nachtspaziergang die Springbrunnennymphe einen Topf dampfenden Wassers gebracht, damit er sich rasieren konnte. Das hatte ihn gefreut, weil ihm so etwas selten widerfuhr. Doch ob die jetzige Frau Malek das Mädchen von damals war, das wollte er nicht wissen. Aus früheren Jahren interessiert dich niemand, dachte er. Um unerkannt zu bleiben, hatte er sich Bart und Haare wachsen lassen, und weil er damals nur unter seinem Artistennamen bekannt gewesen war, hoffte er, auch heute unerkannt zu bleiben. Wenn einer einmal abserviert ist, soll er sich verhüllen, dachte Kremer.

Im Sessel sitzend, dessen Lehne knisterte, sah er hinaus auf Gärten. Bäume hatten schon einzelne gelbe Blätter. Astern, nicht viel größer als ein Fingernagel, lila Sterne mit gelbem Kern, drängten durch rostige Drahtnetze. Dahinter standen Rauten mit orangefarbenen Fransen. Wenn die sichtbar wurden, neigte sich das Jahr hinab. Sanfter September, der gefällt dir; auch als junger Mensch hat er dir gefallen. Milde Luft, flache, falbe, ausgeraufte Felder ... Trockene und erdrissige Wege führten in die Wiesen. Die Sonne war gereinigt von brennender Schärfe, das Licht kam schräg herein und schmerzte nicht mehr in den Augen. Rascheln durchlief dürre Gräser. Grillenzirpen war der richtige Gesang für einen alten Kerl. Dahinter war etwas. Was denn? Wenn du's wüßtest, wärst du gescheit.

Er saß und schaute dort hinüber, wo in der Ferne schräger Regen von Licht durchdrungen wurde. Die Gärten glühten. Ein vergraster Pfad führte hindurch, und auf ihm näherte sich ein Pferd, ein schwerer Gaul, Geschirrketten hinter sich herschleifend. Er trabte und fiel in Schritt, stapfte langsam und drehte den Kopf, wobei ein Auge groß aufglänzte. Der Pferderücken und die prallen Schenkel hatten einen Glanz und schienen zu zittern, als wären sie aus Wasser; das kam vielleicht vom schrägen Licht. Die Umrisse des Pferdes, das sich wohl von einem Wagen oder beim Hufschmied losgerissen hatte, schienen verwischt zu werden. Merkwürdig war, daß kein Bursch hinter dem Pferd herlief, um es einzufangen, auch kam es Kremer vor, als klirrten seine Ketten nicht; vielleicht waren daran die Graspolster und Moospelze schuld, mit denen dieser Pfad belegt war. Dann verschwand das Pferd hinter den Zweigen einer verwilderten Hecke.

Kremer stand vom Sessel auf und dachte: sonst schläfst du ein. Er ging, am Wartezimmer des Doktors Kidaisch vorbei, hinunter in die Küche, um Frau Malek zu treffen, doch war der verräucherte Raum leer. Auf dem kalten Herd standen die Gläser mit den Pfirsichen. So rötlich mit braunem Hauch wie diese Pfirsiche hatte das Pferd auf dem vergrasten Weg zwischen den Gärten ausgesehen. Neben den Gläsern lag ein Zettel, und darauf stand: »Kirchensteuer regeln.« Also war Frau Malek weggegangen, um ihre Kirchensteuer zu bezahlen.

Er verließ den Gasthof. Die breite Straße inmitten der geduckten Häuser weitete sich im Abendlicht. Welkes Gras war auf dem

Pflaster verstreut, als sei hier vor kurzem eine Prozession gegangen, oder man befände sich im Innern einer Scheune, wo Heu herumliegt. Drüben – es kam ihm weitab vor – zog eine magere Frau einen Handwagen.

Am Ortsende suchte Kremer den Weg zwischen den Gärten, den er vom Gasthof aus gesehen hatte, fand ihn aber nicht; auch das Pferd begegnete ihm nirgends. Im Weitergehen versuchte er sich vorzustellen, wie er aussah, hier unter den alten Häusern, und dachte: wie eine Vogelscheuche. Stell dir's lieber nicht vor, sagte er dann zu sich selbst. Aber in solchen verlassenen Ortschaften fällst du nicht auf.

Im Zwielicht kam er zurück in den Gasthof. Die Wirtsstube war jetzt voll Gäste, die im Halbdunkel auf den Fernsehapparat in der Ecke starrten, auf diesen erhellten Kasten, der ein bläuliches Licht aussandte wie eingesperrter Mondschein. Das war ein Mondersatz. Die Leute hockten im Dumpfen und schauten auf den Glasschirm, der einer durchleuchteten Leber glich. Frau Malek ging herum und trug zwei Suppenteller zu jungen Leuten hinüber, von denen einer ein rotes Hemd anhatte. Inzwischen hatte also Frau Malek Essen gekocht und trugs den Burschen an den Tisch. Sie mußte allein sein, denn bis jetzt hatte Kremer noch niemand gesehen, der ihr half. Das Bettzeug in den Zimmern war mit Nähten und Flicknarben bedeckt, und die Kissen fühlten sich an, als wären sie mit Mulm gefüllt. Es ging ihr schlecht, sie rackerte sich ab, neues Bettzeug konnte sie nicht kaufen, und die Daunen in den Haipfeln und Deckbetten waren im Lauf der Zeit zu so etwas wie Mehl geworden. Die Suppe näßte ihr die Daumen, während sie die gefüllten Teller durch die Stube trug und lächelte.

Sie kam zu Kremer an den Tisch und fragte, was sie ihm bringen dürfe. – »Machen Sie sich mit mir keine Mühe. Wenn ich ein Glas Bier oder einen Emmentaler haben könnte«, sagte er. – »Aber wir haben doch Bäuscherl«, sagte Frau Malek. – »Ich esse lieber etwas Kaltes«, sagte Kremer. Jetzt war's ihr also nicht mal recht, daß er ihr keine Mühe machen wollte, er mußte auch sein Geld zusammenhalten, aber wenn sie befürchtete, sie habe zuviel Essen gekocht und müsse es vielleicht wegschütten ... – »Ja, dann esse ich also Bäuscherl«, sagte Kremer. – »Auch eine Suppe?« fragte sie und sah ihn im Schein des Fernsehapparates mit abwesendem Gesicht an, das nun, da sie sich vorbeugte, im künstlichen Licht des flimmernden Geräts auf eine seltsame Art jung erschien, weshalb er dachte, sie könnte vielleicht doch das Mädchen von damals sein, das im Springbrunnen aus Licht und Silberpapier bei der Revue in den fünfzehn glücklichen Jahren seines Lebens dabeigewesen war (dann hätte sie es auch nicht viel weiter als du gebracht). Vielleicht hatte er ein leichteres Leben als sie gehabt, weil er nicht viel mehr besaß, als was er in zwei Koffern herumschleppen konnte. Freilich, fragen wollte er sie nicht. Warum? Weil er ihr hätte sagen müssen, wer er einmal gewesen war. Wenn sich's dann herausstellte, daß sie nichts mit der aus der Revue zu tun hatte, war es schlecht für ihn.

Nein, nichts war schlecht. Ein Augenblick deines Lebens, vergegenwärtige ihn dir genau, dachte Kremer, während Frau Malek, die Hände auf die Tischplatte gestützt und vom Zwielicht des Fernsehapparats umflossen, vor ihm stand. Sie schaute ihn groß an, und ihr Gesicht, dieses dünnhäutige und milchige, sah aus, als wäre es aus weißem Phosphor gemacht. Als Bub hatte er eine Stange weißen Phosphors gehabt, so lang wie ein Fingerglied, die er in einem braunen Fläschchen verwahrt hatte. Der Phosphor mußte in Wasser liegen, weil er an der Luft rauchte und schmolz, ja, es konnte sein, daß er sich entzündete ... Laß deine Erinnerungen unter Wasser liegen, damit du dich nicht an ihnen verbrennst, sagte er zu sich selber.

Nach dem Essen ging er wieder durch den Ort. Jetzt war es Nacht. Das Mondlicht breitete sich aus, dieser bläuliche Schein, der sich an die Mauern legte, als wären sie damit bestrichen, und nichts könnte es abwaschen. Der Marktflecken lag auf einem Hügel und hatte ausgedehnte, langgestreckte Mauern, wohl von einer Befestigung. Eine Gasse drängte sich neben einer dieser Mauern weiter, und draußen lag die Ebene hell und flaumig. In einem bukkeligen Haus war ein Giebelfenster gelb vom Lampenschein hinter leinenen Vorhängen. Wenn du jetzt dort säßest ... dachte er. Dann wärst du immer noch derselbe Alois Kremer. Sei froh, daß du es bist.

Er ging langsam, schaute aufs Pflaster und wich zur Seite, weil er glaubte, jemand träte neben ihm aus der Tür, aber da war nichts. Er blieb stehen und sah sich um. Gegenüber stand die schwarze

Mauer und darüber der Mond als Phosphorkopf. Eine Pforte war rundbogig überwölbt und dunkel vom Schatten, der dick wie Ruß erschien. Ein Efeuzweig kratzte die Wand. Hier war etwas eingemeißelt, und Kremer versuchte es zu lesen und dachte: Lateinisch ... das bringst du nicht mehr heraus ... FORTUNATA CARISSIMA NOSTRA VIXIT ANNOS XV DM. Also war ein Mädchen namens Fortunata fünfzehn Jahre alt geworden. DM hieß DIIS MANIBUS. Ein römischer Grabstein, in die Mauer eingefügt und den Schattengöttern geweiht ... Fortunata und dein Glück, das fünfzehn Jahre gewährt hat, ist in den Stein gemeißelt. Du wirst sogar noch gefühlsselig ... Sei still. Erzähle niemand von dem Stein ... Und Kremer rechnete wieder einmal die Zeit nach, die ihm glücklich verflossen schien, damals als er Zauberkünstler gewesen war. In steilen Buchstaben, größer als die hier in den Stein gemeißelten, war sein Name auf Plakaten gedruckt geweser. Jetzt las er DIIS MANIBUS und wußte auch noch, was dies hieß. Gratuliere. Gute Nacht, Herr Kremer. *(1988)*

Vom Boden abheben

Neben ihm an der Theke stand die Stewardeß, die er früher kaum beachtet hatte, und der Laden, in dem es auch zu trinken gab, war altmodisch. Das Mädchen hieß Charlotte Salmers, sie war deutscher Abkunft.

Sven sah ihr von der Seite auf die gebräunte Wange und dachte: die soll sich das Haar waschen. Sie schaute ins Glas und redete, und sofort war hohes Steppengras da, weil sie sagte: »Raus aus der Kiste und dorthin, wo der Wind die Gräser schwenkt. Dann siehst du draußen eine Hütte, vielleicht einen Schafstall. Sein Holz, fast hätt' ich ›seine Haut‹ gesagt, ist silbergrau und der Weg zu ihm überwachsen. Hecken sind dort leider selten.«

Ob es die war, Charlotte Salmers? Vielleicht. Er legte Münzen auf die Theke und ging weg.

Nun suchte er schon lange eine Frau, er, ein Pilot, der immer wieder wegmußte vom Boden. Die Salmers wollte »weg aus dieser Schwebe«, wie sie sagte, also aussteigen aus ihrem Stewardeß-Geschäft. Im Flugzeug seien ja auch von morgens bis abends viel zu viele Leute um einen herum. Freilich sagte sie statt ›Flugzeug‹ lieber ›Kiste‹.

Die wollte auf der Erde bleiben und weitab leben. In einem silbergrauen Holzhaus.

Warum bist du Pilot geworden? Sven war norwegischer Abkunft, und seine Eltern waren stolz; die hatten sich seinerzeit leicht entschlossen, aus der Heimat wegzugehen. Als Fischer hatte sein Vater das Meer vor dem Haus gehabt, und drum war's selbstverständlich, daß es ihn immer wieder dort hinausgezogen hatte, wo's silberig glänzte und ein Fischkutter als Schattenriß auf dem Wasser lag. Den Fischkutter hinter sich lassen und nach England kommen, wo viele Leute meinten, so wie sie lebten, sei es richtig. Weshalb der Vater wieder weitergemußt hatte, nach Amerika.

Sven ging, die Hände in den Hosentaschen. Wenn er gehen konnte, war's ihm wohl. Dazu das In-die-Straße-Schauen, wo der Ausblick ins Freie von Reklametafeln, Straßenlampen und Häusern versperrt war, die aussahen, als wären sie aus Pappe. Mehr hatte er nicht gesehen in den Städten. Aber auf dem Meer war immer dieses Wasserglitzern vor dem Schiffsbug da. Das Wasser, diese Morgenweite, war wie die Luft. Deshalb waren die Norweger immerzu westwärts gefahren, und er konnte das Gefühl seiner Vorfahren spüren, wenn sie sich dorthin aufgemacht hatten. Früher hatten sie Ruder in den Händen gespürt. Jetzt brauchte er, wenn er im Pilotensessel saß, nur auf die Schalttafel des Airbus zu schauen und dann und wann eine Taste zu drücken.

Die Stadt lag hinter ihm. Es streckten sich Kornfelder, alle grün. Ein Feldweg führte hinüber zu einem Transformatorenhaus. Es war schattig, und ein Bussard kreiste. Auf den Wolken da und dort ein Flecken Licht und zwischen ihnen dünnes Blau. Daß die Vorfahren gewußt hatten, weshalb sie nach Amerika gegangen waren, das glaubte er nicht. Die hatte nur die Ferne angezogen.

Der Weg führte nach links, und der Himmel berührte den Weg, so weit reichte der Himmel hier herunter. Dann ging es wieder abwärts. Eine Wiese hatte kniehohes Gras, und darin stand ein Haus mit einem Giebel und Säulen neben dem Eingang. Alle Fensterläden waren verschlossen.

Sven ging auf das Haus zu und spürte Grashalme durch seine dünne Hose. Wie war das Gras vielfältig mit seinen Rispen, seinen Dolden, Knollen, gefiederten Ähren, die violett erschienen. Und eine Mohnblüte war darin rot.

Als er aufschaute, kam ihm die Salmers entgegen, mürrischen Gesichts. Die glaubte wohl, er sei ihr nachgegangen, aber er war auch verärgert, weil er sie jetzt traf.

»Niemand drin«, sagte sie und deutete mit dem Daumen über die Schulter nach dem Haus.

»Wolltest du dort übernachten?« fragte er.

Sie nickte, schaute ihn scharfäugig an. Dann schien's, als ob sie gelangweilt wäre, denn sie bekam schlaffe Lippen, hatte aber unerwartet große Augen, wie erstaunt. Was sie verwunderte, das hätte er jetzt gern gewußt.

Sie sagte: »Laß mich gefälligst allein.«

Er ging ums Haus herum, fand hinten ein verrostetes Dreirad für Kinder neben hohen Gräsern und sah hinaus. Bis weit hinüber waren alle Felder abgemäht. Und er fuhr zusammen, als Rebhühner dicht vor ihm aus einem Busch losknatterten.

Er sah die Salmers in der nächsten Woche nicht mehr, weil er frei hatte und auf dem Lande blieb. Aber nachdem sie sich beim verschlossenen grauen Haus begegnet waren, lachte er später manchmal mit ihr über etwas, das ihm früher eigentlich kaum lustig vorgekommen war. Und manchmal lachte er nur ihr zuliebe, oder sie machten sich über sich selber lustig.

Ihre Kollegen waren meistens wunderliche Leute. Eine Stewardeß verbrachte ihre freien Tage als Motorradfahrerin auf einem Rummelplatz. Sie fuhr in einer Tonne, die senkrecht stand und oben offen war, an der gewölbten Wand von unten nach oben, wo die Zuschauer hereinguckten. Eingehüllt in bläuliche Auspuffgase, schraubte sie sich auf ihrem Motorrad in die Höhe und pries hernach die berauschende Wirkung der Abgase. Auch der Kitzel der Todesnähe dieses Jobs reizte sie, und schließlich paßte solch ein Hobby zu ihr, die täglich in die Lüfte aufstieg. Svens Kopilot jedoch verdingte sich als Aushilfs-Totengräber und war neugierig darauf, was er nun wieder finden würde, wenn er ein Patriziergrab öffnete, hatte er doch in einem mal eine Krone gefunden, freilich nur aus Messing, weil der Beerdigte ein Schauspieler gewesen war. Charlotte Salmers aber schlief sich aus, und Sven richtete es sich so ein, daß er zuweilen ein paar Tage in einer alten europäischen Stadt bleiben konnte.

Dort war dann auch mal Charlotte dabei, und er ging mit ihr durch eine Straße in einem Vorort von Avignon. Es war ein heißer Samstagnachmittag, und sie wollten sich ein siebenhundert Jahre altes Kloster anschauen, fanden sich aber nicht zurecht. Da hörte er einen Vogel schlagen, sein Lied erklang so frei und klar. In einem Garten war eine Mauer, bis hoch hinauf mit Efeu überwachsen. Dunkelgrüne, mit Sternblüten und verwilderten Rosen überwachsene Beete hatten Buxhecken, und Vogelgesang klang von alten Mauern wider. Die Töne erhoben sich schnalzend, wurden gerade und dünn wie Licht, das durch ein Schlüsselloch fällt, zerstäubten in einem Sprühen, einem Sirren, einem Summen und verwandelten sich in Erinnerung.

Das war etwas für Sven. Charlotte kam's nicht so bedeutend vor, aber sie sagte: »Mich freut es, daß es dir gefällt.«

Die blieb auch jetzt nüchtern vor dem Nachtigallenlied. Gut so. Und wieder einmal sagte sie, die Augen nach oben verdrehend, bald erhebe sie sich nicht mehr in die Lüfte.

Sie wollte am Boden bleiben, während er ohne das Gefühl, er könne sich aufschwingen, nicht leben wollte. Die Stimme vom Kommandoturm gehörte zu ihm wie die elektronischen Leitungen seines Flugzeugs, von denen er dachte, die könnten auch seine Adern sein. Das Flugzeug war für ihn ein Pferd, auf dem er saß. Kam er wieder in die Tiefe, wo der Boden im Hoppeln auf der Landebahn zu spüren war, dann drang irdische Schwere wie ein Senkblei auf ihn ein.

Das durfte er niemand erzählen, außer vielleicht Charlotte. Nein, dieses Gefühl verschweigst du. Mit Psychopharmaka hätte es beseitigt werden können, aber wenn es bekannt wurde, daß er Tabletten schlucken mußte, entließen sie ihn aus dem Dienst. Ein Pilot, der von Depressionen heimgesucht wurde, durfte nicht mehr fliegen.

Er sagte ihr dann, wie es um ihn stand. Sie nickte, schaute auf die Seite und erwiderte: »Ich werde trotzdem deine Frau.«

Als Ehepaar zogen sie wenig später an die kanadische Grenze. Sie wollten Durchschnittsamerikaner sein und unter den anderen nicht auffallen. Charlotte sang im Kirchenchor, während Svens allzu rauhe Stimme nicht dafür geeignet war. Er wurde in den Gemeinderat gewählt, wo er mitredete, falls ihm Zeit dafür blieb; denn nach der Geburt seines Sohnes Dick begann der Vietnamkrieg, und Sven wurde als Pilot nach Taiwan versetzt. Ihm kam es vor, als ob er mit Charlotte eine glückliche Wahl getroffen hätte, denn sie gab ihm recht, falls er recht zu bekommen wünschte, auch wenn's ihr schwerfiel.

Nun sah er in der Schalterhalle des chinesischen Flughafens dunkelhäutige Mädchen ihre Schenkel spreizen. Oder er wurde von Drogen-Polizisten aufgeweckt, die an die Tür seines Hotelzimmers klopften, während Schweiß seinen Schlafanzug durchnäßte und er an die kühle Regenstimmung eines Sonntagnachmittags nicht weit von der kanadischen Grenze dachte. Dazu das Glockenläuten vom Türmchen der weiß gestrichenen Holzkirche, die im weiten Umkreis die einzige war. Auch der Händedruck seines Pfarrers fiel ihm wieder ein und wie der ihn angeschaut hatte unterm dichten weißen Haar. Dazu der Wald hinter dem Haus.

Ohne deine Frau gäbe es all dies nicht, sagte er zu sich und verwunderte sich über diesen Gedanken. Er hatte eine geduldige

Frau, und weil er bei ihr blieb, hänselten ihn seine Kollegen, die sich immer wieder scheiden ließen. Dich immer wieder an eine andere Frau gewöhnen müssen wäre dir unmöglich. Und er sah, wie sie zu ihm aufschaute, großäugig, eine, die einen Kopf kleiner war als er. Wenn du mit ihr jeden Abend in den Kornfeldern gehen könntest . . . dachte er, obwohl die Ähren niedrig waren, während sie ihm früher bis zur Hüfte gereicht hatten. So gehörte es zum sibirischen Weizen, der jetzt angebaut wurde, weil er zwar wenig Stroh, dafür aber dicke Ähren brachte. Die ganze Kraft des Saatkorns drang jetzt in die Ähren.

Da ging Sven Lund neben seiner Frau, die als Stewardeß wieder zur Erde zurückgewollt hatte, wie sie sich ausdrückte. Das war ihr zuteil geworden, während er noch immer jeden Tag mit seiner Maschine vom Boden abhob und dabei dachte: Ob es wohl zum letzten Mal sein könnte? Weil das Abheben vom Boden immer noch gefährlich war, obwohl es so zum Irdischen gehörte: gefährlich und mit Risiko bedacht. Vom Boden abheben und das Gefühl der Schwebe nicht loswerden, so lange, bis du oben bist. Und es kam ihm vor, als sähe er sich selber für einen Moment: einen Hochgewachsenen und Hageren, der leicht vorgeneigt ging und eine Hakennase hatte, das kurzgeschnittene Haar in die Stirn gekämmt, während Charlotte anmutig ging. Sie sagte: »Mohn und Kornblumen findest du nirgends mehr.«

Nach diesem Gespräch und dem Gang durchs Kornfeld erhielt er anderntags die Nachricht, daß er als Pilot entlassen sei. Kein Wunder, weil der Vietnamkrieg zu Ende war; da brauchten sie keine Luftkutscher für Proviant und für Granaten mehr. Oder für Gas, das die Wälder entlaubte. Und er zeigte Charlotte den Brief. Sie war schwanger und sagte nur: »Was wird schon sein? Weitergehen tut es immer. Und so hoch verschuldet wie jetzt war der Staat noch nie.«

Er verstand nicht, was sie damit meinte, ging hinters Haus und sah seinem Sohn zu, wie er Dreirad fuhr. Es war ein rot gestrichenes Dreirad. Dann sagte er: »Dick, wir streichen es grün an, es ist sowieso rostig.« Und sein Sohn lief weg und brachte die Farbtöpfe. – »Welchen?« fragte Sven, und Dick zögerte, hielt den Zeigefinger an die Schläfe, sagte: »Grün« und bald danach: »Russisch Grün«, was Sven verwunderte. Woher wußte der Bub, wie die

Farben hießen, wenn er doch erst drei Jahre alt war? Allerdings, der lief allein herum und guckte in die Häuser hinein, redete mit den Männern und Frauen über ihre Hobbys.

»Russisch Grün haben wir nicht«, sagte Sven, und Dick antwortete: »Aber der John.«

Sven wollte nicht zu John hinübergehen und strich dafür durchs Haus, weil es schmerzhaft gewesen wäre, wenn er John hätte sagen müssen, daß er einen neuen Job suchte und bis er den hatte, sich beschäftigen müsse mit allerlei, jetzt also mit dem Anstreichen des Dreirads. Kam auf den Dachboden und sah dort etwas Großes und Faltiges hängen, flaumig vom Staub wie eine Riesenfledermaus. Ja, seine Laute ... Und er entsann sich, daß er Laute gespielt und gesungen hatte, obwohl er, seiner Stimme wegen, nicht im Kirchenchor hatte mitsingen können. Aber du hast dem Pfarrer doch rauh vorgesungen, damit er dich nicht aufnimmt.

Er holte den Sack vom Haken und nahm die Laute heraus, wunderte sich, daß keine ihrer Saiten gerissen war (vielleicht kam's von der kühlen Witterung in diesem Landstrich), und versuchte sie zu stimmen. Dabei riß ihm eine Saite, doch mußten in der Seitentaschen des Sacks Ersatz-Saiten stecken. Er fand, was er brauchte, zog die Saite ein, betrachtete den Leib der Laute und nahm sich vor, niemals mehr darauf zu spielen. Er hätte gern gewußt, was für ein Holz es war, das zum Lautenbau verwendet wurde, dachte daran, in die Stadt zu fahren und sich ein Buch über Lautenbau zu bestellen, als er Charlotte heraufkommen hörte.

Sie setzte sich zu ihm und sagte: »Sei froh. Du mußt nicht mehr in die Luft.«

»Doch, ich muß etwas haben, das mich in die Höhe führt. Und zwar mit der Laute. Oder durch die Laute«, antwortete er und wußte nicht genau, was er damit sagen wollte. Er spürte nur, daß seine Frau zu ihm hielt. Sie war auch zum zweiten Male schwanger. Dann zuckte es ihm durch den Kopf, alles hinzuwerfen, zu verschwinden. Er wußte nicht, wie er es schaffen sollte, ohne Pilot zu sein, nur zu Haus zu hocken.

Er suchte in der Stadt nach einem Lautenmacher. Fand auch einen, der früher Lyriker für ein Kabarett gewesen war und nun mit einer Frau lebte, die eine Geschlechtsumwandlung hinter sich hatte. Es war eine mit großen Füßen und knöchellangem Rock, die zu Sven sagte: »Gut, daß du deprimiert bist. Deshalb paßt du zu uns.«

Es ging dann mühsam vorwärts, weil der Mann, für den er werkelte, auch erst kürzlich mit dem Lautenmachen angefangen hatte. So mußte er sich seine Handgriffe und Kenntnisse selber beibringen. Aber der andere hatte Spezialwerkzeuge von einem Meister, der uralt verstorben war. Dazu Aufrisse und Bücher mit Stahlstichfiguren aus der Zeit um 1820 und dick bestaubte Holzvorräte, die, ihres Alters wegen, kostbar waren. Da spürte Sven dann an den Fingerspitzen die Holzqualität und war froh, etwas über Drechslerei zu wissen, denn als Schüler, dort unten im Süden, hatte er eine Zeitlang gedrechselt. Bei einem pensionierten Werkschullehrer hatte er's gelernt. Aber wie das Holz naß gemacht und gebogen wurde, das war schwer herauszubringen. Weshalb er Ausschau hielt nach einem alten Geigenbauer, ihn auch in einem Vorort ausfindig machte und bat, einmal zu ihm und dem Kabarettlyriker hereinzuschauen, sich umzusehen, wie's bei ihnen zuging, und ihnen ein paar Kniffe zu verraten, die in keiner der üppig illustrierten Zeitschriften zu finden waren, die sein Compagnon abonniert hatte, seit Sven sich mit Geld am Geschäft beteiligte.

Der Geigenbauer schaute an die Decke seiner Werkstatt und lächelte, als ihm Sven davon erzählte. Dann sagte er: »Von dem Geld sehen Sie nichts mehr. Aber der Vorrat an alten Hölzern kann sich sehen lassen. Wenn Sie davon einen Schubkarren voll bekommen und dazu den großen dicken ›Lautenbaukunst-Meister‹ – ich meine das alte Buch, das Ihr Lyriker besitzt – dann bringen Sie mir alles. Ich bezahle Sie. Habe gleich gemerkt, daß wir uns verstehen.«

Dann wurde Svens Tochter Evelyn geboren. Charlotte machte zu Haus Schreibarbeiten für die Fluggesellschaft. Sven baute seine Lauten. Bald hatte er sich spezialisiert auf Instrumente aus der elisabethanischen Epoche, spielte darauf Lieder des sechzehnten und siebzehnten Jahrhunderts, sang sie auch und sang sie gut (der Pfarrer durfte nichts davon erfahren). Und Svens Meister, der Geigenbauer, lernte jetzt von ihm.

Er hörte und sang diese alten Lieder und vertiefte sich in seine Lautenmacher-Kunst. Zu Charlotte sagte er: »Damit hebe ich vom Boden ab.« Ohne dieses Andere, das in den Tönen war aus den gewölbten Hölzern, den Resonanzböden, wäre alles öde. Dabei wußte er längst, daß er den anderen seltsam erschien. Also hast du's nicht geschafft, ein Durchschnittsamerikaner zu werden.

Durch die Arbeit an den Lauten gelang es ihm, seine Ängste zurückzudrängen, aber völlig verschwanden sie nicht. Er schickte seine selbstgebauten Instrumente aus seltenen Hölzern in Städte auf dem Kontinent und in Europa. Ihn freute es besonders, wenn Lautenspieler in Norwegen seine Instrumente priesen, und er wünschte sich, seine Verwandten zu besuchen, die er nie gesehen hatte; denn Sven war wie Charlotte in Amerika geboren.

Um diese Zeit bestellte ein Rechtsanwalt in New York bei ihm eine Laute, wie sie jene Spieler gehabt hatten, die Lionardo bestellt haben soll, damit sie Mona Lisa mit ihren Melodien heiter stimmten, während er die Dame malte. Und Sven baute eine Laute, die er mit seltenen Ornamenten schmückte und deren Klang etwas Leuchtendes hatte. Er verpackte sie sorgfältig, doch kam sie in New York zerbrochen an.

Dies erschreckte ihn. Er baute die Laute neu, sandte sie wieder nach New York, aber sie klang nicht wie die alte. Danach baute er keine Laute mehr.

Zwar hatte er mit Frau und Kindern Glück – sein Sohn und seine Tochter lernten in der Schule spielend –, aber daß ihm das mit der Laute passiert war, verwand er nicht. Nun hatte er nichts mehr, was ihn in die Höhe führte, wie er zu sich selber sagte. Er hockte viele Stunden nur in seiner Werkstatt und starrte vor sich hin.

Da starb sein Vater, und Sven erbte das Haus des Vaters. Es lag drunten in Colorado an einem See. Viele acres Land gehörten zu dem Besitz, auch ein Stück Wald, aber was sollte er, der droben an der kanadischen Grenze lebte, wo seine Fluggesellschaft ihren Sitz hatte, mit einem Haus in Colorado? Außerdem war jetzt alles in ihm abgestorben oder wie ausgeräuchert, weil er weder fliegen durfte noch Lauten bauen konnte.

Dann stellten sie ihn wieder als Pilot ein, und für einen Augenblick war's, als flögen alle Lauten, die er gebaut hatte, mit ihm weg und nähmen ihn mit sich in die Lüfte, so taumelte ihm der Kopf vor Glück. Und er flog wieder. Alles um ihn war gefestigt, und er dachte: Charlotte liebt die Erde, sie will etwas haben, das sie am

Boden hält. Und er sagte zu ihr: »Ich bau dir ein Haus, tief verankert in der Erde.« Verkaufte den ererbten Wohnsitz drunten in Colorado und fing an zu planen und zu zeichnen und mit einem Freund über das ihm Wichtigste zu reden: das Überleben nach der Katastrophe. Deshalb mußte das Haus dicke Mauern haben, und er mußte darin unabhängig sein, auch von der Elektrizität. Also baust du Solarzellen auf das Dach, gleichgültig, ob's hier heroben an der kanadischen Grenze meistens regnet.

Es dauerte lange, bis wenigstens die Grube für die Fundamente ausgehoben war und die dicken Betonmauern eingesenkt waren in den Boden. Dann betrog ihn der Freund um die Hälfte der Bausumme. Aber das war zu ertragen, weil Charlotte sich um die Umschuldung des Hauses kümmerte, die notwendig geworden war. Und jedenfalls flog er jetzt wieder, hatte den bestimmten Hauch um die Stirn und im Gehirn, der ihn frei machte und von dem er niemand etwas erzählte, weil die andern gedacht hätten: ein spinniger Kerl, dieser Sven. Nun ja, ein Norweger, die sind alle ein bißchen sonderbar.

Charlotte aber hält zu dir.

Sie widersprach ihm nicht, auch nicht beim Hausbau, sagte nicht wie viele andere: Das dauert ewig ... Sie lebten bald zu viert in einem Raum des neuen Hauses. Eine Dusche hatten sie, doch waren die Waschbecken immer noch nicht anmontiert. Und eine Frau aus Israel, die zu Besuch beim Nachbarn war, sagte: »Wie ein Atombunker an der Grenze zu Arabien sieht es aus.«

Die Idee mit der Solarenergie gab Sven auf, weil dafür die Winter zu scharf und zu schneereich und zu winddurchbraust waren. Da schaute dann das Haus immer mal wieder wie ein vom Schnee zugeschütteter Grabhügel aus, und Sven und Dick hatten zu schaufeln und zu kratzen. Am meisten in dem Winter, als Dick sein Aufnahme-Examen für die Militärakademie machte, das er mit Auszeichnung bestand.

Es verwunderte Sven, daß ihm das Haus keine Angst machte. Der Bekannte, der sich gemein verhalten hatte, brachte ihm das entliehene Geld wieder; vielmehr überwies er's, freilich ohne Zins, aufs Konto. Und Sven hatte das Gefühl, als ob er in einem Boot säße als der siebte Mann. Da ruderten sie jetzt, weil das Segel in der Flaute schlaff hing, und von einem Moment zum andern war ein milder Hauch da, und eine Möwe flog. Die Luft roch weniger salzig, mehr nach Menschen. So kamen deine Vorfahren schon einmal vor zweitausend Jahren nach Amerika.

Evelyn freilich hing an der Alten Welt. Sie sehnte sich zurück und lernte Deutsch bei ihrer Mutter. Sie wollte studieren. Manchmal lächelte Evelyn und schüttelte ihr Haar, wenn sie im Segelboot am Steuer saß. Dann sagte sie zu ihrer Mutter ein Wort und fragte, ob sie es richtig ausspreche: »Sehnsucht« oder »Erinnerung«.

(1992)

Ein Regensburger Minnesinger

Auf die Frage, was ich gerne geworden wäre, habe ich einmal geantwortet: »Ein wohlhabender Minnesinger.« Heute aber frage ich mich, ob ich es geschafft hätte, sozusagen ins dreizehnte Jahrhundert umzusiedeln und dort eine Karriere als frauenlobender Schreiber anzufangen. Was sich dabei wohl ereignet hätte?

Zu Wohlstand hätte ich's nicht gebracht. Als Sekretär des Ratsschreibers zu Regensburg wäre mir vielleicht ein Gärtlein vor der Stadtmauer zu eigen gewesen, mehr nicht. An jedem Samstag hätte ich mich aufs Rößlein schwingen müssen und wäre ins Altmühltal getrabt.

Im Abendschein hätte ich das Schloß liegen sehen, wo meine »here frouwe« als Gattin des Grafen Konrad zu Hause war. Schließlich mußte jede Dame, die ein Minnesinger anschwärmte, verheiratet sein.

lm Schloßhof hätte mir die Wäsche bürstende Anna zugeblinzelt, die ein Hemd meines Herrn in die Wanne warf und, die Ärmel hochgekrempelt, mich mit nassen Händen in die Badestube führte. Dort schöpfte sie einen Zuber mit dampfendem Wasser voll, legte Bürste und Seife dazu und sagte: »Vergiß nicht, ihr neues Kleid zu bewundern. Heute abend prunkt sie damit vor den Gästen.«

Ja, die »here frouwe ...«. Dietlind war sie geheißen, und wir beide waren um die vierzig Jahre alt.

Später wieder im Schloßhof. Dietlinds Söhne Volker und Gerold schlenderten die Wendeltreppe herunter. Sie schauten abschätzig drein, und einer von ihnen sagte: »Jetzt kommt der auch noch ... Aber heute ist nix mehr mit Schreiben und Lesen, verstanden? Wir sind ausgelaugt vom Üben fürs Turnier.«

Ihr Vater hielt sie an der Kandare. Da gab's kein Herumlungern und mit den Mägden ums Kuttelfaß Fangenspielen. Und zu mir sagte der Graf: »Federfuchser, versau mir ja nicht meine Buben mit deinem Seelendienst. Mehr, als daß der Volker zur Laute singt und beide Schreiben und Lesen lernen, gibt's hier nicht.«

Der Alte war am Groben interessiert, ich am Feinen, speziell was Dietlind betraf. Und wenn mir einfiel, daß ich dazu auserlesen war, den Minnedienst für die here frouwe zu versehen, wurde ich zuweilen ein bißchen bitter gestimmt, aber das machte nichts. Du mußt dich halt durchwuzzeln, dachte ich und erinnerte mich meiner Pflicht, die Dame als strahlende Lichtgestalt in meinen Poemen aufleben zu lassen. Dies machte wenig Mühe, war Teil meiner Verpflichtung, nachdem der Magistrat der nun Freien Reichsstadt mich dem Altmühltaler Grafen zur Verfügung gestellt hatte, zwecks Ausübung des Minnedienstes.

Außer Verse zu machen gehörte es zu meinen Aufgaben, Dietlind zu zähmen, ihr feine Empfindungen einzuflößen, sie gefügig zu machen für ein gewisses geschmeidiges Verhalten bei Hofe oder sie gar, wenn wir im Frühherbst zu Pferd saßen und an einem Waldesrande entlangritten, aufmerksam zu machen auf Glockenblumen und wie in der Ferne ihr väterliches Stammschloß mit dem massigen Bergfried am Ende eines langen Hügels blaudunstig zu sehen war. Oder die Silberdisteln zu beachten, dort neben dem Grenzstein im warmen Gras.

Doch dies nur als flüchtige Andeutung, was ich in der Burg zu tun hatte und wie meine persönlichen Verhältnisse gewesen sind.

Jetzt lehnte Volker lässig am Eingang zur Wendeltreppe und spielte mit einer gezähmten Maus, die er an einem Silberkettchen über seinen seidenen Wamskragen zum Nacken laufen und zwischen seinem dichten Haar einnisten ließ. Dabei fragte er mich von oben her: »Was beliebt?«

»Wo finde ich Dero Herrn Vater?« fragte ich.

»Der ist bei de Gäul'.«

Bei den Pferden also. Und ich ging über den buckelpflasterigen Burghof zu den Ställen, diesem gepflegten Ort der Burg, wo mildes Licht herrschte und die Rösser in den Boxen standen, lauter Kerle mit breiten Hintern, von denen einer schnaubte, daß das Heu stäubte, die Stute ihr Wasser pflatschen ließ und ein Fohlen sich in der Umarmung seiner Mutter übte, während mein Herr, der heute wie als Roßknecht verkleidet aussah, die Hände auf einen Besenstiel gestützt, leise mit Jakob, dem Viehhändler, redete, dann wieder dröhnte: »Du verschaffst mir einen Araberhengst, hörst du? Bald ist der nächste Kreuzzug fällig, und ich muß jetzt endlich auch einmal dabeisein.«

Jakob verneigte sich.

Wieder einmal redete der Herr vom Araberhengst und vom Kreuzzug, und mir graute es auf eine spezielle Weise. Nicht, daß ich meinen Herrn hätte begleiten müssen – davon blieb ich verschont –, aber des Minnedienstes wegen. Wenn ich mit ihr allein war, wurde meine Herrin ab und an ein bißchen schwierig, was mein Gewissen belastete und jegliche Verklärung ihres Wesens in sogenannten »durchleuchteten Strophen« mühsam machte. Nicht zu denken war dann mehr an so etwas wie »Vertiefung ins Natürliche«, die mein Lehrer Stephan forderte, der als Kaplan in Freising amtierte. Aber auf Jakob, den Viehhändler, hoffte ich. – »Ein Araberhengst hält keinen Kreuzzug durch. Ein derart hochgezüchtetes Tier wird doch unter lauter groben Rössern krank und frißt nichts mehr«, sagte er und fügte leise und zu mir gewandt hinzu: »Wie kann man so etwas wie einen Kreuzzug mitmachen wollen, wenn's niemand von einem verlangt?«

Ich verstand mich mit Jakob und dachte: wenn dein Herr heil aus dem Kreuzzug zurückkehrt, wirst du von deinem Minnedienst befreit. Dabei hoffte ich, Jakob werde meinem großmütigen Herrn seinen Herzenswunsch erfüllen.

Ein Araberhengst im abgelegenen Altmühltal: der konnte sich sehen lassen. Und ich wartete, auf meiner Bettstatt sitzend, in der Stube der Schloßwache die Zeit bis zum abendlichen Festmahl ab, das mein Herr geben wollte.

Im Rittersaal fanden wir uns zusammen. Oben an der quer gestellten Tafel saßen Gäste aus anderen Schlössern, und unten hatte das Gesinde seine Plätze. Dort saß ich Anna gegenüber, die mir schelmisch zulächelte, als wisse sie, wie mir zumute war (ziemlich wackelig). Jedenfalls mußte ich annehmen, mein Herr werde mich auffordern, meinem Minnedienst nachzukommen und ein spontanes Lied über die here frouwe loszulassen, weshalb ich meine Leier im grauen Sack unter dem Tisch zwischen den Knien festhielt, während über uns die Kerzen auf einem Wagenrade flackerten; denn immer noch nicht hatte sich mein Herr dazu entschlossen, einen bronzenen Kronleuchter irgendwo in der Ferne in Auftrag zu geben, vielleicht sogar in der Provence.

Dann aufstehen, die Schwerter aus den Scheiden reißen (ich hielt wacker meine Leier hoch) und singen: »Nun kommet her im

Festtagskleid, Ihr allesamt zum Mahl bereit. / Der Braten schmort, es glänzt der Wein, / Drum lohnt sich's, auf der Welt zu sein!«

Mein Herr, im roten Gewand, schwenkte seinen weiten Ärmel, während sein Eisenhut blitzte. Den trug er, um zu zeigen, ihm sei es ernst mit seinem Vorsatz, beim nächsten Kreuzzug mit dabeizusein. Seine Gemahlin aber hatte einen Kopfschmuck, in den Bilder von Tieren gestickt waren, die Mut und Stolz symbolisierten. Dazu ihr Gewand aus feinstem weißen Flaum und Flausch, quergestreift mit drei purpurgefärbten Bändern: Dies alles gab ihr ein Ansehen, das hochgemut wirkte.

»Du bist dran . . .«, flüsterte Anna, und ihre Augen blitzten. Ich bemühte mich, an meinem engen Platze aufzustehen. Holte auch die Leier aus dem grauen Sack hervor und begann: »Oh here frouwe, schöne, / Erhöret meinen Sang. / Der Sehnsucht wehe Töne / Erklingen lebenslang«, worauf mein Herr den Humpen hob und mir zurief, das glaube er mir nie. Dann pries ich das Kleid meiner Dame als Freudenquell aller Verehrer, sie aber sagte: »Das ist doch uralt!«

Bei Fackelschein führte hernach im Schloßhof Jakob der Viehhändler den Araberhengst vor, und mein Herr brummte, jetzt sei es entschieden, daß er fortmüsse. – »Das steht nirgends geschrieben. Bleibet hier, wir brauchen Euch«, flüsterte ich ihm zu und dachte: wie besänftigst du deine anstrengende Minnedame, wenn dein Herr im Heiligen Lande weilt? Denn mir graute es vor den Monaten, am Ende sogar Jahren, die er dort unten verbringen wollte. Nur gut, daß du nicht mitmußt . . . Und ich sehnte mich zurück nach Regensburg mit meinem Kraut- und Wurzgärtlein draußen vor der Stadtmauer, nicht weit von der Brücke.

Am nächsten Tag fand nach dem Kirchgang das Turnier auf einer Waldwiese statt. Die Burg war bis auf die Schloßwache leer, und ich stand im Hof zwischen hohen Gebäuden, die das Licht des grauen Tages dunkler machten. Ich saß neben der Zehentscheuer und schaute auf das hohe verschlossene Burgtor, das von Lichtritzen umrändert war, als wäre draußen das Morgenlicht aufgegangen, obwohl es schon Nachmittag war. Ich hatte das Gefühl, als werde das Licht das Tor sprengen, um alles zu verändern.

Davor fürchtete ich mich und schlich deshalb beiseite, fand ein Pförtlein in der Mauer und entwich ins zwanzigste Jahrhundert, wohin ich gehöre und ins Kämmerlein zu einem meiner Leser hineinschlüpfe, der diese Geschichte liest und zu mir sagt: »Au net schlecht.« *(1994)*

Obere Ziegelei

Ich sah hinunter in die Gasse, wo sich Menschen drängten. Einer hinterm andern schwenkte ein Papier, auf dem etwas gedruckt stand, das ich nicht lesen konnte. Und was sie riefen, das verstand ich nicht.

»Es bezieht sich auf Sie«, sagte hinter mir ein Herr, und als ich mich umwandte, war es ein Kollege, der mich wissen ließ, die wollten etwas von mir.

Die Männer in der Gasse, darunter portugiesische Gastarbeiter, forderten mehr Lohn. Sie wurden von der Metall-Gewerkschaft unterstützt und verlangten, wie der Kollege hinter mir behauptete, daß ich ihre Sache zu vertreten habe.

Das war natürlich Unsinn, und ich fragte mich: Wie kommen die auf dich, einen Gemeindeschreiber, der beim Bürgermeisteramt die Belange seiner Vorstadt zu vertreten sucht und dabei seine Arbeit so wie jeder andere verrichtet?

Aber ich habe eine Schwäche für Portugal, obwohl ich noch nie dort gewesen bin.

Es liegt so weit abseits, draußen am Rand des Ozeans, und die Menschen übereilen sich dort nicht (pressiert's dir, dann bleib weg von Portugal). Auf der Straße nach Sintra kommt's dir so vor, als säße neben dir Pessoa, aber das ist eine Täuschung, weil der Dichter tot ist. Du hättest mit ihm reden können, wenn du ihm als Zweiundzwanzigjährigem begegnet wärest. Ob's den interessiert hätte, mit einem wie dir zu sprechen? Du hast doch ein Phantasiebild von Portugal in dir und meinst, es sei ein Land, das dir entspricht.

Später lag auf meinem Schreibtisch im Büro ein Schriftstück, in dem Forderungen portugiesischer Gastarbeiter, die sich benachteiligt fühlten, in strengem Ton formuliert waren. Nichts Rücksichtsvolles war in diesem Text zu spüren, auch von Nüchternheit zeigte sich keine Spur. Es äußerte sich nur eine mir aus Deutschland bekannte Angriffslust, die in allgemeinen Wörtern versandete. Und wer behauptete, die Ehrgeizlinge, die alles vorantreiben wollen, seien im Lauf der Jahrhunderte aus Portugal ausgewandert, weil sie sich zu Hause nicht ausleben konnten, mußte dort anderen Menschen begegnet sein als jenen, die diese haßerfüllten Worte aneinandergereiht hatten.

Mit einem Vermerk schickte ich das Schreiben an meinen Vorgesetzten weiter; denn ich war nicht dafür zuständig.

Damals war der Erweiterungsbau unseres Rathauses erst geplant, und weil, um ihn zu erstellen, ein Areal eng gebauter Häuser aus früheren Jahrhunderten in der Altstadt abgerissen werden sollte, um Platz zu schaffen für einen Kanzlei-Neubau, war unsere Verwaltung zum Teil in der Oberen Ziegelei untergebracht, die am Rande der Stadt mit grasigen Höfen und im Krieg halb zerstörten Gebäuden ebenfalls beseitigt werden sollte, aber jetzt noch eine Art von Zwischendasein führte, wie kranke Rentner, die geduldet wurden. Ich hätte mit meinem Bürokram gerne dort draußen logiert, wo die Stadt zu Ende geht und hinter einer langen Pappelreihe die Hügel mit den Wäldern liegen, die sich bis an die Landesgrenze ausdehnen.

Wie die Menschen waren, die diese Eingabe an die Stadtverwaltung aufgesetzt hatten?

Wart nur, von denen wird schon bald einer bei dir auftauchen, weil sie meinen, du seist einer von der nachgiebigen Sorte, auch von den Nachwirkungen eines Aufenthalts im Krankenhaus geschwächt, doch meldete sich niemand.

Ich wohne jenseits des Flusses in einem Häuschen, das ein Obstgarten umgibt. Nicht weit von mir steht die Steinerne Brücke, die über siebenhundert Jahre alt und früher eine Sehenswürdigkeit gewesen ist. An einer für den Handel wichtigen Stelle überquert sie den Fluß, und unsere Vorstadt, die nicht größer als ein Dorf ist, war vielleicht als Brückenkopf gedacht.

Im Schatten der Obstbäume saß ich neben einem Schuppen, den kniehohe Brennesseln umstanden, und tat nichts. Mauersegler schrien über mir, und eine Quelle sprudelte. Ihr Wasser sah wie eine durchsichtige Pferdezunge aus, und vor ihr knieten zwei junge Leute. Beide hatten weiße T-Shirts an und schauten aufs glänzende Wasser.

Sie fragte: »Was tust du?«, und er antwortete mit fremdländischem Akzent: »Maschinenbau studieren.« – »Und ich Germanistik«, erwiderte sie.

»Ziemliche Gegensätze«, sagte er und fügte hinzu: »Ich bin aus Portugal. Man hört es, wie?«

»Ach, nur ein bißchen.«

Der junge Mann sagte: »Du wirst lachen, aber ich warte darauf, daß aus der Quelle etwas herausspringt.« Beide schienen nur das Wasser anzuschauen.

Sie hieß Anna und er Alvaro, weil er aus Sintra in Portugal stammte. Sie hatte langes, blondes Haar und große klare Augen. Blauäugig waren beide, aber sein Haar war schwarz; dazu eine brünette Haut. Sein Gesichtsausdruck wechselte rasch, er schien beim Reden dann und wann Schwierigkeiten zu haben, aber nicht nur, weil ihm ein deutsches Wort nicht einfiel. »Das kann mir auch im Portugiesischen passieren. Ich tu mich manchmal schwer, nicht nur mit Begriffen, sondern auch mit gewöhnlichen Wörtern. Wie sagt man beispielsweise zu dem da ...«, und er wies auf ein Fischchen, kaum so lang wie Annas kleiner Finger. Es zappelte ihr in den Haaren, schmal und schillernd, grau. Auch hatte es einen gelblichen Strich vom Maul bis zur Schwanzflosse.

Es krümmte sich und zuckte in ihrer Hand, und sie sagte: »Eine Elritze, wenn mir recht ist.«

»Ohne dich wär der Fisch nicht herausgesprungen aus der Quelle«, sagte sie, und er fragte: »Warum?« – »Fisch und Haar gehören nicht zusammen«, erwiderte sie, »aber du hast ihn herausgelockt aus seinem Unterschlupf.«

Sie merkte also etwas, das er an sich hatte. Wahrscheinlich war es sein Gefühl für die Natur.

Es war ein wenig dunstig. Hinter den Stämmchen der Obstbäume glänzte der Fluß, und die Silhouette der alten Stadt stieg drüben auf mit breitem Domdach und durchbrochenem Turm. Neben Annas nacktem Ellenbogen lag eine frische Pflaume, und ich freute mich, als sie die aß.

Nun sahen sie mich und wollten weglaufen, aber ich rief: »Dageblieben!« Alvaro wurde rot. Wir holten uns zwei Stühle und einen Tisch, Anna strich Butterbrote, und ich brachte eine Flasche Mineralwasser und hellen Wein.

»Die andern wundern sich doch alle, weil's uns in Portugal gutgeht, obwohl wir ein rückständiges Land sind«, sagte er. »Im

Ernstfall sei unsere Luftwaffe nur Schrott, hat ein deutscher Offizier gesagt, aber deshalb ist einer wie ich Maschinenbau-Student geworden . . .« Und er lächelte, ließ seine Augen blitzen und kam dann zu dem Wort ›Ambivalenz‹, von dem er behauptete, es zum ersten Mal in Deutschland gehört zu haben. – »Mir kommt es vor, als ob sich viele Deutsche nach ihrem intellektuellen Streß zumindest seelisch bei uns ausruhten, weil wir nicht konsequent denken wollen. Wir beklagen das Verlorene, obwohl es sich nicht lohnt, etwas zu besitzen.«

Ob ich jetzt etwas von dem herauslassen sollte, was mit der Demonstration zusammenhing, die portugiesische Gastarbeiter bei uns planten? Aber das Licht unter den Pflaumenbäumchen erschien unzerstörbar, und dann klopfte auch Anna mit ihrem Glas an die Weinflasche und sagte: »Kann sich schlucken lassen.« Die war aus Württemberg, und in ihrem Mund war solch ein vorsichtiger Hinweis das Höchste, was sich als Lob sagen ließ. Sie blinzelte mir zu, und Alvaro richtete sich im Gras auf, als ob er mir des Weines und Annas Lächelns wegen zürne. Ein Fisch sprang aus dem Fluß und hing für einen Augenblick als glitzernde Sichel in der Luft. Alvaro sagte, ja, er rief es fast, wie wir hier beieinandersäßen, das sei eine Idylle und derlei dürfe es nicht geben.

»So wollen's alle von uns hören«, sagte Alvaro. – »Er tut nur so, als wäre er mit denen einig«, flüsterte mir Anna zu, »aber das hält er nicht durch. Weil's ihm zuwider ist. Die Portugiesen wollen jetzt unsere rote Mode proben. Obwohl die längst verschollen ist.«

»Freu dich doch an dem, was da ist«, sagte Anna und sammelte Pflaumen für Alvaro. Die waren warm und hatten eine hellblaue Farbe.

Alvaro bekam etwas Träumerisches in die Augen, als er hinausschaute auf den Fluß und Anna länger ansah als sonst. – »Es lohnt sich mehr als irgendwas Politisches«, fügte ich hinzu. Dann ließ er sich zurückfallen ins Gras und sah, einen Arm über der Stirn, an mir vorbei. »Und König Sebastian lebt hier im Exil«, sagte er dann.

Ich wußte nicht, wer dieser König war. Als ich's erfuhr, verwunderte es mich, daß der bereits über vierhundert Jahre alt sein sollte und trotzdem noch unter uns weilte. Ein König aus Portugal, der Unglück gehabt hatte und immer noch weiterlebte in den Sagen seines Volkes.

Daß es so etwas heut noch gab ... Sehr verwunderlich, sagte ich zu mir und vermied es, Anna anzuschauen, denn die hätte spöttisch gelächelt. Jetzt wollte ich von Alvaro, der, obwohl er Maschinenbau studierte, alle Märchen seines an den Rand gedrängten Volkes glaubte, [wissen, warum es] immer noch meinte, es werde, einfach so vom Himmel her wieder mit seiner alten Ordnung und Größe beschenkt. Dazu verhalf ihm sein König Sebastian, der die Schlacht bei Alkasar verloren hatte und seitdem außer Landes lebte. Vielleicht also auch hier, dicht neben uns oder ein bißchen abseits, wo keiner hinkam. Den wollte er aufspüren. Und Anna sagte neben mir: »Um mich wohlzufühlen, brauch ich keinen toten König.«

Der träumerische Portugiese, den du achtest und beneidest ... Wäre er einer von uns gewesen, hätte man ihn verlacht oder bespöttelt, während sich in Portugal niemand wunderte, wenn sogar ein berühmter Dichter daran glaubte.

Aber lassen wir's beiseite.

Wie jeden Morgen holte ich am anderen Tag im Büro neu eingegangene Briefe aus dem Regal, fand darunter auch den Entwurf eines Plakates vor, auf dem portugiesische Arbeiter und Genossen der IG Metall zwecks Lohnerhöhungen eine Demonstration ankündigten, und wurde aufgefordert, zur Oberen Ziegelei zu kommen, um meinem Vorgesetzten Bericht zu erstatten.

Da fuhr ich also mit unserer alten Straßenbahn hinaus und dachte, es sei erfreulicher, mit ihr voranzukommen als mit Omnibussen, wo ich an jeder Kurve in eine andere Wagenecke gerissen wurde. Dann stand ich wieder vor alten Gebäuden, manche ziemlich ruinös. Und abgerissen worden waren viele, weshalb dieses Viertel einen Exerzierplatz bekommen zu haben schien.

Der weite und kahle Platz war gesäumt von Unkraut, und ich ging neben den hohen Gräsern, die auf den Wiesen längst abgemäht waren. Streifte ihre Fransen mit den Fingerspitzen und wunderte mich, als zwischen Blätterzweigen ein Gesicht auftauchte. Der mit seinen abwesenden Augen ... dachte ich und erkannte Alvaro.

Wir machten ein paar Schritte nicht weit vom Eingang, wo's zur Kanzlei meines Chefs hineinging. Dort wollte ich Alvaro adieu sagen, als Anna zu uns kam.

Die hatte sich hier umgesehen und sagte: »Alvaro hat derweil nach seinem König Sebastian geschaut. Auf den Dachboden bin ich aber nicht hinaufgestiegen. Dort haben sie alles mit Akten vollgestopft.«

Alvaro hörte zu und lächelte. Ich fragte ihn, wie er sich seinen König vorstelle – zu Pferd vielleicht? Und er antwortete: »Fürs Exil wär das zu umständlich.«

Wir gingen dann zusammen ins Amtsgebäude hinein, doch Anna war verschwunden. Eine Treppe höher in einem langen und hellen Gang, dessen Decke gewölbt war, kam sie dann wieder auf uns zu.

Nun hatte sie einen Mann im Arbeitskittel neben sich, der einen Ring mit goldenem Stern im Ohrläppchen trug, wie manchmal Bauern im Gebirge. Er hatte ein Aktenpaket dabei, und Anna redete mit ihm, als träfe sie ihn in einer Abendgesellschaft.

Alvaro war zurückgetreten bis zu den Fenstern und verbeugte sich im langen hellen Gang vor diesem Bürodiener mit dem Aktenpaket, einem hochgewachsenen Mann mit Hakennase. Er machte ein Zeichen, als verabschiede er einen Bittsteller, und verschwand mit Anna hinter der abgewetzten Tür.

Alvaro schaute über mich hinweg. Dann fragte er, ob ich etwas bemerkt hätte, und ich antwortete: »Daß er einen Ohrring mit Stern trägt.« – »Sonst nichts?« – »Vielleicht sein Gehabe. Darin war etwas Besonderes zu spüren.«

Alvaro nickte mir zu und sagte: »Und jetzt soll ich mit ihm in einer Demonstration johlen und brüllen. Das gibt's doch nicht.«

Wir gingen wieder zurück. Eine Reitertreppe mit flachen Stufen zweigte vom Gang ab, und ich sagte zu Alvaro: »Das muß ein Teil von einem Schloß sein.« – »Ja, natürlich . . . Und hier hat dann und wann jemand im Exil gewohnt.«

Ich ging zu meinem Chef, und wir besprachen die Sache mit der Demonstration. – »Nun, ein paar Schreihälse wollen an ihr teilnehmen«, sagte ich und erzählte von meiner Begegnung mit Anna und Alvaro. – »Gut, daß Sie die jetzt kennengelernt haben«, sagte er. »Dann warten wir also vorerst mal ab.«

Wieder unten auf dem steinigen Platz mit Mauerresten, ging Alvaro voraus, schaute zu Boden. Am Rand des Platzes, wo Unkraut wucherte, war neben einer Mülltonne eine Ecke aus Asphalt und

Erde, und es glitzerte silbern. Das Glitzern kam von einem alten ziselierten Metallstück, das in den Asphalt gepreßt war, ein Schmuck, der wie ein Wappen aussah. – »Vielleicht eine Gürtelschnalle, die einer beim Sommerfest verloren hat und die in den Asphalt getreten worden ist«, sagte ich.

Alvaro sah mich spöttisch an. Es war hell und heiß.

Waldeinsamkeit

Mit seiner Tochter ging Oswald von zu Hause fort, als es noch morgenkühl war.

Vielleicht wollte Else heute wieder mal etwas von früher spüren, ein Gefühl der Dauer beispielsweise, als wäre sie noch immer bei ihm wie als Kind.

Hinterm Straßengraben lag die Friedhofsmauer. Über ihr bewegten sich Blätterbäume, durchschienen vom Licht, das silberig und wie vermischt mit Grün erschien, obwohl es auf den Blättern lag und spiegelte.

Er blieb dann bei der Treppe stehen, die zur Kirche hinaufführte, einem hohen und breiten Bau. Als grünlicher Steinklotz stand der Turm über der Treppe, die sich gabelte. Ein Riß hatte sich durch die Brust des Turms gefressen, der höher hätte gebaut werden sollen, aber, Kriegsläuften und Mangelzeiten wegen, die den Kriegen gefolgt waren, so unfertig hatte stehenbleiben müssen, wie er heute nach sechshundert Jahren immer noch dastand und undurchdringlich hinausschaute in die Ebene, diese fruchtbare Gegend mit Lößböden, die Strohgäu hieß, weil in ihr reiche Bauern lebten.

Er stieg die Treppe aufwärts. Else war leichtfüßiger als er, ließ sich aber seinetwegen Zeit; einmal ging sie sogar hinter ihm. Dann schaute er die gemeißelten Epitaphien an der Mauer an, wo er auf grasigem Boden ging.

Meistens waren Pfarrer hier beerdigt, und ihre Gedenktafeln stammten aus der Zeit, als Verzierungen modern gewesen waren, wahrscheinlich weil die Leute mehr Geld gehabt hatten als in früherer Zeit. Merkwürdige Geschichte, das mit der Üppigkeit, den Schnörkeln und dem Reichtum. Vielleicht hing's nicht miteinander zusammen, und die Schnörkel und die Strenge in der Kunst waren nur Ausdruck von Gefühlen. Man wollte halt mal wieder alles anders haben als zuvor (entweder üppig oder karg).

»O, Ens Entium miserere mei« stand hier eingemeißelt. Das hatte Oswald schon als Bub auf Grabsteinen gelesen, dort hinten, wo er aufgewachsen war. Jetzt wollte er davon nichts wissen. Und er sah die Kirche an, die verschlossen war. »Einsturzgefahr« stand am Tor auf einem Briefbogen des Pfarramts, der mit Reißnägeln festgemacht war.

Ein graugrünes Gebäude mit tiefen Verfallsspuren. Es schaute abgängig aus. Steinerne Verstrebungen spannten sich über den Dächern der Seitenschiffe und stützten das Mittelschiff, das breite Fenster hatte, alle mit Spitzbögen. Das war ein verästeltes Steingebilde, kunstvoll durchlöchert, als hätten Raupen an Blättern genagt. Dazu steinerne Blüten, die Fialen und Pfeiler schmückten.

Oswald sah seiner Tochter nach, die mit kurz geschnittenem schwarzen Haar und schiefen Absätzen vor ihm ging und auf die Seite schaute.

»Wie geht's dem Sohn? Ist er glücklich? Und was macht dein Mann?« fragte er sie.

»Die beiden wärmen sich mittags das Essen auf, das ich vorgekocht habe«, antwortete sie.

Else war klein und zierlich. Und er erinnerte sich, sie vor Jahren einmal in der Straßenbahn gesehen zu haben, als sie in einem Buch gelesen hatte. Sie war vertieft gewesen, und er hatte ihr Profil mit dem ausladenden Hinterkopf und ihr dunkel glänzendes Haar gesehen, ohne daß sie ihn bemerkt hatte. Dabei war sie ihm wie eine vorgekommen, die abseits lebt.

Ihr Mann war kräftig, ein Vollsaftiger. Kam er nachts nach Hause, so nahm er vor dem Schlafengehen noch mal einen kräftigen Schluck Rotwein. Einmal hatte er gesagt: »Der ist doch eine CDU-Sau!« und einen ihm mißliebigen Minister gemeint. Wobei Oswald sich verwundert hatte, daß so etwas wie Parteisympathie zum Heikelsten gehören sollte, was ein Mensch von sich verraten konnte. Aber so waren sie heutzutage verteilt, die Antipathie- und Sympathiegewichte. Wobei es Oswald sonderbar erschien, daß viele nicht bemerkten, wie fragwürdig solche Vorstellungen von Intimität waren. Schließlich konnte jedermann sein Innerstes bloßlegen, ohne von sich selber etwas zu verraten.

Seine Tochter war vielleicht sensibel. Freilich nur bis zu einer gewissen Grenze; denn allzu strenge Rücksichten kannte sie nicht. Wenn sie etwas von den anderen erfahren wollte, dann fragte sie direkt, also etwa: »Sie haben es doch mit der Ulla?« Oder sie gab sich geheimnisvoll und drohte mit dem Zeigefinger: »Von Ihnen weiß ich etwas ...« Weshalb sie dann oft mehr von anderen Menschen erfuhr, als sie erwartet hatte.

Das Bedürfnis, etwas herauszubringen, was andere ins Zwielicht rückte, das gehörte wohl zum Menschen. Dann fühlte er sich überlegen. Und Oswald ging schweigend hinter seiner Tochter weiter. Die wußte längst, wie er es haben wollte, weil er zu sagen pflegte, wenn er vom Büro nach Hause komme, sei er froh, nichts mehr reden zu müssen.

Die Ruhe und der Abstand, die Bewegungen der Blätter: das war es, worauf es ihm ankam.

Ging man abends in die Oper, dann ergab sich oft eine Begegnung mit einem Kollegen, und wieder kam man in das Dienstliche von damals hinein, während man in der Stuhlreihe stand, die Hand auf einer Rückenlehne mit weißem Schleiflack und dunkelrotem Polster. Jeder war im feinen Anzug, manche hatten strähniges Haar. Die Gesichter geschärft und hager, saßen sie neben molligen Damen, die um ihre nackten Schultern rot gefütterte Pelzumhänge trugen.

Das alles kam wieder herauf, während er ging, und es war flüchtig.

Eine große dunkle Kiste stand am Weg. »Amtskörperschaft Ludwigsburg« war gerade noch darauf zu lesen, als hätte sich die Schrift mit ihren gotischen Buchstaben in das Holz zurückgezogen. Else deutete dorthin und fragte: »War das nicht zu deiner Zeit?«

»Ja, das kann schon sein.«

Sie gingen im Wald, der sich hier weit dehnte, und Oswald erinnerte sich, einmal in der Frühe dort drunten beim Bach gewesen zu sein, wo ein schmaler Pfad, nicht breiter als eine Hand, ins Gras getreten war. Das wucherte dort, war üppig geworden, des sumpfigen Grundes wegen. Barfuß war er über den Bach gegangen. Und kaum war er drüben, wo er sich unter die dichten jungen Tannen legte, als sie alle hergekommen waren, als hätte er sie angelockt: Der Hirsch trank neben dem Reh, ein Marder und ein Dachs schlichen herbei, und dann das zierliche Wiesel mit der weißen Kehle. Frühstück im Wald.

Ob er es ihr erzählen sollte? Sie glaubte es ihm doch nicht. Und er hörte sie sagen: »So früh stehst du nicht auf.« Dabei kam es ihm vor, als hätte er es nicht erlebt, sondern von einem Busfahrer gehört, war sich aber nicht ganz sicher. Doch erzählte er's ihr trotzdem, weil sie sich ins trockene Laub niedersetzte und sich auf die Fingernägel biß.

Sie war heute wahrscheinlich niedergedrückt, depressiv. Immerhin hatte sie ihren Mann von seinem anstrengenden Job bei der Zeitung erlöst und ihm eine Beamtenstelle bei der Stadtverwaltung zugänglich gemacht; denn Else war geschickt und klug und sanft.

Eine, die wenig redete und zusah, aber wieselflink die Chance witterte und zugriff. Oder war sie nachgiebig und unterwürfig, eine Geschmeidige? Heut aber hatte sie es wieder einmal schwer mit sich, weil es bei ihr zu Hause auch nicht so harmonisch zuging, wie sie ihn wollte glauben machen. Und er sagte: »Meistens sind es ja die Frauen ... Hat er eine andere? Ich meine deinen Mann. Ihr habt mehr freie Zeit als früher. Und jetzt denkt ihr: Unsere Jugend, die haben wir nie genossen.«

Sie entgegnete, das sei nicht falsch, und er bemerkte, er glaube, daß sie all dies ziemlich verzerrt sehe. Dabei wurde er abgelenkt, weil in der Nähe Burgtrümmer standen, durchsetzt mit Bäumen, als ob lange graue Lanzen mit grünen Bannern hier eingepflanzt wären.

Er deutete auf das, was ringsum stand und noch erhalten war: ein Erker und ein Söller, oben auf dem Turmrest, den Efeu zusammenhielt. All dies stand gegens Licht, grau und grün im Blätterzittern. Große Steine lagen umher, als wären es Verwundete oder Gefallene. Und wie sich die damals vernichtet hatten, unter der Rüstung die Kleider von Schweiß aufgeweicht. Doch im Lauf der Zeit reinigte sich das Gemeine, das Grausame, als würde es durchleuchtet. Erschienen alte Trümmer nur deshalb so rührend, weil sie vom Untergang erzählten? Sehr wahrscheinlich.

Sie gingen weiter. Überm Weg war der Gesang der Vögel wie ein Netz aus Tönen ausgespannt, die entferntes Schnarren, feines Flöten hören ließen und sich zu vermischen schienen mit Lichtflekken.

Oswald wartete auf den Gelbspötter, der dahin, dorthin flog, ein Platzwechsler droben in den Wipfeln. Ja, er war zu hören, allerdings weitab.

»Er läßt sich hören, und die können's alle«, sagte Oswald und wartete auf den Pirol, der auch noch hätte kommen sollen. Freilich, unter vielen ließ sich der nicht hören. Der Weg hatte braunes Nadelpolster. Darauf bist du als Kind oft ausgerutscht, wenn du Sandalen angehabt hast (die mit ihren glatten Sohlen). Hinter Tannen waren helle Buchenblätter ausgebreitet, und er sagte zu Else: »Das lebt gerade noch. Übrigens wie ich.«

Sie schien es nicht zu hören. Er fragte: »Denkst du jetzt, der hat leicht reden, weil er schon so alt ist?«, und sie nickte.

Freilich, es war alles Täuschung (daß du dich als alter Mann vom Walde besänftigen läßt). Die Bäume standen gerade noch. Wenn ein Sturm sie umlegte oder Äste ausbrach, war auf jeder Bruchstelle ein brauner Flecken. Von innen her waren sie angefault.

Überm Weg öffnete sich der Himmel und legte unter seiner Bläue alles bloß; denn so redete Else übers Himmelsblau. Dort die Tannen: eine lange Reihe, alle braun und gelb: Ob er die nicht sehen wolle? Andere ließen ihre Äste hängen, waren aber grün. Die würden gesund werden, wenn die Luft sich besserte ... Alle wollten schnell fahren, und hundert Kilometer in der Stunde war ihnen zu wenig. Geschwindigkeitsbegrenzung sei nicht mehrheitsfähig, sagten die Politiker. Und das war richtig, weil doch alles sabotiert wurde durch Ausschüsse, Cliquen, Geschäfte-Antreiber für den Verkauf schneller Autos. – »Setze Tempo hundert durch, werde Abgeordnete des Bundestags«, sagte er zu Else, und sie lächelte beiseite.

Seit er alt war, sah er sich das Lächeln der anderen Menschen an; denn Lächeln verriet viel. Und zum Glück hatte seine Tochter ein gescheites Lächeln. Die wußte, daß es leicht war, Wörter zu machen, bei denen nichts herauskam. Es verpflichtete zu nichts. Und er ging abseits, und Else sagte: »Quer durch den Wald, das lass' ich mir gefallen.«

Jetzt wurde das Licht verdeckt von Wolkenschichten. Das machte den Wald verschlossen, jedenfalls was seine Farben anging. Und nun hörte er den Pirol. Hoch oben floß sein Gesang ineinander mit der Helligkeit, die jetzt wieder hervordrang und die trokkenen Blätter am Waldboden glänzen ließ. Aber von neuem verschwand das Licht.

Sie gingen jetzt am Hang, und seine Tochter schaute auf den Boden, als ob sie etwas suche; und vielleicht fand sie auch etwas.

Dann stand er an der dunkeln Stelle, wo junge Tannen dicht beisammen standen (Förster nannten's eine Dickung), etwas wie helle Kiesel. Die lagen in einem Muster sorgfältig geordnet da; doch waren's keine Kiesel, sondern ein Gerippe.

Wie im Museum lagen alle Knochen eines Rehs hier ausgelegt und keiner fehlte. Der Kopf sah wie eine beinerne Büchse aus und hatte alle Zähne. Der Brustkorb wölbte sich, als ob man in ihm Nüsse sammeln könne; dazu die Hufe, Elle und Speiche der Läufe wie mit Spiritus gereinigt. Vielleicht war das Reh ungestört verwest, und Ameisen hatten es abgenagt.

»So etwas bringt kein Künstler fertig«, sagte Oswald.

Dicht neben ihm schlich dann ein Fuchs. Else griff nach der Hand des Vaters, denn sie erschreckte solch eine Begegnung. Die Dickung war vielleicht der Sterbeplatz vieler Waldtiere, und das Reh, dessen Skelett immer noch hier auf Moos auslag, als ob Schmuck auf Samt angeboten würde, hatte nicht mehr unter die Tannen schlüpfen können. Es war davor verendet.

Der Fuchs hatte ein räudiges Fell und weiße Haare um die Schnauze. Oswald sagte: »Geh beiseite. Der kann Tollwut haben.«

Vielleicht hätte Else diesen Fuchs gestreichelt, wenn sie ihm allein begegnet wäre. Das zutrauliche Tier im Wald, und Else mit ihrem versteckten Kummer, der wahrscheinlich doch damit zusammenhing, daß sie fast dreizehn Jahre älter als ihr Mann war.

Oswald wollte sie nicht danach fragen; wozu auch, sagte er zu sich selbst. Freilich, heutzutage pflegte man sein Innenleben voreinander auszubreiten, und manchmal erleichterte es dem und jenem das Gemüt. Doch später hat er dann das Gefühl, er habe sich entblößt. Dir jedenfalls ist's wohler, wenn du schweigst.

Else ging es ebenso. Manchmal deutete sie etwas an, schwieg aber gleich wieder. Und sie schauten sich an, die Zierliche, Schwarzhaarige und der alte Oswald, der ihr Vater war.

Es kam ihm vor, als ob er sie und sich in einem Abstand sähe. Und sie wollte nichts von sich verraten.

»Ich meine, jetzt gehen wir wieder hinaus auf den Weg. Dort ist's bequemer«, sagte er und schaute sich noch einmal um; betrachtete das Tierskelett und erinnerte sich an ein altes Haus am

Walchsee. Es fiel ihm ein, weil das Haus allein stand und verlassen war, in einer Schlucht, wo ein flacher Bach mit klarem Wasser rauschte. Und er fragte Else, ob sie sich dessen entsinne; sie war ja damals noch recht klein gewesen mit ihren zwölf Jahren.

»Ich seh es vor mir. Am liebsten wäre ich gleich eingezogen. Heut aber stinkt doch jeder Bach«, sagte sie.

»Das stimmt nicht. Da und dort gibt es noch klare. Oder muß für dich jeder stinken, zumindest, wenn einer in der Zeitung über Bäche schreibt? Ich glaube nicht, daß Schreiben Bäche sauber macht«, sagte er und stellte nun mit Else aus der Erinnerung dieses leerstehende Haus dort in der Schlucht beim Walchsee wieder her.

Sein Schindeldach hatte silbergrau geglänzt. Ringsum war alles grün verwildert. Und wenn man in das Haus hineinging, merkte man, daß es darin gloste und versteckt brannte. Überall war Rauch zu schmecken und machte die Luft blau, aber nirgends fand sich eine Feuerstelle.

Auf der Holzgalerie gaben morsche Bretter unterm Fuß nach, und man brach ein. Rostige Feilen lagen hinter staubigen, spinnennetzverhängten Fensterscheiben. An der Tür ein ovales Schild aus Email mit dem Namen Joseph Neuschmid.

Lauter Altersbilder fallen dir jetzt ein. Else aber hatte damals als Kind gesagt, ins Haus des Neuschmid zöge ich gleich ein. Dann war eigentlich wenig Unterschied zwischen alt und jung. Und woran lag es? An der Seele. Die alterte nicht.

Nun gingen sie wieder auf dem Weg, der mit rötlichem Kies belegt war. Es ging sanft abwärts. Oben war der helle Himmel und ringsum der Wald, immer noch belebt von Vogelstimmen.

Oswald blieb stehen, schaute auf den Kies am Wegrand, wo frisches Moos wie winzige Wälder wucherte und ein Rinnsal vorbeilief, als wär's ein Fluß. Der Kies erinnerte an eine Stadt, gesehen von hoch oben. Deine Heimatstadt ... Und Oswald überlegte, was er werden, wie er leben würde, wenn er's noch einmal tun müßte. Dabei fiel ihm ein Vorgesetzter ein, der Pischek geheißen hatte und von dem alle als »diesem Pischke« geredet hatten.

Wieder ging er weiter und hörte die Vögel tirilieren. Er deutete hinauf ins Baumlaub, sagte: »Waldmusikanten ...« Dann traten sie ins Freie. Er kam zu einer Scheune mit grauen Holzwänden. Dort setzte er sich neben Else auf einen gefällten Baumstamm, lehnte sich an die erwärmte Holzwand und aß einen Apfel. Zwischendurch fragte er seine Tochter: »Weißt du, was ich werden würde, wenn ich wiederkommen müßte?« Sie schüttelte den Kopf, und er fügte hinzu: »Vielleicht Gaukler.«

Sie lächelte und blickte in die Ferne. Dann warf sie ihren Apfelbutzen weg und sagte: »Ich geh geschwind abseits.« Dabei kam es im vor, als ob sie ihn zu lang anschaue.

Oswald sah ihr nach und wollte sie zurückrufen, doch war dann Else schon im Wald verschwunden.

Er saß vor einem brach liegenden Acker und sah zum Horizont, wo Autos als kleine Schattenbilder entlangeilten. Im Wald schrie eine Motorsäge.

Nach einer Weile glaubte er, drüben hinter den Bäumen seien Steine herabgerieselt und bald danach sei ein prall gefüllter Sack dumpf aufgeschlagen.

Er wartete noch eine Weile. Dann stand er auf und schrieb auf einen Zettel: »Ich suche dich.« Den legte er auf den Baumstamm vor der Scheune und beschwerte ihn mit einem Stein. Ging hinüber zu den Bäumen, wo er Else hatte verschwinden sehen, und kam zum Rande eines Steinbruchs. Schaute hinunter, sah unten ihren blauen Anorak und suchte sich einen Weg durch den Wald. Ging dann in den Steinbruch hinein und fand seine Tochter. Sie war herabgestürzt und hatte noch ihr Lächeln.

Die Frau im Wald

Hinterm Berg wohnte eine Frau, deren Mann in der Frühe weggegangen war und gegen Abend zurückkommen wollte. Nun war es schon halb fünf, und weil jetzt im September der Tag früher dunkel wurde, sorgte sich die Frau um ihren Mann, »studierte sich ab«, wie man in dieser Gegend sagte, und machte sich auf den Weg. Sie wollte ihm entgegengehen.

Da ging sie unter vielen hohen Tannenbäumen, zu deren Füßen Farne wuchsen. Die sahen im Licht, das zwischen Ästen hereinsikkerte und die Blätter einzelner Buchen durchleuchtete, wie hellgrüne Flügel aus. Die Farnwedel winkten ihr zu, aber die Frau sah nur die Schatten brauner Stämme mit den kahlen, starren Ästen bis hoch hinauf; denn nur die Wipfel waren grün. Und sie redete im Gehen mit sich selber, als jemand neben ihr sagte: »So schlimm wird es nicht sein.«

Die Frau erschrak, blieb stehen, sah aber niemanden. Nur sie stand auf dem tannennadelbraunen Weg, und unter ihrem Fuß knirschte ein Tannenzapfen. Vielleicht war ihr sein Knirschen wie ein Wort eines moosbärtigen Tännlings vorgekommen, nachdem sie auf dem Wege mit sich selbst geredet hatte. Nun aber sagte dieser Tännling: »Du brauchst keine Angst zu haben.« Und er deutete mit einem dürren Ast auf ein Vögelein hin, das sich in ihre Hand hätte schmiegen können, so klein war es.

Nur einen kurzen hellen Ton ließ das Vöglein hören. Es war dunkelbraun und flog in kurzen Schwüngen.

Der alte Tännling sagte: »Sei froh, daß du kein Baum bist. Ich bin blind. Ich spür dich nur durch deine Schritte und muß immer am selben Platz bleiben. Wenn mich einer fällen will, kann ich ihm nicht ausweichen.«

Da schaute die Frau auf die Seite und bemerkte das Vögelein, das nun so nahe bei ihr saß, als ob sie's hätte greifen sollen. Doch davor fürchtete sie sich. Wenn du's versuchst, wird deinem Mann etwas geschehen, dachte sie und schaute an dem alten Tännling in die Höhe, der mit anderen Tannen rauschte und schwankte, weil jetzt der Wind ihn schüttelte und packte. Das hörte sich an, als sei der Wind zornig und wolle den Baum zur Raison bringen.

Die Luft schien sich zu verdunkeln, und die Farnwedel bewegten sich, als wollten sie sich in die Höhe schwingen und die Frau umflattern.

Da flog wieder das kleine Vögelein vorbei und zirpte seinen hohen Ton. Das ermunterte die Frau, sie folgte dem Vögelein nach, das ihr vorausflog und nahe bei ihr blieb. Jetzt sah sie auch Helligkeit zwischen den hohen Stämmen, die dort drüben emporragten, wo es aussah, als sei dort der Wald zu Ende. Die Tannen waren ernster, düsterer und feierlicher als alle Blätterbäume, vor denen nun das Vögelein wieder flatterte und zirpte. Und der Frau war es zumute, als ob ihr nun nichts mehr geschehen könne, weil nun hinter Haselnußbüschen ein heller Bezirk begann, dort drüben an dem Waldrand mit seinen durchleuchteten Blättern.

Sie trat hinaus, und noch einmal zirpte das Vögelein und flog empor. Aber da sah sie schon ihren Mann näher kommen. Er ging im Licht und erschien ihr jünger, als sie ihn in Erinnerung hatte. Nein, er konnte es nicht sein. Der war ja auch nicht mehr so leichtfüßig, wie dort der Mann herankam, im Licht des erdtrockenen Weges bei den Schneiderhäuseln, wie diese Gegend hieß.

Auf dem First eines Stadels aus grauem Holz saß das Vögelein und ließ drei Töne hören, die es bisher noch nie gesungen hatte. Der Frau erschien dies als etwas Unglaubliches, zusammen mit den weiten Höhenzügen, die sich draußen dehnten. Der Mann aber sagte: »Annerl, kennst mi nimmer?« Und die Frau umarmte ihn. Was hatte sie doch für ein Glück. *(1991)*

Textnachweise

Die Drucklegung folgt der Erstfassung, sofern nicht eine abweichende von Hermann Lenz zu Lebzeiten autorisierte andere Fassung vorlag und die Texte zu einem späteren Zeitpunkt in einer selbständigen, von Hermann Lenz überwachten Publikation nochmals erschienen. Es handelt sich dabei um folgende Sammlungen:

[Prosatexte]. Leonberg (Galerie N°. 6/Warmbronner Antiquariat) 1976.

Der Käfer und andere Geschichten. Passau (refugium) 1989.

Hotel Memoria. Erzählungen. Frankfurt/Main (Insel) 1990.

(mit Peter Stein) Geschichten/Kupferstiche. München (Typographische Gesellschaft) 1990.

Feriengäste. Erzählungen. Mit einem Nachwort von Peter Hamm. Regensburg (Mittelbayerische Druck- und Verlags-Gesellschaft) 1997.

Jugendtage. In: Merkur 37 (1983), S. 174-184 [Druck nach: Jugendtage. Erzählung. Passau (Reche) 1993; entstanden: 1937].

Das stille Haus. Erzählung. In: Die neue Rundschau 49 (1938), S. 450-469.

Schwäbischer Lebenslauf. In: Kölnische Zeitung, 23. 1. 1943 [u. d. T.: Ein schwäbischer Lebenslauf; Druck nach: Geschichten].

Die Abenteurerin. Stuttgart (Deutsche Verlags-Anstalt) 1952.

Zu spät. In: Deutsche Rundschau 78 (1952), S. 179-181 [Druck nach: Der Käfer].

Hotel Memoria. In: Deutsche Rundschau 78 (1952), S. 844-849 [Druck nach: Hotel Memoria].

Die Marmorbüste im Sumpf. In: Konturen 1 (1953), H. 6, S. 17-20 [Druck nach: Hotel Memoria].

Die Geschichte mit Valetti. Erzählung. In: Deutsche Rundschau 80 (1954), S. 731-735.

Das Oleanderblatt. In: Akzente 2 (1955), S. 440-447 [Druck nach: Hotel Memoria].

Der Käfer. In: Süddeutsche Zeitung, 15./16. 12. 1956 [u. d. T.: Er hatte Mörike noch gekannt; Druck nach: Hotel Memoria]

Die Muse. In: Akzente 4 (1957), S. 66-73 [Druck nach: Hotel Memoria].

Erinnerung an Europa. In: Streit-Zeit-Schrift 2 (1958), S. 377-378 [u. d. T.: Europa; Druck nach: Hotel Memoria].

Am Fluß. In: Deutsche Zeitung mit Wirtschaftszeitung, 23. 5. 1959.

Zum Eremiten. In: Deutsche Zeitung mit Wirtschaftszeitung, 13./14. 6. 1959.

Castra Regina. In: Deutsche Zeitung mit Wirtschaftszeitung, 21./22.11.1959 [u.d.T.: Hier stand früher Castra Regina; Druck nach: Feriengäste].
Die alte Stadt an den drei Flüssen. In: Deutsche Zeitung mit Wirtschaftszeitung, 2./3.7.1960.
Das Flugblatt oder Ein Soldatentraum. In: Deutsche Zeitung mit Wirtschaftszeitung, 11./12.11.1961.
Schönes Geld. In: Süddeutsche Zeitung, 12./13.8.1961.
Ein grüner Hut mit Rebhuhnfeder. In: Christ und Welt, 22.12.1961.
Frau im Dornbusch. In: Frankfurter Allgemeine Zeitung, 20.1.1962 [Druck nach: Hotel Memoria]
Die Schlangen haben samstags frei. Erzählung. In: Christ und Welt, 16.2.1962 [u.d.T.: Die Schlangen haben frei; Druck nach: Josef Rick (Hg.): Zur Nacht. Autoren im Westdeutschen Rundfunk, Frankfurt/Main (Bauersche Gießerei), 1969, S.17-20].
Ein Fräulein aus der Luft. Erzählung. In: Frankfurter Allgemeine Zeitung, 14.4.1962 [Druck nach: Geschichten].
Chef und Schäfer. Erzählung. In: Frankfurter Allgemeine Zeitung, 8.9.1962 [Druck nach: Geschichten].
Auf der Fahrt nach Paris. In: Süddeutsche Zeitung, 28./29.4.1962 [u.d.T.: Auf dem Weg nach Paris; Druck nach: Geschichten].
Ein Dichter aus dem Rauch. In: Günter Bruno Fuchs/Harry Pross (Hg.): Guten Morgen VauO. Ein Buch für den weißen Raben V.O. Stomps. Frankfurt/Main (Europäische Verlagsanstalt) 1962, S.246-247.
Die Waldlaterne. Erzählung. In: Süddeutsche Zeitung, 24./25.9.1966.
Einer erinnert sich. Köln (Hegner) 1969 [nicht in den Handel gelangte Weihnachtsgabe].
Eine Tote. In: Daniela Felicioli u.a.: Von Abstand zu Abstand. Eine Festschrift zum 50. Geburtstag von Hans-Dieter Schäfer. Passau (refugium) 1989, o.P. [entstanden: 1969/70; Druck nach: Geschichten].
Sieben beim Vatertag. Ein modernes schwäbisches Märchen. In: Stuttgarter Zeitung, 18.5.1974 [Druck nach: Prosatexte].
Relevanz. In: ZET. Das Zeichenheft für Literatur und Graphik 2 (1974), H.5, S.4 [Druck nach: Prosatexte].
Metamorphose. In: ZET. Das Zeichenheft für Literatur und Graphik 2 (1974), H.5, S.4 [Druck nach: Prosatexte].
Mein Nächster. In: Inge Meidinger-Geise (Hg.): Wer ist mein Nächster? 70 Autoren antworten auf eine zeitgemäße Frage, Freiburg u.a. (Herder) 1977, S.92-94.
Der Abend. Erzählung. In: Die Welt, 23.2.1980 [u.d.T.: Alois hält sich an die geschwollenen Würste; Druck nach: Geschichten].

Bella. Erzählung. In: Die Welt, 30.8.1980 [u.d.T.: Bella aus der Eisenhandlung Stern; Druck nach: Geschichten].

Hilde. Erzählung. In: Die Welt, 1.11.1980 [u.d.T.: Hilde verneigt sich am Fenster].

Die Nähe des Herrn von G. In: Neue Zürcher Zeitung, 19.3.1982 [Druck nach: Geschichten].

Begegnung mit dem alten Faust. Osterspaziergang 1984. In: Die Welt, 21.4.1984 [Druck nach: Geschichten].

Das Glück im Stein. In: Rainer Moritz (Hg.): Einladung, Hermann Lenz zu lesen. Frankfurt/Main (Suhrkamp) 1988, S. 165-172 [Druck nach: Das Glück im Stein/Zwölf Grafiken. Zusammen mit Volker Mehner. Berlin (Overall) 1991].

Vom Boden abheben. In: Juni 6 (1992), H. 1, S. 18-23.

Ein Regensburger Minnesänger. In: Regensburger Almanch 1994, S. 188-190 [Druck nach: Feriengäste].

Obere Ziegelei. Erstveröffentlichung.

Waldeinsamkeit. Erstveröffentlichung.

Die Frau im Wald. Erstveröffentlichung.

Nachwort

Als sich der Student Hermann Lenz in den frühen dreißiger Jahren erstmals an eigene literarische Arbeiten machte, versuchte er sich in zwei Gattungen: in der Lyrik und in der erzählenden Prosa. Durch die Bekanntschaft mit Georg von der Vring gelang es ihm, bereits 1936 im Ellermann Verlag sein erstes Werk zu veröffentlichen: ein schmales Heft mit zehn Gedichten, die sich unverkennbar an der naturmagischen Schule jener Zeit orientierten. Obschon Hermann Lenz bis zu seinem Tod immer wieder Gedichte schrieb und publizierte, erwies sich bald, daß seine Bedeutung für die deutsche Literatur des 20. Jahrhunderts vor allem in den Textformen der Erzählung und des Romans liegen sollte.

Die hier versammelten über vierzig Erzählungen und Prosastücke umspannen einen Zeitraum von knapp sechzig Jahren und lassen die Facetten und die Kontinuität des Lenzschen Werkes ungewöhnlich klar hervortreten. Die Intensität, mit der sich Lenz kürzeren Erzählformen zuwandte, war nicht in allen Phasen seiner Schriftstellerlaufbahn gleichermaßen ausgeprägt. Während er in den beiden letzten, immer wieder von Krankheiten gezeichneten Lebensjahrzehnten vorrangig darauf bedacht war, den großen autobiographischen Romanzyklus um sein Alter ego Eugen Rapp zum Abschluß zu bringen und er sich deshalb nur weniger kleinerer Arbeiten annahm, waren die Fünfziger ein besonders reiches Erzähljahrzehnt, auch aus wirtschaftlichen Zwängen heraus. Die nicht immer geschätzte »Brotarbeit« als Sekretär zweier Stuttgarter Kulturinstitutionen ließ damals geringen Spielraum für großangelegte epische Werke; zwischen 1952 und 1959 erschien keine selbständige Publikation. Was in diesen Jahren jedoch gelang, waren Erzählungen wie »Hotel Memoria«, »Der Käfer« oder »Zu spät«, die Lenz' poetologisches Programm konturierten und allmählich sein Zutrauen mehrten, unverstellt autobiographisch zu schreiben.

Lenz' erster bislang zugänglicher Prosatext stammt aus dem Jahr 1937: »Jugendtage«. Wie in der wenig später von Karl Korn in der »Neuen Rundschau« gedruckten Erstfassung von »Das stille Haus« geht es vor allem darum, der Beklemmung durch den verhaßten Nationalsozialismus wenigstens auf dem Papier zu entkommen. Lenz greift Episoden aus seinem familiären Umfeld auf und transponiert sie in das entrückte Terrain Österreichs, das – obwohl es Lenz erst zwanzig Jahre später bereiste – jahrzehntelang als imaginäre Tauchstation diente. »Eine wehmütige Sehnsucht überkam mich, die sich diesem Lande hingeben wollte«, heißt es in »Das stille Haus«. Damit ist eine Haltung benannt, die für Lenz und zahllose seiner Figuren zur lebensnotwendigen Maxime wurde. Nicht nur in diesen beiden frühen Texten verwendet Hermann Lenz die erzählte Imagination dazu, Versuchsanordnungen zu schaffen, die zweierlei Ziele verfolgen: Zum einen ist es – wie in »Das Flugblatt oder Ein Soldatentraum«, »Schönes Geld« oder »Hotel Memoria« – dadurch möglich, sich zentralen Erfahrungen behutsam anzunähern und sie durchzuspielen, ohne sie sofort als eigenes Erleben kenntlich zu machen. Mitunter viele Jahre später greift Lenz diese Elemente in der Eugen-Rapp-Autobiographie wieder auf und befreit sie dabei von Überhöhungen, die er im Rückblick als unnötig empfindet. Zum anderen schaffen diese Erzählungen – so wie im Großen die Romantrilogie *Der innere Bezirk* – bewußt ein Gegengewicht zur eigenen Biographie: In »Chef und Schäfer«, »Der Abend« oder »Ein Fräulein aus der Luft« werden »fremde« Lebensläufe präsentiert, werden Gefühle und Meinungen ausgebreitet, denen Eugen Rapp später mit Staunen, ja Unverständnis gegenübersteht. Die Erzählungen hingegen versuchen diese Distanz zu überbrücken, den anderen in seiner Fremdheit zu verstehen und so die Vielfalt der menschlichen Psyche vor Augen zu führen. Auch das Einnehmen eines weiblichen Standpunktes ist für Lenz ein (literarischer) Weg, sich mit divergierenden Lebensweisen zu befassen. Die 1952 publizierte Erzählung »Die Abenteurerin« (in diesem Band zum ersten Mal wieder aufgelegt) widmet sich beispielsweise der Wiener Pelzhändlersgattin Judith Nissar und ihrem Drang, aus den bürgerlichen Konventionen auszubrechen und sich dem »Abenteuer« hinzugeben.

Ungewöhnlich nehmen sich innerhalb dieser Richtungen zwei Texte aus, die zu den Pretiosen dieses Bandes zählen: »Schwäbischer Lebenslauf« und »Ein grüner Hut mit Rebhuhnfeder«. Beide sind als nicht-fiktionale Zeugnisse konzipiert, die Großvater und Vater präsentieren. Der »Lebenslauf« erschien 1943 in der

»Kölnischen Zeitung« und ist völlig frei von allem martialischen Zeitgeist. Die Figur des Großvaters Julius Krumm (die 1966 in *Verlassene Zimmer* den Auftakt der Rapp-Romane bilden wird) ruft zu einer Zeit, da Lenz selbst als Soldat in Rußland ums Überleben kämpfte, die Erinnerung an einen Vorfahren wach, der in seiner Gablenberger Wirtschaft gerne mit dem Bauerndichter Christian Wagner »schwätzte« und die »Zerstörung seiner sicheren, wohlanständigen Welt vorausgesehen« hatte. Während der Großvater als zurückgenommener »Zwischenraum-Julius« die psychische Konstellation seines Enkels präfigurierte (so will es zumindest der autobiographische Rückblick), gestaltete sich das Verhältnis zum Vater, zum Seminar-Oberlehrer Hermann Lenz sen., weitaus problematischer. Alle Eugen-Rapp-Romane kommen immer wieder auf latente Konflikte zwischen dem lebensfrohen Vater und dem grüblerischen Sohn zurück, der die in ihn gesetzten Erwartungen nicht erfüllen konnte. »Ein grüner Hut mit Rebhuhnfeder«, 1961 veröffentlicht, ist ein Porträt des Vaters, das die Zerrissenheit des Verfassers zurückdrängt. Zwei Jahre bevor sich der Sohn an die Niederschrift der Familiengeschichte macht, versucht er hier eine Brücke zum Vater zu schlagen. Das Erscheinen der Rapp-Romane erlebt der 1965 gestorbene Vater nicht mehr; für Hermann Lenz sen. bleibt »Ein grüner Hut mit Rebhuhnfeder« – nachdem »Das stille Haus« hart mit einer stark verfremdeten Vaterfigur ins Gericht gegangen war – die letzte Spiegelung im Werk seines Sohnes.

In Hermann Lenz' Œuvre nehmen die an der Tradition des Magischen Realismus geschulten Erzählbände *Das doppelte Gesicht* und *Spiegelhütte* eine Sonderrolle ein. Ihr poetisches Verfahren, Figuren aufzuspalten, Topographisches und Psychisches zu verabsolutieren und so einen irrealen Rahmen zu schaffen, in dem Gesellschafts- und Sozialkritik vehementer als im sonstigen Werk auftritt, ließ sich in kürzeren Erzählformen offensichtlich besonders plastisch umsetzen. Unverhüllt greift Lenz in den magisch-surrealen Überblendungen mißliebige Zustände auf: »Frau im Dornbusch« spiegelt Erziehungsdiskussion und Generationenkonflikt am Unglück einer Mutter; »Die Schlangen haben samstags frei« zeigt die moderne Arbeitswelt als Intrigenkampfplatz; und die hier erstmals veröffentlichte Erzählung »Obere Ziegelei«

konfrontiert Lenz' Liebe zum »Sehnsuchtsland« Portugal mit der Realität eines gewerkschaftlichen Arbeitskampfes.

Hermann Lenz' Werk ist in nachhaltiger Weise eine Auseinandersetzung mit dem Phänomen der Erinnerung – eine ästhetische Position, die ihn für Kritiker und Literaturwissenschaftler in die Nähe Marcel Prousts rücken ließ. Etliche der hier versammelten Arbeiten thematisieren den Vorgang des Erinnerns, dessen Unwägbarkeiten, die Bereicherung und die Beschwernis, die ein intensives Sich-Erinnern für den einzelnen nach sich zieht. Exemplarisch leistet dies »Hotel Memoria«, ein Text, der eine essentielle Begegnung (mit der exzentrischen Lion Geldmacher im Sommer 1934) achtzehn Jahre später aufgreift und das Ungeklärte und Unverarbeitete einer als versäumt empfundenen Liebe ausspricht – lange bevor es Lenz wagte, unverhohlen autobiographisch über dieses einschneidende Erlebnis zu sprechen. (Spuren davon sind im zweiten Rapp-Roman *Andere Tage* zu finden.) Dieser Erinnerungsprozeß ist notwendig, auch wenn er, wie bei Naemi, Tränen hervorruft und es nicht gelingt, das Gewesene beiseite zu schieben, es als endgültig vorbei anzusehen. Im Gegenteil: Das als versäumt Empfundene steckt nun wie ein Stachel fest: »Hatte es etwas genützt, daß ich in das Hotel Memoria hineingegangen war? Nur für einen flüchtigen Augenblick war mir dort eine erlösende Empfindung zuteil geworden, nun spürte ich die Sehnsucht nach Lion stärker als zuvor. Ich schaute in meine Hand, aber dort war kein silberner Fisch zu finden. Er hatte sich in mir aufgelöst, und darin bestand wohl die Rache der Lion.«

Die Erinnerung ist also kein Allheilmittel, aber ohne sie bliebe das Hier und Jetzt eine Illusion, da es ohne die wirkmächtige Vergangenheit nicht vorzustellen ist – diese Erkenntnis machen Lenz' Texte auf einfache Weise sinnfällig. Um das fragile Bündnis von Gestern und Heute geht es auch in dem (bislang nur als Privatdruck des Hegner Verlags erschienenen) Stück »Einer erinnert sich« von 1969: »Eine abgelegte Sache, dieser alte Krieg, obwohl der alte Krieg von dieser neuen Zeit, die jetzt stillstand, nur wie durch eine Haut getrennt war.« Und die Kunst des Lenzschen Erzählens besteht nicht zuletzt darin, die Farb- und Lichtbewegungen, die sich unter dieser Haut abzeichnen, festzuhalten und mit den Empfindungen der Figuren zu verweben.

Erinnerungen können, wie gesagt, schmerzen. Sosehr der zur Erinnerung Befähigte einerseits dem Erlebten Substanz abgewinnt und zu einer Klärung des Gewesenen kommen kann, so belastend ist es bisweilen, von »verschlungenen Erinnerungen« heimgesucht zu werden. »Laß deine Erinnerungen unter Wasser liegen, damit du dich nicht an ihnen verbrennst, sagte er zu sich selber« – diese Ermahnung (aus »Das Glück im Stein«) hilft aber dem, der in den Sog der Erinnerung gezogen wird, oftmals nicht weiter. Und so laden Hermann Lenz' Erzählungen dazu ein, den Wegen der Vergangenheit nachzuspüren, auch ihren Verirrungen zu folgen und dennoch die Illusion potentieller Identität nicht aufzugeben.

Der lange Zeit »unter Regionalismus- und Naturidylliker-Verdacht stehende Lenz« (so die Germanistin Martina Wagner-Egelhaaf) hat ein erzählerisches Werk vorgelegt, das einerseits von seltener Konstanz geprägt ist, andererseits jedoch auch immer Neuland betritt und überraschende Variationen liefert. Gerade in den hier versammelten Texten, die die neben den großen Romanen und Erzählungen publizierte Prosa nahezu komplett umfaßt und einige zentrale Texte aus dem fiktional/nicht-fiktionalen Grenzgebiet einschließt, zeigt sich das markant. Der »magische«, der »autobiographische« Lenz – das mögen vertraute Attribute sein, doch wer kennt den Verfasser des modernen Märchens »Sieben beim Vatertag« oder der Parabeln »Relevanz« und »Metamorphose«? Und wer sich überzeugen möchte, wie eindringlich und einfühlsam ein »langjähriger freier Schriftsteller« (so Peter Handke über Lenz) sich mit geschätzten Kollegen auseinanderzusetzen vermag, der lese »Der Käfer«, eine Mörike-Miniatur, und vor allem die Goethe-Hommage »Die Nähe des Herrn von G.«. Die Annäherung an den fernen Großdichter, 1982 zuerst erschienen, schafft Distanz und Vertrautheit in einem und signalisiert das Staunen über ein Werk, dessen poetisches Fundament mit dem eigenen nicht leicht in Einklang zu bringen ist: »Jedes seiner Bücher könnte ein anderer Mann geschrieben haben.« Das ließe sich schwerlich über Hermann Lenz' Arbeiten sagen, doch wie vielfältig und wie verwoben miteinander und mit der Literaturgeschichte auch diese sind, zeigen seine gesammelten Erzählungen.

Rainer Moritz